CEDU(쎄듀)는 A **C**omprehensive **E**nglish e**DU**cation(종합적 영어교육)의 약자입니다.

펴낸이	김기훈 김진희
펴낸곳	㈜쎄듀/서울시 강남구 논현로 305 (역삼동)
발행일	2024년 6월 12일 초판 1쇄
내용 문의	www.cedubook.com
구입 문의	콘텐츠 마케팅 사업본부
	Tel. 02-6241-2007
	Fax. 02-2058-0209
등록번호	제22-2472호
ISBN	978-89-6806-387-9
	978-89-6806-385-5(SET)

RANK 77

고등 영어 서술형
실전문제 700제

77개 랭크별 풍부한 문제로 내신 완벽 대비

저자

김기훈　現 ㈜쎄듀 대표이사

　　　　現 메가스터디 영어영역 대표강사

　　　　前 서울특별시 교육청 외국어 교육정책자문위원회 위원

　　저서　천일문 / 천일문 Training Book / 천일문 GRAMMAR

　　　　첫단추 BASIC / Grammar Q / ALL씀 서술형 / Reading Relay

　　　　어휘끝 / 어법끝 / 쎄듀 본영어 / 절대평가 PLAN A

　　　　The 리딩플레이어 / 빈칸백서 / 오답백서

　　　　첫단추 / 파워업 / 쎈쓰업 / 수능영어 절대유형 / 수능실감 등

쎄듀 영어교육연구센터

쎄듀 영어교육센터는 영어 콘텐츠에 대한 전문지식과 경험을 바탕으로
최고의 교육 콘텐츠를 만들고자 최선의 노력을 다하는 전문가 집단입니다.

한예희 책임연구원 · **이혜경** 전임연구원 · **이민영** 연구원 · **심승아** 연구원

교재 집필에 도움을 주신 분　이혜진

교재 개발에 도움을 주신 분들

강나겸 선생님(광주 스위치영어수학학원) | 강래령 선생님(대구 하이엔드영어학원) | 강민주 선생님(대구 최수학강영어) | 고은주 선생님(부산 지니영어) | 구수진 선생님(대구) | 권시현 선생님(대구 권시현 영어) | 김동갑 선생님(서울 프라임영어학원) | 김동욱 선생님(울산 Jk 영어 공부방) | 김미정 선생님(서울 아발론신내캠퍼스) | 김보경 선생님(충남 더시에나영어학원) | 김석중 선생님(전남 맥잉글리시 영어교습소) | 김성호 선생님(충남 j&k튜터 영어) | 김지연 선생님(인천 송도탑영어학원) | 김현미 선생님(대구) | 박고은 선생님(대구 스테듀입시학원) | 박상희 선생님(부산 크크리 영어 교습소) | 박선미 선생님(부산 박쌤 영어교실) | 박소현 선생님(대구 SKY English) | 박수진 선생님(서울 이은재 어학원) | 박인성 선생님(경기) | 박철형 선생님(인천 페이스 학원) | 방성모 선생님(대구 방성모 영어학원) | 송수아 선생님(충남 송수아 영어학원) | 신지혜 선생님(경기 제시의 행복한 영어교습소) | 양영혜 선생님(경기) | 유영목 선생님(전북 유영목 영어전문학원) | 윤선아 선생님(충북 청주 타임즈영어학원) | 윤현미 선생님(충남 비비안의 잉글리쉬 클래스) | 이경민 선생님(경남 KM ENGLISH) | 이주현 선생님(서울 샬롯영어) | 이형석 선생님(충남 한일학원) | 임예찬 선생님(서울 학습컨설턴트) | 장은영 선생님(경남 영쓰클래스) | 장환조 선생님(경기 덕소고등학교) | 전성희 선생님(대구) | 정다이 선생님(전남 더채움영어학원) | 정성봉 선생님(경기 김포한강 최선어학원) | 정지안 선생님(경기 쌤영어수학학원) | 채주현 선생님(경기 EST어학원) | 채지영 선생님(부산 리드앤톡영어도서관학원) | 최경주 선생님(경북 기린의 비상) | 한기윤 선생님(서울 수능영어의 神-Iris)

마케팅	콘텐츠 마케팅 사업본부
제작	정승호
영업	문병구
인디자인 편집	올댓에디팅
디자인	윤혜영
영문교열	James Clayton Sharp

이 책을 쓰며

본 교재인 <RANK 77 고등 영어 서술형 실전문제 700제>는 <RANK 77 고등 영어 서술형>에서 학습한 서술형 빈출 포인트들을 확실히 이해했는지 점검하고 이를 더 많은 문제에 적용해 보는 연습을 하기 위한 집중 훈련 문제집입니다.

본 교재는 서술형 문제에 대해 철저한 대비가 가능하도록 아래와 같이 구성되었습니다.

1. <RANK 77 고등 영어 서술형>과 같은 Rank 순서로 구성되어 있으므로 두 교재의 병행 학습을 통해 학습 효과를 최대한으로 높일 수 있습니다.

2. 문제 유형 또한 <RANK 77 고등 영어 서술형>과 동일하게 출제하여 각 빈출 포인트에 가장 적합한 유형으로 구성된 문제를 다시 한번 풀어볼 수 있습니다.

3. <RANK 77 고등 영어 서술형>에서 학습한 '서술형 PLUS 표현'을 복습해 보는 단계를 포함하고 있습니다. 영어 문장에 자주 등장하는 여러 표현을 자유자재로 쓸 수 있을 때까지 암기한다면 서술형 고득점은 충분히 가능할 것입니다.

4. 11회마다 수록된 누적식 '서술형 대비 실전 모의고사' 7회를 통해 자신의 실력을 점검해 보고 앞에서 배운 내용을 복습할 수 있습니다.

영어 서술형 문제 풀이에는 그동안 학습한 문법, 어법, 어휘 지식을 통합적으로 활용하여 직접 영어 문장을 완성하는 과정이 필요합니다. 따라서 촉박한 시간 속에 정확한 답을 도출하기 위해서는 주요 출제 포인트에 집중하여 양질의 문제를 충분히 풀어보는 활동이 중요합니다. 엄선한 문장과 지문에 기반한 문제들로 구성하였으므로, 본 교재를 학습한다면 서술형 문제에 자신감 있게 대처할 수 있는 실전 감각을 기를 수 있을 것입니다.

<RANK 77 고등 영어 서술형 실전문제 700제>가 단순히 문제를 푸는 것을 넘어, 여러분이 이루고자 하는 목표에 한 걸음 더 다가갈 수 있도록 도와주는 교재가 되기를 기원합니다.

저자

이 책의 구성과 특징

1 서술형 PLUS 표현

서술형 PLUS 표현 ▶▶ 주어진 내용을 단서로 하여 빈칸을 채우세요.
정답 및 해설 p. 2

+ 수동태 표현 Rank 03, 04

형태	의미
be absorbed in	
be charged with	
be composed of	
be concerned about	
be concerned with	
be convinced of	
be covered with	
be devoted to	
be disappointed at/with/by	
be engaged in	
be exposed to	
be faced with	
be filled with	
be interested in	

+ 구동사 표현 Rank 04

형태	의미
account for	
adapt to	
adhere to	
bring about	
carry out	
cope with	
count on	
deal with	
depend on	
derive from	
die out	
figure out	
keep up with	
rely on	

- 주어진 내용을 단서로 빈칸을 채우며 서술형 문제 풀이에 밑바탕이 되는 다양한 표현들을 암기 및 점검하기

2 Test

RANK 02 주어-동사의 수일치 II
일치

정답 및 해설 p. 3

어법
Test 1

다음 밑줄 친 부분이 어법상 옳으면 O, 틀리면 ×로 표시하고 바르게 고치시오. (단, 시제는 변경하지 말 것)

1 The number of the poor in nations correlate with factors such as income inequality and lack of access to education and healthcare.

2 In the early 20th century, both major discoveries in physics, quantum mechanics and special relativity, were made, which changed the map of science.
*quantum mechanics: 양자 역학 **special relativity: 특수 상대성 이론

3 Having a high follower count on your social media accounts are a great advantage if your goal is to create a thriving online market. Rank 15 모의응용

고난도
4 People often add an optimistic touch to bad news before delivering it to their superiors, and thus, what starts out as bad news becomes happier as it travels up the corporate ladder. Rank 09, 26
모의응용

조건영작
Test 2

다음 주어진 우리말과 일치하도록 괄호 안의 어구를 모두 활용하여 <조건>에 맞게 영작하시오.

<조건> • 필요시 어형 변화 가능

1 젊은 사람들은 나이 든 사람들보다 스마트폰과 무선 헤드폰 같은 기술 형태에 더 관심이 있는 경향이 있다.
(be / forms of / more interested / tend to / the young / technology / in)

- 77개 Rank의 서술형 빈출 유형으로 구성된 문제 풀어보기
- 고난도 문제로 심화 문제 대비

고난도 ▸ 고난도 문항 표시

Rank 00 ▸ 연계된 Rank 안내

모의응용 ▸ 모의/모의응용/수능/수능응용/교과서응용 등 학평, 모평, 수능, 교과서, EBS에서 발췌하여 그대로 사용하거나 일부 변형한 문장 또는 지문

3 서술형 대비 실전 모의고사 7회

RANK 01-11
100점

서술형 대비 실전 모의고사 1회
정답 및 해설 p. 8

[01-05] 다음 밑줄 친 부분이 어법상 옳으면 O, 틀리면 ×로 표시하고 바르게 고치시오. (단, 시제는 변경하지 말 것) [밑줄당 2점]

01 A number of studies around the world suggests that the state of your desk might affect how you work, from the idea that disorderly environments result in increased creativity — to the idea that too much mess can interfere with focus. 모의응용

02 The transition from tempera to oil paints, which know for their superior versatility and longer drying times, freed painters by allowing them to rapidly create much larger compositions as well as modify them as long as necessary. 모의응용
*tempera: 템페라 (물감가루에 달걀노른자의 물을 섞어 그림)

03 The listener receives a sound signal entirely through the vibrations generated in the air, whereas in the case of speakers, some of the auditory stimulus they receive are conducted to the ear through the speakers' own bones. 모의

고난도
04 The 21st century is the age of information and knowledge. It is a century that characterizes by knowledge as the important resource that is gained competitive advantage for companies. 모의

- 앞 Rank의 내용을 점검해 보는 누적식 실전 모의고사 7회분
- 내신에 나오는 독해형 서술형 문제와 문제별 배점 및 부분 점수에 따른 채점으로 실제 시험 미리보기

고난도 ▸ 고난도 문항 표시

추천 학습법

Tip 1 · RANK 77 시리즈 활용법

① <RANK 77 고등 영어 서술형>의 학습 진도에 맞춰 <RANK 77 고등 영어 서술형 실전문제 700제> 풀기
학습한 내용을 <RANK 77 고등 영어 서술형 실전문제 700제>을 통해 바로 복습하여 각 Rank의 내용을 보다 깊이 있게 학습할 수 있습니다.

② <RANK 77 고등 영어 서술형>을 우선 학습 후, <RANK 77 고등 영어 서술형 실전문제 700제>로 복습
전체 학습 과정을 두 번 반복함에 따라서 모든 학습 포인트를 확실히 익힐 수 있습니다.

Tip 2 · '서술형 PLUS 표현' 활용법

<RANK 77 고등 영어 서술형>에서 Rank 학습 전에 서술형 문제 풀이를 위해 알아야 할 표현을 암기해 보고 <RANK 77 고등 영어 서술형 실전문제 700제>를 통해 잘 암기했는지 확인합니다.

Tip 3 · '서술형 대비 실전 모의고사' 활용법

① 각 11개 Rank를 끝낸 직후마다 '서술형 대비 실전 모의고사'를 하나씩 풀어 앞에서 배운 Rank의 출제 포인트를 복습하고 실력 점검을 할 수 있습니다. 실제 시험과 유사한 유형의 문제들로 구성되어 있으므로 다음 Rank를 학습하기 전에 목표를 재확인하고 동기부여를 하기에도 적합합니다.

② 전체 Rank 학습이 끝난 후에 '서술형 대비 실전 모의고사'만 모아 마지막 실력 점검용으로 풀어볼 수 있습니다. 여러 Rank의 내용이 혼합되어 있어 난이도가 높으므로 전 출제 포인트를 학습한 후 풀어본다면 보다 깊게 문제를 이해할 수 있을 것입니다.

무료 부가서비스   www.cedubook.com
어휘리스트/어휘테스트를 무료로 다운로드하실 수 있습니다.

쎄듀런 학습하기 유료   www.cedulearn.com *[RANK 77 고등 영어 서술형 실전문제 700제] 교재 서비스는 8월 중순부터 이용 가능합니다.
쎄듀런 웹사이트와 앱을 통해 온라인으로 풍부한 서술형 문항을 학습하실 수 있습니다.

쎄듀런

선생님   · 온라인 TR/TEST 및 학사관리 제공
· 학교 및 학원용 TEST 인쇄 서비스 제공

CONTENTS

RANK 01-11

서술형 PLUS 표현	10
Rank 01 주어-동사의 수일치 Ⅰ	11
Rank 02 주어-동사의 수일치 Ⅱ	12
Rank 03 능동 vs. 수동_단순시제 Ⅰ	13
Rank 04 능동 vs. 수동_단순시제 Ⅱ	14
Rank 05 현재분사 vs. 과거분사_명사 수식	15
Rank 06 분사구문	16
Rank 07 동사+목적어+보어 Ⅰ	17
Rank 08 동사+목적어+보어 Ⅱ	18
Rank 09 등위접속사의 병렬구조	19
Rank 10 상관접속사의 병렬구조	20
Rank 11 동사의 목적어가 되는 to-v, v-ing	21
서술형 대비 실전 모의고사 1회	22

RANK 12-22

서술형 PLUS 표현	28
Rank 12 if+가정법	29
Rank 13 to부정사의 부사적 역할	30
Rank 14 가주어-진주어(to부정사)	31
Rank 15 주어로 쓰이는 동명사	32
Rank 16 진행·완료시제의 능동 vs. 수동	33
Rank 17 의문사가 이끄는 명사절의 어순	34
Rank 18 부정어구 강조+의문문 어순	35
Rank 19 if절을 대신하는 여러 표현	36
Rank 20 주의해야 할 분사구문	37
Rank 21 주의해야 할 시제 Ⅰ	38
Rank 22 주의해야 할 시제 Ⅱ	39
서술형 대비 실전 모의고사 2회	40

RANK 23-33

서술형 PLUS 표현	46
Rank 23 명사절을 이끄는 접속사 that	47
Rank 24 동사 자리 vs. 준동사 자리	48
Rank 25 주격 관계대명사 who, which, that	49
Rank 26 관계대명사 what	50
Rank 27 목적격 관계대명사 who(m), which, that	51
Rank 28 콤마(,)+관계대명사_계속적 용법	52
Rank 29 전치사+관계대명사	53
Rank 30 관계부사 when, where, why, how	54
Rank 31 the+비교급~, the+비교급...	55
Rank 32 가목적어-진목적어	56
Rank 33 대명사의 수일치	57
서술형 대비 실전 모의고사 3회	58

RANK 34-44

서술형 PLUS 표현	64
Rank 34 목적·결과의 부사절	65
Rank 35 시간·조건의 부사절	66
Rank 36 양보·대조의 부사절	67
Rank 37 형용사 자리 vs. 부사 자리	68
Rank 38 주어+동사+보어(2문형)	69
Rank 39 to부정사와 동명사의 태	70
Rank 40 to부정사와 동명사의 완료형	71
Rank 41 비교급+than~	72
Rank 42 원급을 이용한 비교 표현	73
Rank 43 최상급을 나타내는 여러 표현	74
Rank 44 4문형·5문형의 수동태	75
서술형 대비 실전 모의고사 4회	76

RANK 45-55

서술형 PLUS 표현		82
Rank 45 it be ~ that... 강조구문		83
Rank 46 to부정사의 명사 수식		84
Rank 47 자동사로 오해하기 쉬운 타동사		85
Rank 48 S+wish/as if 가정법		86
Rank 49 used to / be used to-v / be used to v-ing		87
Rank 50 with+명사+v-ing/p.p.		88
Rank 51 주의해야 할 부정구문		89
Rank 52 동격을 나타내는 구문		90
Rank 53 가주어-진주어(명사절)		91
Rank 54 감정을 나타내는 분사		92
Rank 55 인칭대명사, 재귀대명사		93
서술형 대비 실전 모의고사 5회		94

RANK 67-77

서술형 PLUS 표현		118
Rank 67 do 동사의 쓰임		119
Rank 68 생략구문		120
Rank 69 보어로 쓰이는 to부정사		121
Rank 70 that절이 목적어인 문장의 수동태		122
Rank 71 전치사의 의미와 쓰임		123
Rank 72 전치사+동명사		124
Rank 73 당위성 동사+that+S′+(should+)동사원형		125
Rank 74 혼동하기 쉬운 동사		126
Rank 75 명사와 수식어의 수일치		127
Rank 76 There+V+S		128
Rank 77 명사절을 이끄는 복합관계대명사		129
서술형 대비 실전 모의고사 7회		130

RANK 56-66

서술형 PLUS 표현		100
Rank 56 소유격 관계대명사 whose, of which		101
Rank 57 관계대명사의 선행사에 수일치		102
Rank 58 3문형 ⇌ 4문형 전환		103
Rank 59 조동사+have p.p.		104
Rank 60 부사구 강조 도치 / 기타 도치		105
Rank 61 여러 가지 조동사 표현		106
Rank 62 전치사를 동반하는 동사 쓰임 Ⅰ		107
Rank 63 전치사를 동반하는 동사 쓰임 Ⅱ		108
Rank 64 의문사+to부정사		109
Rank 65 원인·이유의 부사절		110
Rank 66 양태의 부사절		111
서술형 대비 실전 모의고사 6회		112

문법별 목차

01 동사와 문형	Rank 07, 08, 24, 37, 38, 47, 58, 62, 63, 74, 76
02 시제	Rank 21, 22
03 태	Rank 03, 04, 16, 44, 70
04 조동사	Rank 49, 59, 61, 73
05 부정사	Rank 11, 13, 14, 32, 39, 40, 46, 49, 64, 69
06 동명사	Rank 11, 15, 39, 40, 49, 72
07 분사	Rank 05, 06, 20, 50, 54
08 대명사	Rank 55
09 일치	Rank 01, 02, 33, 57, 67, 75
10 전치사	Rank 71, 72
11 접속사	Rank 09, 10, 17, 23, 32, 34, 35, 36, 53, 65, 66
12 관계사	Rank 25, 26, 27, 28, 29, 30, 56, 57, 77
13 가정법	Rank 12, 19, 48
14 비교	Rank 31, 41, 42, 43
15 특수구문	Rank 18, 45, 51, 52, 60, 67, 68, 76

Dreaming, after all, is a form of planning.

- Gloria Steinem -

01
Rank
11

Rank 01 주어-동사의 수일치 I

Rank 02 주어-동사의 수일치 II

Rank 03 능동 vs. 수동_단순시제 I

Rank 04 능동 vs. 수동_단순시제 II

Rank 05 현재분사 vs. 과거분사_명사 수식

Rank 06 분사구문

Rank 07 동사+목적어+보어 I

Rank 08 동사+목적어+보어 II

Rank 09 등위접속사의 병렬구조

Rank 10 상관접속사의 병렬구조

Rank 11 동사의 목적어가 되는 to-v, v-ing

서술형 대비 실전 모의고사 1회

서술형 PLUS 표현 ▶▶ 주어진 내용을 단서로 하여 빈칸을 채우세요.

정답 및 해설 p. 2

✚ 수동태 표현 (Rank 03, 04)

형태	의미
be absorbed in	
be charged with	
be composed of	
be concerned about	
be concerned with	
be convinced of	
be covered with	
be devoted to	
be disappointed at/with/by	
be engaged in	
be exposed to	
be faced with	
be filled with	
be interested in	
be involved in	
be known as	
be known for	
be known to	
be obsessed with	
be pleased with	
be prepared for	
be regarded as	
be satisfied with	
be surprised at[by]	
be tired of	

✚ 구동사 표현 (Rank 04)

형태	의미
account for	
adapt to	
adhere to	
bring about	
carry out	
cope with	
count on	
deal with	
depend on	
derive from	
die out	
figure out	
keep up with	
rely on	
run out of	
settle down	
stand for	
stick to	
struggle with	
take place	

어법

Test 1

다음 밑줄 친 부분이 어법상 옳으면 ○, 틀리면 ✕로 표시하고 바르게 고치시오. (단, 시제는 변경하지 말 것)

1 These days, inconsiderate behaviors that people consider socially unacceptable <u>is</u> drawing attention from the public and swiftly shared. Rank 27 교과서응용

2 The majority of technological developments in sectors such as nuclear energy and agriculture <u>provides</u> examples of how environmental benefits can accompany technological advances. 모의응용

3 One of the common mistakes made by organizations <u>is</u> that they focus too much on social media platforms and not enough on their business objectives. 수능응용

4 A virtual world's ability to fulfill people's needs and provide wide-ranging value <u>grow</u> when users who believe in virtual reality are numerous enough to be considered a society. Rank 52 모의응용

조건영작

Test 2

다음 주어진 우리말과 일치하도록 괄호 안의 어구를 모두 활용하여 <조건>에 맞게 영작하시오.

<조건> • 필요시 어형 변화 가능

1 개인들이 불필요한 구입에 쓰는 돈은 그들이 미래 투자를 위해 저축할 수 있는 돈이다.
(be / unnecessary purchases / individuals / on / the money / spend / that)

→ _____ money they can

save for future investments. Rank 27

2 주요 건강 문제와 싸우는 사람들에 대한 연구는 대부분의 응답자들이 그들의 역경으로부터 이익을 얻는다고 보고하는 것을 보여준다. (people / report / most of / show / struggling with / a study of / major health problems / the respondents)

→ _____ that _____

_____ that they derive benefits from their adversity. Rank 05, 23 모의응용

3 선사시대 예술의 의미와 목적에 대한 해석은 현대에도 여전히 존재하는 수렵-채집 사회들에 의해 끌어내진 유추에 크게 의존한다.
(purpose of / and / on / interpretations / prehistoric art / about / rely heavily / the meaning)

→ _____

analogies drawn by hunter-gatherer societies that still exist in modern-day. 수능응용

고난도 4 그 분야의 전문가들에 의한 최근의 추정은 올해 태어난 아기들 중 3분의 1이 100세에 도달할 것으로 예상된다는 것을 시사한다.
(born this year / in the field / be / a third / recent estimates / babies / expected / by experts / suggest / of)

→ _____ that _____

_____ to reach the age of 100. Rank 05, 23, 44

어법

Test **1**

다음 밑줄 친 부분이 어법상 옳으면 ○, 틀리면 ×로 표시하고 바르게 고치시오. (단, 시제는 변경하지 말 것)

1 The number of the poor in nations <u>correlate</u> with factors such as income inequality and lack of access to education and healthcare.

2 In the early 20th century, both major discoveries in physics, quantum mechanics and special relativity, <u>were</u> made, which changed the map of science.

*quantum mechanics: 양자 역학 **special relativity: 특수 상대성 이론

3 Having a high follower count on your social media accounts <u>are</u> a great advantage if your goal is to create a thriving online market. ⟮Rank 15⟯ 모의응용

고난도 **4** People often add an optimistic touch to bad news before delivering it to their superiors, and thus, what starts out as bad news <u>becomes</u> happier as it travels up the corporate ladder. ⟮Rank 09, 26⟯

모의응용

조건영작

Test **2**

다음 주어진 우리말과 일치하도록 괄호 안의 어구를 모두 활용하여 <조건>에 맞게 영작하시오.

<조건> · 필요시 어형 변화 가능

1 젊은 사람들은 나이 든 사람들보다 스마트폰과 무선 헤드폰 같은 기술 형태에 더 관심이 있는 경향이 있다.
(be / forms of / more interested / tend to / the young / technology / in)

→ _____ like smartphones and

wireless headphones than the old. ⟮Rank 11, 41⟯

2 신호등이 없는 그 교차로를 이용하는 모든 운전자는 도로의 질서와 안전을 유지할 책임이 있다.
(without / the intersection / who / traffic lights / use / driver / have / every)

→ _____ the responsibility to

maintain order and safety on the road. ⟮Rank 25, 57⟯

3 사람들을 창의적이라고 부르는 것은 그들이 의도적인 방식으로 무언가를 적극적으로 생산하고 있다는 것을 의미한다.
(are / mean / something / creative / people / that / calling / they / actively producing)

→ _____

in a deliberate way. ⟮Rank 15, 23⟯ 모의응용

4 새로 문을 연 미술관을 둘러본 많은 관람객들은 전시된 숨이 멎을 만큼 놀라운 그림과 조각에 마음을 사로잡혔다.
(be / a number of / captivated / art gallery / who / the newly opened / visitors / explored)

→ _____

by the breathtaking paintings and sculptures on display. ⟮Rank 03, 05, 25⟯

어법

Test **1**

다음 문장에서 <u>틀린</u> 부분을 찾아 바르게 고치시오. (단, 시제는 변경하지 말 것)

1 You can be divided large tasks into smaller tasks, because small ones are much simpler to complete than large ones. 모의응용

2 Archaeologists believed that pottery was first invented in the Near East around 9,000 B.C. but, many years later, older pots from 10,000 B.C. found on Honshu Island, Japan. 모의응용

고난도 3 Decades ago, only a few scientists in the field of geography spoke out about global warming and related issues and criticized for doing so, which is quite different these days. [Rank 09] 수능응용

고난도 4 In business school, they teach an approach to management decisions that structures to overcome our natural tendency to cling to the familiar, whether or not it works. [Rank 25] 모의응용

조건영작

Test **2**

다음 주어진 우리말과 일치하도록 괄호 안의 어구를 모두 활용하여 <조건>에 맞게 영작하시오.

<조건> • 필요시 밑줄 친 단어 변형 가능
• 필요시 be동사 추가 가능

1 19세기 초반에, 요리들은 먹을 수 없는 예쁜 토핑들로 장식되어 있었고, 그래서 그것들은 호화로워 보였다.

(could not / <u>look</u> / which / eat / toppings / luxurious / pretty / with / <u>decorate</u>)

→ In the early 19th century, dishes ＿＿＿＿＿＿＿＿＿＿＿＿＿＿＿＿＿＿＿

＿＿＿＿＿＿＿＿＿＿＿＿, and so they ＿＿＿＿＿＿＿＿＿＿＿＿＿＿＿＿. [Rank 25, 38] 교과서응용

2 인체의 근육 움직임 및 조정의 과정은 정교한 연결과 다양한 근육과 신경계 구성 요소의 복잡한 상호 작용에 의해 촉진된다.

(human bodies / in / coordination / of / <u>facilitate</u> / muscle movement / the processes / and)

→ ＿＿＿＿＿＿＿＿＿＿＿＿＿＿＿＿＿＿＿＿＿＿＿＿＿＿＿＿＿＿＿＿＿

by sophisticated connections and the complex interplay of various muscular and nervous system components.

3 회의 동안 제기된 회사의 방향에 대한 모든 우려는 더 나은 리더십의 필요성을 보여주었다.

(<u>show</u> / during / <u>raise</u> / that / better leadership / a need / the meeting / for)

→ Every concern regarding the firm's direction ＿＿＿＿＿＿＿＿＿＿＿＿＿＿

＿＿＿＿＿＿＿＿＿＿＿＿＿＿＿. [Rank 25]

고난도 4 이제, 사업체와 소비자의 요구를 수용하는 도시 중심부의 공간이 더 이상 활용되지 않고 한때 존재했던 활기찬 활동과 극명한 대조를 만들어 낸다. (of the city / <u>create</u> / at the heart / business and consumer needs / a stark contrast / space / not <u>utilize</u> / to accommodate)

→ Now, ＿＿＿＿＿＿＿＿＿＿＿＿＿＿＿＿＿＿＿＿＿＿＿＿＿＿＿＿＿＿＿

any longer and ＿＿＿＿＿＿＿＿＿＿＿＿＿＿＿＿＿ to the vibrant activity that was once present.

[Rank 09, 46] *stark: (차이가) 극명한

정답 및 해설 p. 4

어법

다음 괄호 안에 주어진 어구를 어법상 알맞은 형태로 빈칸에 쓰시오.

Test 1

1 In the middle of the 18th century, something revolutionary _____ in the way manufacturing was performed, which we now call the Industrial Revolution. (happen)

2 To make communication smooth, other people's nonverbal cues should _____, as they convey valuable information beyond spoken words. (to, attention, pay)

3 In Western culture, humans are considered rational beings who can skillfully sort fact from fiction, so failures to make effective and well-informed decisions _____ failures of reasoning. (attribute, to) 모의응용

고난도 **4** The candidate _____ at the campaign rally by the end of the ceremony yesterday and _____ with loud applause by the crowd. (greet, show up) Rank 09

조건영작

다음 주어진 우리말과 일치하도록 괄호 안의 어구를 모두 활용하여 <조건>에 맞게 영작하시오.

Test 2

<조건> • 필요시 어형 변화 가능
• 필요시 be동사 추가 가능

1 우리 팀이 논쟁의 여지가 있는 심판 판정으로 경기에서 한 골을 빼앗겼을 때, 결승행에 대한 우리의 희망은 사라졌다.
(of / to the final / our hopes / rob / to go / disappear / a goal / our team)
→ _____ when _____
_____ in a match due to a controversial refereeing decision. Rank 35, 52

2 조사에 따르면, 거의 95퍼센트에 달하는 기업들이 소비자들의 불만이 합리적인 방식으로 처리되는지를 알아보기 위해 정기적인 평가를 하고 있다. (complaints / in a reasonable manner / their consumers' / whether / deal with)
→ According to research, almost 95 percent of companies are doing regular evaluations to see
_____.

3 '개발'은 단순한 경제 확장 그 이상을 의미한다. 그것은 경제 성장에 의해 발생하는 한 국가 안에서의 사회적, 환경적 변화를 포함한다. (that / and / in a country / transformations / environmental / the social / involve / arise / it)
→ "Development" means more than mere economic expansion. _____
_____ by economic growth. Rank 25
모의응용

고난도 **4** 한 지역에서만 번성하는 동물은 고유종이라고 불리며 특히 멸종에 취약하다.
(thrive / that / in / as endemic species / only one area / animals / refer to)
→ _____ and are
especially vulnerable to extinction. Rank 25 모의응용

어법

다음 문장에서 <u>틀린</u> 부분을 찾아 바르게 고치시오. (한 단어로 고칠 것, 옳은 문장이면 ○로 표시할 것)

Test 1

1 The penalty imposing by the court on the companies involved in monopolistic practices aimed to maintain fair competition within the market.

*monopolistic: 독점적인

2 In Japan, beautifully arranged food is often describing as an edible piece of art brought to life by the craftsmanship of culinary artisans.

3 The key contributors of this symphony event held annually by the charity organization have been participating musicians who donate their talent for free.

고난도 4 In markets where competitors sell slightly differentiated products, businesses wanted to have larger market shares advertise heavily, and this drives up the price of the products. 모의응용

조건영작

다음 주어진 우리말과 일치하도록 괄호 안의 어구를 모두 활용하여 <조건>에 맞게 영작하시오.

Test 2

<조건> • 필요시 밑줄 친 단어 변형 가능

1 베트남을 방문하면, 아마 전통적인 '아오자이'와 '논라'라고 불리는 독특한 모자를 착용한 사람들을 길에서 만날 것이다.

(dress in / call / people / "non la" / and distinctive hats / encounter / traditional "ao dai")

→ When you visit Vietnam, you will likely _____

_____ in the street. 교과서응용

2 음악 라디오를 수익성 있게 만들고자 하는 방송사들에 가장 중요한 척도는 그것을 적극적으로 듣는 청취자의 규모이다.

(music radio / make / of the audience / it / the size / <u>seek</u> to / actively <u>listen</u> to / profitable / broadcasters)

→ The most significant metric for _____

is _____. 모의응용

*metric: 척도

3 이번 주말로 예정된 캠핑 여행은 새끼들을 데리고 있는 곰이 산 주변의 여러 곳에서 목격되어 취소되었다.

(its cubs / <u>schedule</u> for / the camping trip / was canceled / was observed / this weekend / <u>carry</u> / a bear)

→ _____ because

_____ in several locations near the mountain.

(Rank 03, 65) 모의응용

고난도 4 숲이 나무로 가득하게 남겨두는 것에서 얻어지는 추정된 경제 이익은 목재 채취와 관련된 금전적 수익을 초과한다.

(timber extraction / forests / <u>estimate</u> / leaving / with / from / <u>associate</u> / full of trees / <u>derive</u> / economic benefits)

→ _____ exceed

the monetary gains _____. 수능응용

RANK 06 분사구문

분사

정답 및 해설 p. 5

어법

Test 1

다음 밑줄 친 부분이 어법상 옳으면 ○, 틀리면 ×로 표시하고 바르게 고치시오. (단, 한 단어로 고칠 것)

1 <u>Confronted</u> by a strange object, an inexperienced animal may freeze or attempt to hide, but if nothing unpleasant happens, sooner or later it will continue its activity. 모의

2 Ironically, <u>emitted</u> carbon dioxide every time they breathe, living things will be dead in places with more than 15 percent atmospheric carbon dioxide. *carbon dioxide: 이산화탄소

3 When you consume alcohol, it is absorbed into your bloodstream and then gradually metabolized over time, <u>removing</u> from your body by enzymes within your liver. 모의응용 *enzyme: (생물) 효소

고난도 4 The CEO asked his executives to generate ideas that would put their company at risk, and for the next two hours, the executives worked in groups, <u>pretended</u> to be one of the company's top competitors. 모의응용

조건영작

Test 2

다음 주어진 우리말과 일치하도록 괄호 안의 어구를 모두 활용하여 <조건>에 맞게 영작하시오.

<조건> • 필요시 어형 변화 가능
• 단어 추가 불가

1 아이들의 행동에 한계를 둘 때, 어떤 한계가 설정되고 그것이 어떻게 강제될 것인지에 대해 부모 모두가 동의해야 한다.
(on / limits / children's behavior / place)
→ _____, both parents must agree on what limit will be set and how it will be enforced. 모의응용

2 적당한 온도로 세탁되고 잘 관리되어서, 내가 지난주에 산 스웨터는 원래 크기를 유지한 반면에, 언니 것은 줄어들었다.
(at / manage well / and / wash / the right temperature)
→ _____, the sweater I bought last week kept its original size, whereas my sister's shrank. Rank 09

3 응원하는 관중들에게 둘러싸여, 그 주자는 그녀의 한계를 시험하는 여정을 완수한 기쁨을 느끼며 마침내 결승선을 통과했다.
(her limits / the joy / that / a journey / of completing / feel / tested)
→ Surrounded by cheering spectators, the runner finally crossed the finish line, _____. Rank 25 모의응용

4 자원을 분배하는 최고의 체제로 받아들여져, 자본주의와 자유 시장은 오늘날 세계 대부분에서 기본 원칙이다.
(distributing / for / resources / the best system / as / accept)
→ _____, capitalism and free markets are foundational principles in most of the world today. 모의응용

16 RANK 77 고등 영어 서술형 실전문제 700제

어법 다음 문장에서 틀린 부분을 찾아 바르게 고치시오. (옳은 문장이면 O로 표시할 것)

Test 1

1 Warmer air from global climate change caused clouds to rise, depriving the tropical rain forests of moisture. 모의응용

2 It was revealed that, at the age of five, the violinist could play all of the songs that he had heard his mother play on the violin. (Rank 27) 모의응용

고난도 3 Ask well-chosen, open-ended questions that let the person whose mind you want to change to doubt their own assumptions. (Rank 56) 모의응용

4 Audiences in the early 1900s expected concert music they heard be at least a generation old, and they judged new music by the standards of the classics already enshrined in the repertoire.

(Rank 27) 모의응용 *enshrine: (법, 권리 등을 특히 문서상으로) 소중히 간직하다

조건영작 다음 주어진 우리말과 일치하도록 괄호 안의 어구를 모두 활용하여 <조건>에 맞게 영작하시오.

<조건> • 필요시 to 추가 가능

Test 2

1 일반화는 우리가 몇 가지 흔치 않은 예시에 근거하여 한 범주 전체에 대한 결론을 성급히 내리게 만들 수 있다.
(us / to conclusions / can / jump / about / make / a whole category)

→ Generalization _____

based on a few unusual examples. 모의응용

2 책임져야 할 일의 양에 부담감을 느낄 때, 다른 사람들이 여러분의 상황에 귀 기울이게 하고 도움을 요청해라.
(your situation / to / for / listen / ask / have / and / help / other people)

→ When you feel overwhelmed by the amount of responsibility, _____

_____. (Rank 09) 모의응용

고난도 3 한 식품이 다른 어떤 성분보다도 설탕을 더 많이 함유하고 있다면, 정부 규정은 업계의 제조업자들이 설탕을 라벨에 첫 번째 성분으로 기재할 것을 요구한다.
(as the first ingredient / list / government regulations / manufacturers / sugar / require / in the industry)

→ If a food contains more sugar than any other ingredient, _____

_____ on the label.

모의응용

4 한 설문조사에 따르면, 대다수의 사람들이 사회가 탐욕과 과잉을 떠나 공동체와 가족에 더 중점을 둔 삶의 방식을 향해 나아가기를 원했다. (move away / a large majority of / wanted / people / from greed and excess / society)

→ According to a survey, _____

_____ toward a way of life more centered on community and family. 모의응용

어법

다음 문장에서 **틀린** 부분을 찾아 바르게 고치시오. (옳은 문장이면 ○로 표시할 것)

Test 1

1 Underneath the twinkling stars, we lay on the grassy hillside and listened to the orchestral masterpiece played by nature itself.

2 While traveling alone in a foreign country, she found herself trapping in a bad situation; she had lost all of her belongings, and the telephone service was down. 모의응용

3 The government produced short health education videos, expecting that it would help citizens adopted healthier dietary habits and regular exercise routines. (Rank 06)

4 Often, an untrained dolphin in an aquarium observes another dolphin carried out a certain act and then replicates the act perfectly without formal training. 모의응용

조건영작

다음 주어진 우리말과 일치하도록 괄호 안의 어구를 모두 활용하여 <조건>에 맞게 영작하시오.

Test 2

> <조건> • 필요시 어형 변화 가능
> • 목적격보어를 반드시 포함할 것

1 주변의 누군가에게 당신의 행동이 관찰된다고 눈치챘다면, 그것은 당신이 다르게 행동하도록 만들 것이다.
(by / would cause / notice / you / behave / your actions / to / observe / somebody around)

→ If you _____, it _____

_____ differently. (Rank 07, 35) 수능응용

2 스트레스를 유발하는 한 가지 일에 자신이 갇혀있게 두지 말고, 대신 주의 집중을 넓히고 스트레스를 놓아주어라.
(lock / get / one thing / causes / into / don't / that / stress / yourself)

→ _____, but broaden your attentional

focus and let go of stress instead. (Rank 25)

3 소셜 미디어에서, 우리는 사람들이 자신의 능력이 인정받기를 원해서 자신들의 성취를 공유하는 것을 자주 볼 수 있다.
(people / their competence / often see / can / share / want / their achievements / recognize)

→ On social media, we _____ because

they _____. (Rank 65)

4 여러분의 '치부'를 사전에 밝히는 것은 여러분이 상황을 통제하게 해주며, 그것은 여러분의 반대자들이 주도권을 잡지 못하고 있는 채로 둘 수 있다. (you / the initiative / may leave / not / the situation / your opponents / control / allows / to / take)

→ Proactively disclosing your "dirty laundry" _____,

and it _____. (Rank 07) *dirty laundry: 치부, 수치스러운 일

어법

다음 밑줄 친 부분이 어법상 옳으면 O, 틀리면 ×로 표시하고 바르게 고치시오.

1 The #AgeProud campaign raises awareness of the problems that the elderly continue to face and <u>help</u> young people have a more positive view of growing older. `Rank 07, 27` 교과서응용

2 The project which we were responsible for was demanding, but not one team member ever stopped smiling or even <u>complaining</u>. `Rank 11, 29` 교과서응용

고난도 **3** The key to ensuring a more equal society lies in giving financial help to people with long-term illnesses and <u>offer</u> affordable housing for families with low income. `Rank 72`

4 To embrace the possibilities of genetic engineering is exciting, but <u>to confront</u> ethical dilemmas is an inevitable aspect. 수능응용

조건영작

Test **2**

다음 주어진 우리말과 일치하도록 괄호 안의 어구를 모두 활용하여 <조건>에 맞게 영작하시오.

<조건> • 필요시 밑줄 친 단어 변형 가능
• 단어 추가 불가

1 영화를 위한 음악은 종종 시대를 확증하거나 향수의 느낌을 주는 역할을 한다.
(to authenticate / for / or / the era / often <u>serve</u> / motion pictures / music / to provide)

→ _____ a sense of

nostalgia. `Rank 01` 모의

*motion picture: 영화

2 조직 내의 명확성은 모든 사람이 하나의 합의 내에서 일하는 것을 유지하게 하며 신뢰와 투명성 같은 주요 리더십 구성 요소에 활기를 북돋운다. (<u>keep</u> / and / <u>work</u> / key leadership components / everyone / <u>energize</u> / in one accord)

→ Clarity in an organization _____

_____ like trust and transparency. `Rank 01, 08` 모의

3 실망스러운 작업을 제출하는 학생들에 대해서, 교사들은 낮은 성적으로 그들을 처벌하는 것보다 그들의 작업을 미완료된 과제로 간주하고 추가적인 노력을 요구함으로써 그들에게 더 많이 동기를 부여할 수 있다.
(<u>require</u> / and / their work / them / as / by / an incomplete task / <u>consider</u> / additional effort / motivate)

→ For students who submit disappointing work, teachers can better _____

_____, rather than punishing

them with a low grade. `Rank 72` 모의응용

고난도 **4** 자선기금은 재난 지역을 돕기 위한 것이었지만 구호품을 가져간 부정직한 관리들에 의해 악용되었다.
(dishonest officials / to help / be / but / <u>aim</u> / the disaster area / by / <u>abuse</u>)

→ The charity fund _____

who took relief supplies. `Rank 03`

어법

Test 1

다음 밑줄 친 부분이 어법상 옳으면 O, 틀리면 ×로 표시하고 바르게 고치시오.

1 The original idea of a patent was not to reward inventors with monopoly profits but <u>encouraged</u> them to share their inventions. [Rank 69] 모의응용

2 The restoration of ancient manuscripts will not only reveal the intriguing stories that have been silently preserved through the ages but <u>unveiled</u> the delicate artistry embedded in the faded pages.
[Rank 16, 25] 교과서응용

3 It's clear that each driver as well as parents <u>has</u> a role in providing a safe and secure environment for our children to travel to and from school each day. [Rank 53] 모의응용

4 In the geological study, rock layers are either eroding to expose fossils or <u>changing</u> under pressure to form new minerals like quartz. [Rank 13]
*quartz: 석영

조건영작

Test 2

다음 주어진 우리말과 일치하도록 괄호 안의 어구를 모두 활용하여 <조건>에 맞게 영작하시오.

<조건> • 필요시 밑줄 친 단어 변형 가능
• 다음 상관접속사 중 하나를 골라 사용할 것
「both A and B」「not A but B」「either A or B」「not only A but also B」

1 연안 해류는 부스러기와 오염 물질을 운반할 뿐만 아니라, 다채로운 해양 생태계를 지속시키는 영양분의 이동을 가능하게 한다.
(diverse marine ecosystems / and / that / pollutants / <u>carry</u> / the movement / debris / support / of nutrients / facilitate)

→ A coastal ocean current _____, _____

_____. [Rank 25]

2 국가들은 사회주의와 공산주의 같은 체제를 탐구해 왔지만, 많은 경우 자유 시장으로 전환하거나 그것의 측면을 채택해 왔다.
(have / free markets / them / <u>switch to</u> / of / have / aspects / <u>adopt</u>)

→ Nations have explored systems like socialism and communism, but in many cases, they

_____. 모의응용

3 첨단 제품의 미래는 우리 상상력의 한계에 있는 것이 아니라, 그것을 생산할 재료를 확보하는 우리의 능력에 있을 수 있다.
(the limitations / to secure / in / the materials / in / of our imagination / our ability)

→ The future of high-tech goods may lie _____,

_____ to produce them. [Rank 52] 수능응용

고난도 4 행복의 추구는 우리의 삶에 즐거운 것들을 더하는 것과 우리가 어려움을 다룰 수 있다고 믿는 것 둘 다에 달려 있다.
(<u>believe</u> / can handle / we / enjoyable things / challenges / <u>add</u> / to our lives)

→ The pursuit of happiness relies on _____

_____. [Rank 23, 72] 모의응용

어법

Test 1

다음 밑줄 친 부분이 어법과 문맥상 옳으면 ◯, 틀리면 ✕로 표시하고 바르게 고치시오.

1 If you excelled during the meeting, it's probably because you remembered <u>bringing</u> your notes and any relevant documents.

2 It's time for transparency and accountability; those responsible should quit <u>to hide</u> behind their attorneys and address the concerns raised by the public.

3 If we only do the things we know we can do well, fear of the new and unknown tends <u>to grow</u>. 모의

4 As development in autonomous driving has been progressing, we can expect <u>experiencing</u> a reduction in traffic accidents and fatalities someday in future.

조건영작

Test 2

다음 주어진 우리말과 일치하도록 괄호 안의 어구를 모두 활용하여 <조건>에 맞게 영작하시오.

<조건> • 필요시 어형 변화 가능
• 필요시 to 추가 가능

1 사진작가들은 산에서 일주일을 보내기로 선택했고 그들을 둘러싼 여과되지 않은 자연의 아름다움을 기록하는 것을 끝낼 수 있었다.
(and / document / spend a week / could finish / on the mountain / chose)

→ Photographers _____

the unfiltered, natural beauty surrounding them.

2 의심을 푸는 것을 주저하지 말고, 쟁점을 더 잘 이해하기 위해 질문하는 것을 고려하라.
(consider / a better understanding / hesitate / questions / your doubts / to gain / ask / clear / don't)

→ _____, and _____

_____ of the issue. Rank 13

3 여러분이 과거의 실수에 대해 여러분 자신과 다른 사람들을 용서하기로 결심했다면, 여러분의 삶에서 긍정적인 변화를 받아들이는 것을 즐길 수 있을지도 모른다.
(might enjoy / forgive / positive changes / yourself and others / embrace / have determined)

→ Once you _____ for past mistakes, you

_____ in your life. Rank 35

고난도 4 기온이 더 높이 상승함에 따라, 아프리카와 같은 지역은 농작물 수확량을 유지하는 데 어려움에 부딪혔다는 것을 부인할 수 없으며 국내 소비를 위한 충분한 식량을 생산하려고 시도해야 한다. (should / deny / crop yields / attempt / encounter / domestic consumption / difficulties / produce / sustaining / for / in / sufficient food / can't)

→ As temperatures rise further, regions such as Africa _____

_____ and _____

_____ . Rank 72 모의응용

RANK 01-11
서술형 대비 **실전 모의고사 1회**

[01-05] 다음 밑줄 친 부분이 어법상 옳으면 ○, 틀리면 ×로 표시하고 바르게 고치시오. (단, 시제는 변경하지 말 것) [밑줄당 2점]

01 A number of studies around the world <u>suggests</u> that the state of your desk might affect how you work, from the idea that disorderly environments <u>result</u> in increased creativity — to the idea that too much mess can interfere with focus. 모의응용

02 The transition from tempera to oil paints, which <u>know</u> for their superior versatility and longer drying times, freed painters by allowing them to rapidly create much larger compositions as well as <u>modify</u> them as long as necessary. 모의응용

*tempera: 템페라 (물감)(안료에 달걀노른자와 물을 섞어 그림)

03 The listener receives a sound signal entirely through the vibrations <u>generated</u> in the air, whereas in the case of speakers, some of the auditory stimulus they receive <u>are</u> conducted to the ear through the speakers' own bones. 모의

고난도
04 The 21st century is the age of information and knowledge. It is a century that <u>characterizes</u> by knowledge as the important resource that <u>is gained</u> competitive advantage for companies. 모의

고난도
05 While working alone can be more productive, individuals often mind <u>being</u> out of a social environment. Thus, it's a leader's job to let people choose between working alone or as a team and <u>feeling</u> connected regardless of their choice. 모의응용

[06-07] 다음 글의 밑줄 친 ① ~ ④ 중 틀린 부분 2개를 찾아 바르게 고친 후, 틀린 이유를 작성하시오. (단, 시제는 변경하지 말 것) [각 4점]

> It is impossible to imagine a modern city without glass. On the one hand, we expect our buildings ① <u>protect</u> us from the weather. And yet, ② <u>faced</u> with a prospective new home or place of work, one of the first questions people ask is: how much natural light is there? The glass buildings in a modern city are the engineering answer to these conflicting desires: to be at once sheltered from the wind, the cold, and the rain, to be secure from intrusion and thieves, but not ③ <u>to live</u> in darkness. The life we lead indoors, which for many of us is the vast majority of our time, ④ <u>are</u> made light and delightful by glass. 모의응용

06 틀린 부분: _____ → 바르게 고치기: _____
   틀린 이유: _____

07 틀린 부분: _____ → 바르게 고치기: _____
   틀린 이유: _____

[08-12] 다음 주어진 우리말과 일치하도록 괄호 안의 어구를 모두 활용하여 <조건>에 맞게 영작하시오. [각 5점]

<조건> • 필요시 밑줄 친 단어 변형 가능
• 필요시 be동사/to 추가 가능

08 아동 도서에서의 이데올로기에 대한 관심은 아동들의 문학적 텍스트(글)가 문화적으로 형성되고 교육적, 지적, 사회적으로 매우 중요하다는 믿음에서 유발된다. (children's books / interest in / a belief / ideology in / from / arise)

→ _____ that children's literary texts are culturally formative and of massive importance educationally, intellectually, and socially. 모의응용

09 컨설팅 회사 McKinsey에 따르면, 지식 노동자는 정보를 찾고, 이메일에 답장하며, 다른 사람들과 협력하는 데 자신들의 시간 중 60퍼센트까지 사용한다. (for information / of their time / collaborate / and / up to 60 percent / with others / look / spend / to emails / respond)

→ According to the consulting firm McKinsey, knowledge workers _____

_____

_____. 모의

고난도
10 사냥감은 종종 주위의 시야를 극대화하기 위해 바깥으로 향하도록 설계된 눈을 가지고 있는데, 이는 그 사냥감들이 어떤 각도에서든 다가오고 있을 수도 있는 위험을 감지할 수 있게 해준다. (eyes / may be approaching / detect / often have / from / the hunted / danger / to face outward / that / allows / any angle / design)

→ Prey _____ in order to maximize peripheral vision, which _____

_____. 모의응용   *peripheral: 주위의, 주변적인

11 여러분의 모든 과목을 동시에 공부하는 것을 피하라. 연구는 특정 공부 시간에 한 과목만 학습되면 더 잘 기억할 수 있다는 것을 보여준다. (all your subjects / learn / avoid / only one subject / study)

→ _____ at the same time. Research shows that you can remember better if _____ during a particular study session.

고난도
12 리더십을 발휘하는 것은 당신이 조직의 상태를 이해하도록 요구할 뿐만 아니라 당신의 리더십 접근 방식에 대한 끊임없는 재평가를 수반한다.
(but also / understand / a constant reassessment / require / the organizational status / not only / you / entail)

→ Exercising leadership _____

_____ of your leadership approach. 수능응용

(A) Surfing (often / of / is / a male sport / think / as). However, in fact women have been surfing in California since the early 1920s and today there are women surfers in every surfing country in the world. Like men, they range from amateurs to professionals. Though women may not have been taken seriously in surf contests, these days they compete because they have truly earned that right. One of the earliest women surfers (B) <u>were</u> Mary Hawkins, who showed very graceful form in the surf. She was the first in a long line which stretched down in the 1960s, to Marge Calhoun and her daughters, and Linda Benson, (C) <u>followed</u> by some of the top professional surfers today. 모의응용

13 윗글의 (A)의 괄호 안에 주어진 어구를 모두 한 번씩만 활용하여 글의 흐름에 맞게 문장을 완성하시오. (필요시 어형 변화 가능) [9점]

→ (A) Surfing _____ .

14 윗글의 (B), (C)가 어법상 옳으면 ○, 틀리면 ✕로 표시하고 바르게 고치시오. [각 3점]

(B) _____   (C) _____

[15-16] 다음 글을 읽고 물음에 답하시오.

You may plan ① <u>to get</u> more exercise by spending an hour at the gym every day, even if you know it must be a tough challenge. ② <u>Set</u> your goal like that, you might stick to it for a day or two, but chances are you will just give up meeting that commitment in the long term. If, however, you make a commitment to go jogging for a few minutes a day or ③ <u>to do</u> a few sit-ups as part of your daily routine before bed, then you will be able to stick to your decision and create a habit that offers long-term results. The key is to start small. Long-term success can ④ <u>be achieved</u> as small habits are created in this way. 모의응용

*sit-up: 팔굽혀펴기

15 윗글의 밑줄 친 ① ~ ④ 중 틀린 부분을 찾아 바르게 고친 후, 틀린 이유를 작성하시오. [4점]

틀린 부분: _____ → 바르게 고치기: _____

틀린 이유: _____

고난도
16 윗글의 요지를 <조건>에 맞게 완성하시오. [10점]

<조건> 1. <보기>에 주어진 어구를 모두 한 번씩만 사용할 것
         2. 필요시 밑줄 친 단어 변형 가능
         3. to를 추가할 것

<보기> achieve / with / more effective / small habits / something / <u>be</u> / beginning / decide

[요지] When you _____ , _____

_____ for long-term success than setting ambitious goals right away.

다음 글을 읽고 물음에 답하시오.

In the early 2000s, British psychologist Richard Wiseman performed a series of experiments with people who viewed themselves as either 'lucky'(they were successful and happy, and events in their lives seemed to favor them) or 'unlucky'(life just seemed to go wrong for them). In one experiment he told both groups (A) (count) _____ the number of pictures in a newspaper. The 'unlucky' diligently ground their way through the task; the 'lucky' usually noticed that the second page contained an announcement that said: "Stop (B) (count) _____ — there are 43 photographs in this newspaper." On a later page, the 'unlucky' were also too busy counting images to spot a note reading: "Stop (B) (count) _____, tell the experimenter you have seen this, and win $250." Wiseman's conclusion was that, when faced with a challenge, 'unlucky' people were less flexible. They focused on a specific goal, and failed to notice that other options were passing them by. 모의응용

고난도

17 윗글의 (A), (B)의 괄호 안에 주어진 단어를 어법상 알맞은 형태로 바꿔 쓰시오. [각 3점]

(A) _____   (B) _____

고난도

18 윗글의 내용을 요약하고자 한다. <조건>에 맞게 요약문을 완성하시오. [12점]

<조건> 1. <보기>에 주어진 어구를 모두 한 번씩만 사용할 것
        2. 필요시 밑줄 친 단어 변형 가능
        3. 필요시 to 추가 가능

<보기> themselves / alternative possibilities / focus / tended / on / 'unlucky' / consider / miss

[요약문] Individuals identifying themselves as 'lucky' demonstrated a talent for spotting opportunities, while those _____ specific goals, _____.

Everything you've ever wanted is on the other side of fear.

- George Addair -

12 Rank 22

Rank 12   if+가정법

Rank 13   to부정사의 부사적 역할

Rank 14   가주어-진주어(to부정사)

Rank 15   주어로 쓰이는 동명사

Rank 16   진행·완료시제의 능동 vs. 수동

Rank 17   의문사가 이끄는 명사절의 어순

Rank 18   부정어구 강조+의문문 어순

Rank 19   if절을 대신하는 여러 표현

Rank 20   주의해야 할 분사구문

Rank 21   주의해야 할 시제 Ⅰ

Rank 22   주의해야 할 시제 Ⅱ

서술형 대비 실전 모의고사 2회

서술형 PLUS 표현 ▶▶ 주어진 내용을 단서로 하여 빈칸을 채우세요.

정답 및 해설 p. 11

+ 부정사 표현 Rank 13, 72

형태	의미
be about to-v	
be due to-v	
be supposed to-v	
be unable to-v	
be willing to-v	
be likely to-v	
be unlikely to-v	
be ready to-v	
be free to-v	
be bound to-v	
be inclined to-v	
be entitled to-v	
be obliged to-v	
be pleased to-v	
be eager[anxious] to-v	
be difficult to-v	
be reluctant to-v	
be certain[sure] to-v	
can't wait to-v	
come[get] to-v	
happen to-v	
It takes ~ to-v	
It's time to-v	
do nothing but v	
do anything but v	

+ 동명사 표현 Rank 72

형태	의미
adjust to v-ing	
be accustomed[used] to v-ing	
be busy v-ing	
be capable of v-ing	
be committed to v-ing	
be dedicated to v-ing	
be devoted to v-ing	
be good at v-ing	
be worth v-ing (= It is worthwhile to-v)	
contribute to v-ing	
far from v-ing	
feel like v-ing	
have difficulty[trouble, a hard time] (in) v-ing	
look forward to v-ing	
object[oppose] to v-ing	
on[upon] v-ing	
spend[waste] A (on) v-ing	
There is no use v-ing	
There is no v-ing	
when it comes to v-ing	

어법

Test 1

다음 밑줄 친 부분이 어법과 문맥상 옳으면 ○, 틀리면 ×로 표시하고 바르게 고치시오.

1 If DNA were the only thing that mattered, there <u>would be</u> no reason to pour good experiences into children and protect them from bad experiences. 모의응용

2 If historical fiction in the past <u>had held</u> strict academic standards, many historical subjects might remain unexplored today. 모의응용

3 If a cosmic giant peeled off the outer layers of the Sun, the whole Earth would <u>have been</u> vaporized within a few minutes, for the tremendously hot inner regions would then be exposed.
모의응용

4 She would have received a better score on the English exam last semester if she <u>didn't spend</u> too much time on rote repetition and had spent more on analyzing the meaning of her reading assignments. 모의응용

*rote: 기계적인 암기

조건영작

Test 2

다음 주어진 우리말과 일치하도록 괄호 안의 어구를 모두 활용하여 <조건>에 맞게 영작하시오.

> <조건> • 가정법을 포함할 것
> • 필요시 밑줄 친 단어 변형 가능
> • 필요시 <보기>의 단어 추가 가능
> <보기> not   did   have   had

1 소방관들이 어제의 산불 현장에 제시간에 도착하지 않았다면, 그 숲과 인근 지역들은 지금 불타고 있을 것이다.
(be burning / yesterday's forest fire / at the scene / <u>arrive</u> / of / <u>will</u>)
→ If the firefighters ＿＿＿＿＿＿＿＿＿＿＿＿＿＿＿＿＿＿＿＿＿＿＿＿＿＿＿ in time, the forest and nearby areas ＿＿＿＿＿＿＿＿＿＿＿＿＿＿＿＿ now.

2 그 유명한 작가는 만약 그가 전적으로 완벽함에 집착했다면 그는 자신의 저서들 중 어떤 것도 완성하지 못했을 것이라고 말했다.
(perfection / any of / <u>be</u> / his books / <u>can</u> / with / <u>complete</u> / entirely obsessed)
→ The renowned writer mentioned that if he ＿＿＿＿＿＿＿＿＿＿＿＿＿＿＿＿＿＿＿, he ＿＿＿＿＿＿＿＿＿＿＿＿＿＿＿＿＿＿.

3 만약 우리가 사물들을 분류하지 않고 구별되는 것들을 유일무이한 것으로 본다면, 우리는 우리 주위의 세계를 묘사할 일반적인 언어조차 없을 것이다. (and / even <u>have</u> / things / <u>categorize</u> / as unique / distinctive things / <u>will</u> / <u>see</u>)
→ If we ＿＿＿＿＿＿＿＿＿＿＿＿＿＿＿＿＿＿＿, we ＿＿＿＿＿＿＿ ＿＿＿＿＿＿＿＿＿＿＿＿＿ a general language to describe the world around us. Rank 09 모의응용

고난도
4 우리 조상이 손실을 고려하지 않고 대신 큰 이익을 추구하면서 위험을 감수했다면, 그들이 살아남아서 누군가의 조상이 될 가능성은 더 적었을 것이다.
(to survive / <u>will</u> / become / less likely / <u>consider</u> / anyone's ancestors / and / <u>be</u> / risks / losses / <u>take</u> / but instead)
→ If our ancestors ＿＿＿＿＿＿＿＿＿＿＿＿＿＿＿＿＿＿＿＿＿ in the pursuit of big gains, they ＿＿＿＿＿＿＿＿＿＿＿＿＿＿＿＿＿. Rank 10 모의응용

13 to부정사의 부사적 역할

정답 및 해설 p. 12

어법 다음 밑줄 친 부분이 어법상 옳으면 ○, 틀리면 ✕로 표시하고 바르게 고치시오.

Test 1

1 Meteorologists make use of data analysis techniques to predict tornadoes <u>enough accurately</u> to provide timely warnings.
*meteorologist: 기상학자

2 Questions of morality are often pushed to the side in legislative debate, as they seem <u>too controversial to answer</u>, or worst of all, are considered irrelevant to the creation of laws. 모의응용

3 As the political scandal damaged the reputation of the respected figure, it led to a downfall in public trust, never <u>to recover</u> its previous level.

조건영작 다음 괄호 안의 어구를 모두 활용하여 주어진 우리말을 영작하시오. (필요시 to 추가 가능)

Test 2

1 Sarah는 그녀의 친구에게 유익한 강의와 명확한 설명을 제공하는 것을 보니 훌륭한 강사가 될 수 있을 것이다.
(provide / with / be / informative lectures / can / a great instructor / her friend)

→ Sarah _____ and clear explanations. (Rank 63)

2 '획기적'이나 '최신의' 같은 홍보 용어는 제품의 실제 특징을 흐릴 만큼 충분히 애매모호하다.
(cloud / arc / actual features / ambiguous / a product's / enough)

→ Promotional terms like "revolutionary" or "state-of-the-art" _____

_____ .
*state-of-the-art: 최신의, 최신 기술의

고난도 3 판사를 설득하기 위해, 검사는 피고인이 처벌받을 만큼 유죄라는 주장을 구성하고, 변호사는 똑같이 하지만 반대의 결론으로 향한다. (as / persuade / so guilty / the judge / is / get / in order / the accused / a punishment)

→ _____, a prosecutor constructs an argument that

_____ ; an attorney does the same but

toward the opposite conclusion. 모의응용

고난도 4 모든 생물은 고유한 구조를 가지고 있다. 하지만 벼룩은 너무 미세하여 육안으로는 인간이 세부적인 구조를 인식할 수 없기 때문에 완전히 식별할 수 없다.
(for humans / detailed structures / too / fully appreciated / be / perceive / cannot / they / because / minute / are)

→ All organisms have their own structure; however, fleas _____

_____ by unaided eyes.
(Rank 03, 65) 모의응용

어법

Test 1

다음 문장에서 <u>틀린</u> 부분을 찾아 바르게 고치시오. (단, 「가주어-진주어(to부정사)」 구문을 반드시 포함할 것)

1 Considering the level of anonymity with all that resides on the Internet, it's sensible question the validity of any data that you may receive. 모의응용

2 For the sake of public health and the overall well-being of the population, this is urgent to pass comprehensive legislation aimed at controlling noise pollution. EBS응용

3 Archaeologists know it is comparatively more challenging them to identify and draw inferences about the intangible aspects of a culture than about the tangible aspects. 모의

4 Arguably, if a market is already filled with product variants, it might be more difficult for competitors find untapped pockets of consumer demand. 모의응용

조건영작

Test 2

다음 주어진 우리말과 일치하도록 괄호 안의 어구를 모두 활용하여 <조건>에 맞게 영작하시오.

> <조건> • 필요시 어형 변화 및 단어 추가 가능
> • 「가주어-진주어(to부정사)」 구문을 사용할 것

1 무료 모바일 게임 업계에서는 그들(사용자들)에게 구매를 유도하기 전에 게임 개발자가 사용자들이 정기적으로 게임을 할 때까지 기다리는 것이 표준 관행이다. (until / have played / a standard practice / wait / game developers / users)

→ In the free-to-play mobile game industry, ＿＿＿＿＿＿＿＿＿＿＿＿＿＿＿＿＿＿＿＿＿

＿＿＿＿＿＿＿＿＿＿＿＿＿＿ regularly before prompting them to make any purchases. (Rank 35) 모의응용

2 만약 제품의 가격을 인상한다면 당신 회사의 총수익에 무엇이 일어날지를 미리 아는 것은 매우 유용할 것이다.
(happen / your firm's / know / would / very useful / what / to / be / total revenue / would)

→ ＿＿

in advance if you increased your product's price. (Rank 12, 17) 모의응용

ıl 고난도 **3** 그가 휴대폰 수리의 복잡한 사항들을 간과하고 전문 기술자와 상의 없이 자신의 고장 난 기기를 수리하려고 시도한 것은 순진해 빠진 것이었다. (him / the intricacies / broken device / attempt / naive / fix / and / overlook / his / of phone repair)

→ ＿＿

＿＿＿＿＿＿＿＿＿＿＿＿＿＿ without consulting a professional technician. (Rank 09, 11)

ıl 고난도 **4** 물리적 위치와 감정 상태 둘 다에 있어서, 부모가 어디에 있는지 알지 못하면 아이들이 성공적으로 길을 찾는 것은 불가능하다.
(children / know / their way / impossible / are / successfully find / their parents / unless / where / they)

→ It ＿＿ ,

both in their physical location and emotional state. (Rank 17, 35) 수능응용

정답 및 해설 p. 13

어법

Test 1

다음 문장에서 **틀린** 부분을 찾아 바르게 고치시오. (단어 추가 불가, 시제는 변경하지 말 것)

1 Relying on our intuition when making choices often end up with us making a suboptimal choice.
수능응용 *suboptimal: 차선의, 최적이 아닌

2 Equality involves equal freedom or the opportunity to be different, and treat human beings equally requires us to take into account both their similarities and differences. 모의

3 Living things naturally returns to a state of balance by adjusting their physiological processes, thereby maintaining internal equilibrium. Rank 01, 05 수능응용
*equilibrium: 평형상태

4 In the treatment of patients, using checklists to ensure that no crucial steps are missed have proved remarkably effective in various medical contexts, from preventing live infections to reducing pneumonia. 수능응용
*pneumonia: 폐렴

조건영작

Test 2

다음 주어진 우리말과 일치하도록 괄호 안의 어구를 모두 활용하여 <조건>에 맞게 영작하시오.

<조건> • 필요시 어형 변화 가능
      • 단어 추가 불가

1 그는 병원에 입원하신 어머니가 너무 걱정되어서, 그의 일에 집중하려고 해도 소용없었다.

(on / to concentrate / it / no use / his work / be / try)

→ As he was too worried about his mother, who was admitted to the hospital, _____

_____ . Rank 11

고난도 2 조직 내 사람들을 관리하는 것은 그들의 독특한 개성을 아는 것과 그들이 무엇에 동기를 부여받는지 이해하는 것을 요구한다.

(people / aware of / and / manage / understanding / motivated by / be / what / their unique personalities / being / require / in organizations / they)

→ _____

_____ . Rank 03, 09, 17 모의응용

고난도 3 듣는 이의 시간을 낭비하지 않는 것은 의사소통에서 기본 원칙으로 여겨진다. 당신의 말을 듣는 것이 가치 있을지 항상 가늠해라.

(will be / to you / it / waste / a fundamental principle / your listener's time / not / be / worth / considered / listen)

→ _____ in communication.

Always assess whether _____ . Rank 44

4 칼로리를 엄격히 제한하기보다는, 적절한 양의 칼로리를 공급하도록 칼로리 섭취를 조절하는 것이 체중을 감량하는 데 최적의 접근법이다. (caloric intake / the optimal approach / control / weight / be / for losing)

→ _____ to supply the proper amount of calories, rather than strictly restricting them, _____ . Rank 07, 72 모의응용

어법

Test 1

다음 밑줄 친 부분이 어법상 옳으면 ○, 틀리면 ×로 표시하고 바르게 고치시오. (단, 시제는 변경하지 말 것)

1 Most voters surveyed strongly denied that they had <u>attracted</u> to the physical appearance of the candidates they voted for, but evidence has continued to confirm the impact of attractiveness on electability. 수능응용

2 The "elephant in the room" is an English idiom for an obvious truth that is <u>ignoring</u> or goes unaddressed. 모의

3 As his daughter had <u>been neglecting</u> her schoolwork for the past two months and become excessively absorbed in studying birds, he decided to have a conversation with her.

4 Before the recent findings, grains had <u>been found</u> at Neanderthal sites, but it was not known whether they were <u>consuming</u> as food or cultivated for some other reason. 모의응용

*Neanderthal: 네안데르탈인의

조건영작

Test 2

다음 주어진 우리말과 일치하도록 괄호 안의 어구를 모두 활용하여 <조건>에 맞게 영작하시오.

<조건> • 필요시 어형 변화 가능
• 단어 추가 불가

1 탑승객들을 위한 안전 지시가 주어지고 있던 동안, 비행기 승무원들은 구명조끼와 산소마스크를 포함해 여러 시범 설명 자료들을 들고 있었다. (be / demonstration materials / give / be / various / hold / be)

→ While safety instructions for passengers _____, the airline attendants _____ including a life jacket and oxygen mask. 모의응용

2 수천 년간, 늘어나는 인구를 부양하기 위해 지구상의 다양한 자연 서식지들이 인공 환경으로 대체되어 왔으며, 이는 생물 다양성을 위협하고 있다.

(to feed / with artificial environments / be / biodiversity / threaten / be / the growing population / replace / have)

→ For millennia, diverse natural habitats on the planet _____ _____, and this _____.

Rank 13 모의응용

정답 및 해설 p. 14

어법

다음 문장에서 <u>틀린</u> 부분을 찾아 바르게 고치시오. (옳은 문장이면 O로 표시할 것)

1 There are physiological factors involving the body's natural cycle that help explain why are Mondays so rough, particularly for those of us who follow traditional Monday-to-Friday workweeks.

2 The secrets behind the early success of *Superman* were how did the author write about real issues that affected everyday people and how the character provided a sense of escapism.

*escapism: 현실 도피

3 We know that contingencies will arise but can't precisely predict what those events will be, so disaster preparation cannot be the same thing as disaster rehearsal. 모의응용　　　*contingency: 뜻밖의 사고

4 Our identity is a result of the choices we make about who we want to be like, and in many cases, what we buy is decided based on this desire to be like others. 모의응용

배열영작

Test 2

다음 괄호 안의 어구를 모두 알맞게 배열하여 주어진 우리말을 영작하시오.

1 여전히 정확한 답을 얻기 어려운 한 가지 질문은 빅뱅 이후 첫 번째 은하가 언제 형성되었는지이다.
(is / the Big Bang / formed / the first galaxies / when / after)

→ One question still difficult to obtain an exact answer to _____

_____.

2 여러분이 어떤 프로그래밍 언어를 전문으로 하는지가 소프트웨어 개발의 넓은 영역 안에서 여러분에게 꼭 맞는 자리를 정할 수 있다. (can / your niche / specialize in / determine / which / you / programming language)

→ _____

within the broad domain of software development.

*niche: 꼭 맞는 자리[역할]

고난도 **3** 현실적인 목표와 더 높은 목표 중 어느 것이 당신의 영업팀에 동기를 부여하는 데 더 도움이 된다고 생각하는가? 영업 목표가 평균적인 팀원에게 얼마나 달성 가능한지를 평가하고 현실적인 목표를 설정하라. (your sales team / achievable / which / guess / are / do / motivating / is / how / more helpful / you / in / the sales goals)

→ _____ : realistic goals or higher goals?

Assess _____ for an average team member and set realistic goals.

[Rank 72]

고난도 **4** 심리학 연구에 따르면, 개인의 지식은 무슨 자극들이 그들의 관심을 끄는지, 이러한 자극들이 다른 것들 사이에서 왜 눈에 띄는지, 그리고 그것들이 어떻게 더 큰 맥락으로 통합되는지를 보여준다. (how / these stimuli / attract / stand out / a larger context / others / are / shows / integrated / what / their attention / stimuli / they / into / among / why)

→ According to psychological studies, individuals' knowledge _____

_____, _____, and

_____. [Rank 09] 모의응용

어법

Test 1

다음 문장에서 **틀린** 부분을 찾아 바르게 고치시오. (단, 시제는 변경하지 말 것)

1 Only within the rules of sports like basketball or baseball are the activities of jump shooting or fielding ground balls make sense and take on value. 모의응용

*field: (공을) 잡아서 처리하다

2 Not only developing countries have warmer climates than those in the developed world, but they also rely more heavily on climate-sensitive sectors such as agriculture and tourism. 모의응용

3 Seldom is languages native to a certain area spoken outside of their traditional communities, so their preservation depends heavily on local engagement.

문장전환

Test 2

다음 문장을 밑줄 친 부분을 강조하는 도치구문으로 바꿔 쓰시오.

1 They <u>little</u> knew that what they kept in the closet was actually one of the masterpieces of the 20th century.

→ _____ what they kept in the closet ~. (Rank 23) 교과서응용

2 It is <u>not only</u> necessary to vote in elections, but it also serves to strengthen democratic processes.

→ _____ in elections, but ~. (Rank 14)

3 Public sanitation reforms had been implemented in London <u>only when the devastating impact of cholera became widely acknowledged</u>.

→ _____

_____ in London.

조건영작

Test 3

다음 주어진 우리말과 일치하도록 괄호 안의 어구를 모두 활용하여 <조건>에 맞게 영작하시오.

<조건> • 밑줄 친 부정어구를 강조하는 도치구문으로 쓸 것

1 해가 지평선 너머로 지고 나서야 별들이 밤하늘의 신비를 드러내기 시작한다.

(the Sun / the horizon / <u>not until</u> / do / begin / beyond / sets / the stars)

→ _____ to reveal the mysteries of the night sky.

고난도 2 어떠한 경우에도 쿠키는 당신의 컴퓨터를 손상시킬 수 없고, 그것들은 당신의 동의 없이 개인 데이터에 접근할 수도 없다.

(could / your personal data / <u>under no circumstances</u> / damage / cookies / access / <u>nor</u> / your computer / they / could)

→ _____, _____

_____ without your consent.

문장전환 다음 두 문장이 같은 의미가 되도록 빈칸을 완성하시오. (단, 빈칸당 한 단어만 쓸 것)

Test 1

1 Without access to clean water, communities would be forced to abandon their homes.

→ Were _____ _____ _____ _____ _____ _____

_____, communities would be forced ~. 모의응용

2 But for the fall of the Berlin Wall, the end of the Cold War might have been delayed indefinitely.

→ If _____ _____ _____ _____ _____ _____

_____ _____ _____ _____ _____, the end of the

Cold War might have been delayed indefinitely.

배열영작 다음 괄호 안의 어구를 모두 알맞게 배열하여 주어진 우리말을 영작하시오.

Test 2

1 미생물의 분해 활동이 없다면, 산림지대는 썩지 않은 나뭇잎과 나뭇가지로 덮여 있을 것이다. (if / microorganisms / not / the decomposing activity / covered with / be / of / it / undecayed leaves / were / would / for)

→ _____, the forest floor

_____ and branches. Rank 05

고난도 **2** 초기 인류가 바퀴의 원리를 발견하지 않았다면, 그들은 그것의 이점을 다른 도구들에 적용하지 못했을 것이고, 이는 인류 역사에서 운송과 무역의 방향을 바꿨을 것이다. (altered / its advantage / they / have / discovered / not / could / applied / have / of the wheel / to other tools / not / early humans / the principles / had / would)

→ _____, _____

_____, and this _____

_____ the course of transportation and trade in human history.

고난도 **3** 매일 하는 업무들의 일과에 대한 의존이 없다면, 우리의 삶은 혼란에 빠질 것이고, 우리는 생산성을 유지하기 위해 애써야 할 것이다. (to maintain / would / productivity / struggle / in chaos / our lives / for / on routines / would / not / were / we / our reliance / it / be)

→ _____ for everyday tasks, _____

_____, and _____

_____. Rank 09 모의응용

4 정치 이념 간의 경쟁이 없었다면, 우리는 우리 사회를 형성하는 너무나 다양한 관점을 경험하지 못했을지도 모른다.

(we / it / such diverse perspectives / if / for / have / shaping our society / not / not / between political ideologies / experienced / might / been / competition / had)

→ _____, _____

_____. Rank 05

문장전환 다음 두 문장이 같은 의미가 되도록 분사구문을 사용하여 빈칸을 완성하시오. (단, 빈칸당 한 단어만 쓸 것)

Test 1

1 Because the charity event had finished successfully, sufficient funds were sent to a local hospital.

→ ＿＿＿＿＿＿ ＿＿＿＿＿＿ ＿＿＿＿＿＿ ＿＿＿＿＿＿ ＿＿＿＿＿＿ ＿＿＿＿＿＿,

sufficient funds were sent ~.

2 As he had been reminded of the importance of critical thinking skills, Mr. Brown was determined to make his students actively engage in discussions throughout the class.

→ ＿＿＿＿＿＿ ＿＿＿＿＿＿ ＿＿＿＿＿＿ ＿＿＿＿＿＿ ＿＿＿＿＿＿ ＿＿＿＿＿＿

＿＿＿＿＿＿ ＿＿＿＿＿＿ ＿＿＿＿＿＿ ＿＿＿＿＿＿, Mr. Brown was determined ~.

어법 다음 밑줄 친 부분이 어법상 옳으면 ○, 틀리면 ×로 표시하고 바르게 고치시오.

Test 2

1 <u>Having been taken</u> the first step into the world of underwater archaeology ten years ago, he is now about to begin a new adventure exploring sunken cities in the Mediterranean. 모의응용

2 Once <u>abandoned</u> by its original owners, the old factory was repurposed into a cultural arts center.

3 The drivers of work engagement fall into two major camps: situational and personal. For example, the situational causes are job resources, feedback, and leadership, the latter <u>being responsible</u> for job resources and feedback. 모의응용

조건영작 다음 주어진 우리말과 일치하도록 괄호 안의 어구를 모두 활용하여 <조건>에 맞게 영작하시오.

Test 3

<조건> • 필요시 밑줄 친 단어 변형 가능(단어 추가 불가)
• 분사구문을 포함한 형태로 쓸 것

1 정보의 유입에 압도될 때, 우리는 예상되는 것과 관련 없는 정보를 걸러내기 위해 경험을 이용한다.

(by / <u>overwhelm</u> / of / when / information / the inflow)

→ ＿＿＿＿＿＿＿＿＿＿＿＿＿＿＿＿＿＿＿＿＿＿＿＿＿＿＿, we use experience to screen

out information that is irrelevant to what is expected. (Rank 54) 모의응용

2 한 아마추어 전시회에서 갤러리 주인의 눈길을 사로잡아서, Emma의 작품은 이제 명망 있는 미술 전시회에 출품된다.

(of / the eye / in / <u>have</u> / the gallery owner / <u>catch</u> / an amateur exhibition)

→ ＿＿＿＿＿＿＿＿＿＿＿＿＿＿＿＿＿＿＿＿＿＿＿＿＿＿＿＿＿＿＿＿,

Emma's artwork is now featured in a prestigious art exhibition.

21 주의해야 할 시제 I

시제

정답 및 해설 p. 16

어법 다음 문장에서 **틀린** 부분을 찾아 바르게 고치시오.

Test 1

1 For many years now, tuna and swordfish were in steady decline due to uncontrolled overfishing to satisfy global demand. 모의응용

*swordfish: 황새치

2 To increase the sales of a certain product, you must point out why it's unique and what the customers will miss out on if they won't purchase the product soon. (Rank 17, 35) 모의응용

3 When there were few books and most people could not read, people consider the wisdom of the elderly important. (Rank 76) 모의응용

4 Until people will perceive the financial crisis to be a big problem, they will ignore the warning signs and delay any meaningful efforts to find a solution. (Rank 35)

조건영작 다음 주어진 우리말과 일치하도록 괄호 안의 어구를 모두 활용하여 <조건>에 맞게 영작하시오.

Test 2

> <조건> • 필요시 어형 변화 가능
> • 필요시 have/has 추가 가능

1 원치 않는 은퇴와 사회적 고립은 노인들에게서 지금까지 그들의 삶에 의미를 주어 온 역할들을 빼앗아 가며, 정신적 노화로 이어진다. (provide / of the roles / the elderly / meaning in their lives / that)

→ Involuntary retirement and social isolation deprive ＿＿＿＿＿＿＿＿＿＿＿＿＿＿＿＿＿＿＿

＿＿＿＿＿＿＿＿＿＿＿＿＿＿＿＿ so far, leading to mental deterioration. (Rank 25) 모의응용

*deterioration: 노화

2 지역 생태계가 충분한 식량을 공급하는 능력에서 심각한 저하를 직면한 후에, 조류는 먹을 것을 찾아 대체 지역으로 이동할 것이다. (face / in / the local ecosystem / its ability / a severe decline)

→ After ＿＿＿＿＿＿＿＿＿＿＿＿＿＿＿＿＿＿＿＿＿＿＿＿＿＿ to provide

sufficient food, birds will migrate to alternative regions in search of sustenance. (Rank 35)

고난도 3 블랙 프라이데이는 1980년대 초반에 집중적인 쇼핑과 할인에 초점을 맞춘 날로 시작했으며, 그때부터 휴가철의 시작을 알리는 비공식적인 미국의 명절이 되어 왔다.

(intense shopping / an unofficial U.S. holiday / discounts / focused on / begin / and / as / be / a day)

→ Black Friday ＿＿＿＿＿＿＿＿＿＿＿＿＿＿＿＿＿＿＿＿＿＿ in the early 1980s,

and since then, it ＿＿＿＿＿＿＿＿＿＿＿＿＿＿＿＿＿ marking the beginning of

the holiday season. 모의응용

4 130,000년이나 이전에, 호모 사피엔스는 사회적 활동을 위해 꽤 긴 거리를 이동했으며, 그들의 사회 집단은 그들 자신의 가족을 훨씬 넘어서 뻗어 있었다. (travel / their own families / extend far / quite long distances / beyond)

→ As far back as 130,000 years ago, *Homo Sapiens* ＿＿＿＿＿＿＿＿＿＿＿＿＿＿＿＿＿

for social activities, and their social groups ＿＿＿＿＿＿＿＿＿＿＿＿＿＿＿＿＿＿ .

모의응용

어법

Test 1

다음 밑줄 친 부분의 시제가 어법상 옳으면 ○, 틀리면 ×로 표시하고 바르게 고치시오.

1 The composition and performance of what we now call "classical music" initially <u>begin</u> as a form of music satisfying the specific entertainment needs of royal patrons. 모의응용

2 Stepping onto the basketball court, he suddenly became nervous as he recalled that he <u>has led</u> his team to a loss in the last game. 모의응용

3 After Theseus, a great hero of Athens, returned from a war, the ship that <u>had</u> carried him was so treasured that the townspeople preserved it for years and years. 모의응용

고난도 4 The duration of copyright protection has increased steadily over the years; now we follow the life-plus-70-years standard which <u>had been</u> set by the Copyright Term Extension Act of 1998. 수능응용

고난도 5 By the time electronic typing technology evolved, the QWERTY keyboard, developed during the era of manual typewriters, <u>had</u> been widely adopted, and its layout still serves as the standard in contemporary times. 모의응용

어법

Test 2

다음 밑줄 친 ① ~ ③ 중 틀린 부분을 찾아 바르게 고친 후, 틀린 이유를 작성하시오.

It seems that the idea that planting trees could have a social or political significance was invented by the English, though it ① <u>had</u> spread widely since then. According to Keith Thomas's history *Man and the Natural World*, seventeenth- and eighteenth-century aristocrats ② <u>began</u> planting hardwood trees, usually in lines, to declare the extent of their property and the permanence of their claim to it. Planting trees had the additional advantage of being regarded as a patriotic act, for the Crown ③ <u>had</u> declared a severe shortage of the hardwood on which the Royal Navy depended. 모의

*aristocrat: 귀족 **hardwood tree: 활엽수

틀린 부분: _____ → 바르게 고치기: _____

틀린 이유: _____

서술형 대비 **실전 모의고사 2회**

[01-05] 다음 밑줄 친 부분이 어법상 옳으면 ○, 틀리면 ×로 표시하고 바르게 고치시오. [밑줄당 2점]

01 The colorful trees looked like they were on fire, the reds and oranges <u>competed</u> with the yellows and golds. We were excited <u>to see</u> such beautiful scenery. 수능

02 In today's world, the role of advertising companies is <u>crucial too</u> to be ignored in cultural conversations; not only <u>they can influence</u> public discourse through impactful campaigns, but they also introduce new trends.

03 For a firm grip, the forces <u>applying</u> by the fingers should be balanced. If you <u>will apply</u> less force to one finger than another, the object won't maintain its position and will slip from your fingers. 모의응용

고난도
04 Ever since the introduction of stairs, they have <u>been reduced</u> the energy required for humans to ascend to a given height. If we were to eliminate all stairs and climb straight up to our destination from directly below it, the required energy <u>will</u> be much greater. 모의응용

고난도
05 A study reported that people who <u>have</u> faced intermediate levels of adversity appeared to be healthier than those with little adversity, which reveals what <u>moderate amounts of stress can offer</u> in terms of enhancing resilience. 모의응용

06 다음 글의 밑줄 친 ① ~ ④ 중 틀린 부분 1개를 찾아 바르게 고친 후, 틀린 이유를 작성하시오. [4점]

> The environment is constantly changing and offering new challenges to evolving populations. For higher organisms, the most significant changes in the environment ① <u>are</u> those produced by the contemporaneous evolution of other organisms. The evolution of a horse's hoof from a five-toed foot has enabled the horse ② <u>to gallop</u> rapidly over open plains. But such galloping is of no advantage to a horse unless it is ③ <u>being chased</u> by a predator. The horse's efficient mechanism for running would never ④ <u>evolve</u> had it not been for the fact that meat-eating predators were at the same time evolving more efficient methods of attack. 모의응용
>
> *hoof: 발굽 **gallop: 질주하다

틀린 부분: _____ → 바르게 고치기: _____

틀린 이유: _____

<조건> • 필요시 밑줄 친 단어 변형 가능

07 사람들이 자신이 꿈꾸는 삶을 살기 원한다면, 그들은 어떻게 자신의 하루를 시작하는지가 그날에 영향을 미칠 뿐만 아니라 그들 삶의 모든 측면에도 영향을 미친다는 것을 깨달을 필요가 있다.

(their lives / start / every aspect / but impact / they / not only impact / how / that day / of / their day)

→ If people want to live the life of their dreams, they need to realize that _____

_____. 모의

08 계약을 맺는 것은 둘 이상의 개인이나 단체의 상호 동의를 필요로 하는데, 그들 중 한쪽이 보통 제안을 하고 다른 쪽이 그것을 수락한다. (them / accept / ordinarily make / one / and / of / another / it / an offer)

→ The making of a contract requires the mutual agreement of two or more persons or parties,

_____. 수능

고난도
09 조용한 환경에서 큰 소리로 말하는 것은 종종 배려심이 없는 것으로 비난받는데, 그런 장소들에는 침묵에 대한 암묵적 기대가 있기 때문이다. 이러한 암묵적인 사회적 규범이 없으면, 우리 사회는 순조롭게 기능하지 못할 것이다.

(often criticized / a tacit expectation / to / thoughtless / speak loudly / be / as being / function smoothly / in / be / there / of silence / could not / quiet environments / our society)

→ It _____,

_____ in such places. Without these

tacit social norms, _____.   *tacit: 암묵적인, 무언의

고난도
10 지금까지 많은 연구자들이 겉보기에 관련이 있는 두 변수가 인과관계가 있다고 갑자기 결론에 도달함으로써 오류를 범해 왔다. 통제된 실험을 해야만 비로소 올바른 결론을 내릴 수가 있다. (make / by leaping / can / have / a correct conclusion / errors / you / to the conclusion / a controlled experiment / conduct / make / you / many researchers)

→ So far, _____ that two

seemingly related variables have a cause-and-effect relationship. Not until _____

_____. 모의응용

11 다음 글의 빈칸에 들어갈 가장 적절한 말을 <보기>에 주어진 어구를 배열하여 완성하시오. [6점]

Scientists have long known that loneliness is emotionally painful and can lead to psychiatric disorders like depression. But only recently _____. Researchers at UCLA discovered that social isolation triggers cellular changes that result in chronic inflammation, predisposing the lonely to serious physical conditions like heart disease, stroke, and Alzheimer's disease. One analysis, which pooled data from 70 studies following 3.4 million people, found that lonely individuals had a 26% higher risk of dying. This figure rose to 32% if they lived alone.   *psychiatric: 정신 의학의 **predispose: (질병에) 취약하게 하다

<보기> it / they / effects / recognized / can cause / have / the body / what / to

→ _____

12 다음 글의 내용을 요약하고자 한다. <조건>에 맞게 요약문을 완성하시오. [10점]

Scattered attention harms your ability to let go of stress, because even though your attention is divided, it is narrowly focused, for you are able to fixate only on the stressful parts of your experience. When your attentional spotlight is widened, you can more easily let go of stress. You can put in perspective many more aspects of any situation and not get locked into one part that ties you down to superficial and anxiety-provoking levels of attention. A narrow focus heightens the stress level of each experience, but a widened focus turns down the stress level because you're better able to put each situation into a broader perspective. One anxiety-provoking detail is less important than the bigger picture. 수능응용

<조건> 1. <보기>에 주어진 어구를 모두 한 번씩만 사용할 것
2. 필요시 밑줄 친 단어 변형 가능

<보기> have / to / themselves / stress levels / from anxiety-inducing elements / allows / the potential / individuals / expand / perceive / distance / the situation / the focus of attention / to alleviate

[요약문] _____,
as it _____ from a broader perspective and
_____ .

[13-15] 다음 글을 읽고 물음에 답하시오.

Nothing happens immediately, so in the beginning we can't see any results from our practice. This is like the example of the man who tries to make fire by rubbing two sticks of wood together. He says to himself, "They say there's fire here," and he begins ① rubbing energetically. He rubs on and on, but he's very impatient. He wants to have that fire, but the fire doesn't come. So he gets discouraged and stops ② to rest for a while. Then he starts again, but the going is slow, so he rests again. By then the heat has ③ disappeared; he didn't keep at it long enough. He rubs and rubs until he gets tired and then he stops altogether. Not only ④ do he grow tired, but he becomes more and more discouraged until he gives up completely; "There's no fire here." Actually, he was doing the work, but the sticks weren't ⑤ enough hot to catch fire. The fire was there all the time, but he didn't carry on to the end.

모의응용

13-14 윗글의 밑줄 친 ①~⑤ 중 틀린 부분 2개를 찾아 바르게 고친 후, 틀린 이유를 작성하시오. [각 4점]

13 틀린 부분: _____ → 바르게 고치기: _____
틀린 이유: _____

14 틀린 부분: _____ → 바르게 고치기: _____
틀린 이유: _____

15 윗글의 요지를 <보기>에 주어진 단어를 배열하여 완성하시오. [10점]

> <보기> (A) achieve / fall into / success / of / won't / discouragement / the trap
>
> (B) you / guided / to be / be / you / can / to where / want

[요지] (A) If you _____ and give up, you _____

_____. (B) Only when you maintain your effort _____

_____.

[16-17] 다음 글을 읽고 물음에 답하시오.

> A story is only as believable as the storyteller. For a story (A) <u>being</u> effective, trust must be established. Whenever someone stops to listen to you, an element of unspoken trust exists. Your listener unconsciously trusts you to say something worthwhile to him, something that will not waste his time. His few minutes of attention you are being given are sacrificial. He could choose (B) <u>to spend</u> his time elsewhere, yet he has stopped to respect your part in a conversation. This is where story comes in. Because a story illustrates points clearly and often bridges topics easily, trust can be established *quickly*, and recognizing this time element to story is essential to trust. (C) <u>Respect</u> your listener's time is the capital letter at the beginning of your sentence — it leads the conversation into a sentence that is worth listening to *if* trust is earned and not taken for granted. 모의응용

16 윗글의 (A) ~ (C)가 어법상 옳으면 ○, 틀리면 ✕로 표시하고 바르게 고치시오. [각 3점]

(A) _____

(B) _____

(C) _____

17 윗글의 요지를 <조건>에 맞게 완성하시오. [13점]

> <조건> 1. <보기>에 주어진 어구를 모두 한 번씩만 사용할 것
>
> 2. 필요시 to 추가 가능
>
> <보기> (A) is / what / should understand / offered / being
>
> (B) provide / that / essential / is / them / content / is / enough / meaningful / convince

[요지] You (A) _____ while others are listening to

you — it's their precious time, and so it (B) _____

_____ why they should continue to invest their time in you.

An investment in knowledge pays the best interest.

- Benjamin Franklin -

23
Rank
33

Rank 23 명사절을 이끄는 접속사 that

Rank 24 동사 자리 vs. 준동사 자리

Rank 25 주격 관계대명사 who, which, that

Rank 26 관계대명사 what

Rank 27 목적격 관계대명사 who(m), which, that

Rank 28 콤마(,)+관계대명사_계속적 용법

Rank 29 전치사+관계대명사

Rank 30 관계부사 when, where, why, how

Rank 31 the+비교급~, the+비교급...

Rank 32 가목적어-진목적어

Rank 33 대명사의 수일치

서술형 대비 실전 모의고사 3회

서술형 PLUS 표현 ▶▶ 주어진 내용을 단서로 하여 빈칸을 채우세요.

정답 및 해설 p. 20

✚ 동명동형 Rank 24

형태	동사 의미	명사 의미	형태	동사 의미	명사 의미
access			lack		
address			market		
advance			matter		
attribute			move		
benefit			need		
cause			neglect		
challenge			order		
conduct			present		
contact			produce		
contract			progress		
control			promise		
damage			raise		
demand			reach		
experience			release		
face			rise		
function			sentence		
increase			spread		
influence			thought		
interest			use		
judge			value		

어법

Test
1

다음 문장에서 **틀린** 부분을 찾아 바르게 고치시오. (한 단어로 고칠 것, 옳은 문장이면 〇로 표시할 것)

1 We live in an age of nonstop communication, and yet more of us feel we are more disconnected from each other than ever before. Rank 09, 41 모의응용

2 The school informed us that we would not be able to use the auditorium for about one month while the repairs are taking place. Rank 35 모의응용

고난도 **3** Sylvan Goldman, the inventor of the shopping cart, observed in the store which despite his repeated explanation, shoppers were reluctant to use the wheeled carts. 모의응용

배열영작

Test
2

다음 괄호 안의 어구를 모두 알맞게 배열하여 주어진 우리말을 영작하시오.

1 최근 한 연구는 자기 개를 사무실에 데려온 사람들에게서 스트레스 수치가 낮아진 것을 보여주었다.
(decreased / people / that / who / their dogs / for / brought / stress levels / to the office)
→ A recent study demonstrated _____
_____. Rank 25 모의응용

2 어떤 대중적인 양육법을 단순히 채택하는 것의 문제는 그것이 당신의 자녀의 독특한 특성을 무시한다는 것이다.
(ignores / of / that / your child / the unique characteristics / it / is)
→ The problem with simply adopting any popular method of parenting _____
_____. 모의응용

3 청년의 정치 참여가 줄어들고 있다고 주장하는 것은 그들의 새로운 참여 형태의 출현을 완전히 설명하지는 않는다.
(that / diminishing / in politics / fully account for / is / claiming / youth engagement / does not)
→ _____
the emergence of their new forms of participation. Rank 15, 51 수능응용

4 유럽의 초기 민주주의의 아이러니는 다른 대륙의 통치자들에 비해 유럽의 통치자들이 현저하게 약했기 때문에 그것이 번영하고 번성했다는 점이다. (of / and prospered / the irony / thrived / it / that / in Europe / early democracy / is)
→ _____
because European rulers, compared to rulers in other continents, were remarkably weak. 모의응용

고난도 **5** 대다수의 사람들이 우리에게 그들이 더 많은 대안을 갖는 것을 선호한다고 말하겠지만, 우리가 결정을 내릴 때 너무 많은 대안은 혼란을 초래할 수 있다는 것이 현실이다.
(more alternatives / confusion / that / will tell / they / having / us / too many alternatives / prefer / that / can cause)
→ Although the majority of people _____,
the reality is _____ when we make
decisions. Rank 36 모의응용

어법

Test **1**

다음 밑줄 친 부분이 어법상 옳으면 ○, 틀리면 ×로 표시하고 바르게 고치시오. (단, 한 단어로 고칠 것)

1 The philosophy of nonviolent resistance that Mahatma Gandhi had for life <u>impacting</u> the way Martin Luther King Jr. struggled for civil rights in the U.S. (Rank 27, 30) 교과서응용

2 Robots <u>used</u> to automate the factory are needed to reduce manufacturing costs so that the company remains competitive, but <u>planned</u> for their introduction should be done jointly by labor and management. (Rank 05, 09, 15, 34) 수능응용

3 Any great idea holds little value if not understood by others. <u>Making</u> constant efforts to explain your idea until everyone <u>understands</u> it. (Rank 35) 모의응용

고난도 **4** Within the Sumerian economic system, the temple that was initially established as just a religious center later <u>functioning</u> as a vital hub to regulate the cycle of commodities from their production to their redistribution, <u>play</u> a pivotal role in sustaining societal structure and welfare. (Rank 06, 25)

조건영작

Test **2**

다음 주어진 우리말과 일치하도록 괄호 안의 어구를 모두 활용하여 <조건>에 맞게 영작하시오.

> <조건> • 필요시 밑줄 친 단어 변형 가능
> • 단어 추가 불가

1 1980년대 이후 기온이 오르면서, 이탈리아 알프스에 사는 샤무아 염소들은 이제 먹이를 찾는 것보다 휴식하는 데 더 많은 시간을 보냄으로써 더위를 피한다. (now avoid / spend / in the Italian Alps / more time / live / the heat / resting / by)

→ With the temperature having risen since the 1980s, chamois goats _____

_____ rather than

searching for food. (Rank 05, 72) 모의응용

고난도 **2** 전문가들은 복잡한 일을 쉽게 수행할 수 있는데, 그들이 가진 고도로 연습된 기술이 상대적으로 적은 인지 자원을 필요로 하며, 그렇게 함으로써 전반적인 인지 부하를 줄여주기 때문이다. (skills / require / lower / the highly practice / possess / the overall cognitive load / they / relatively few cognitive resources)

→ Experts can perform complex tasks easily, because _____

_____, thereby _____

_____. (Rank 05, 06, 27) 모의응용

3 여러분이 머리를 위치시키는 방식을 조절하는 것은 수면 중 코골이를 완화하고 호흡 패턴을 개선하는 것을 도울 수 있다.

(position / breathing patterns / can / snoring / help / you / adjust / your head / improve / the way / and / alleviate)

→ _____

_____ during sleep. (Rank 09, 15, 30)

*alleviate: 완화하다

주격 관계대명사 who, which, that 관계사

정답 및 해설 p. 22

어법

Test 1

다음 문장에서 **틀린** 부분을 찾아 바르게 고치시오. (단, 한 단어로 고칠 것)

1 Human beings' liking of certainty stems from our ancient ancestors they needed to survive alongside dangerous animals and plants. 모의응용

2 One way to avoid risk that arises when we don't know how to approach a problem is to consult an expert in that field which knows how to handle it. 모의응용

3 A critic who wants to write about literature from a formalist perspective must individually examine its elements they constitute the text.

4 What enables some people to enjoy an espresso with dinner and easily fall asleep at night is a more efficient version of an enzyme in their body who degrades caffeine. [Rank 26] 모의응용

*enzyme: 효소

조건영작

Test 2

다음 주어진 우리말과 일치하도록 괄호 안의 어구를 모두 활용하여 <조건>에 맞게 영작하시오.

<조건> • 필요시 밑줄 친 단어 변형 가능

1 시너지는 결합된 자원들이 같은 자원들의 개별 산출의 합을 초과하는 산출을 생성할 때 발생한다.

(the individual output / the sum / which / exceed / of / produce / combined resources / output)

→ Synergy occurs when _____

_____ of the same resources. [Rank 35] 모의

2 다른 의견을 표하는 사람들과의 논의는 집단 내에서 더 온건한 태도로 이어져야 할 것으로 생각되지만, 실제로 항상 그렇지는 않다. (who / with people / more moderate attitudes / lead to / should / different opinions / express / discussions)

→ While it is believed that _____

_____ within the group, this is not always the case. [Rank 36] 모의응용

📶 고난도 3 지구상에서 인간은 자신의 영양상의 필요에 특별히 맞춘 작물을 재배할 수 있는 유일한 종이다.

(crops / to / can cultivate / the only species / their nutritional needs / that / specifically tailored / be / that)

→ On this planet, humans are _____

_____ . [Rank 03]

📶 고난도 4 감정을 감지하는 것은 AI를 당황하게 하는 지능의 한 유형으로 여전히 남아 있으므로, 스마트 기계의 시대에는 높은 정서 지능을 지닌 사람들이 높게 평가될 것이다.

(be / have / highly valued / AI / one type / puzzle / high emotional intelligence / will / of intelligence / who / which)

→ As sensing emotions remains _____,

people _____ in the age

of smart machines. [Rank 03] 모의응용

어법

Test 1

다음 밑줄 친 부분이 어법상 옳으면 ○, 틀리면 ×로 표시하고 바르게 고치시오. (단, 한 단어로 고칠 것)

1 Your story itself can be <u>what</u> makes you special, but effective personal branding goes beyond just talking about yourself. 모의응용

2 In medieval times, <u>what</u> inspired the invention of the mechanical clock was a monastery bell <u>what</u> monks rang at regular intervals to announce seven specific times for prayer. [Rank 27] 모의응용

고난도 **3** According to an animal behaviorist, a bloodhound dog can detect from a distance <u>that</u> the best man-made instruments for smell cannot detect at the source. 모의응용

고난도 **4** Note that marketers may take advantage of our resistance to mainstream opinion. While we may seek alternatives to <u>what</u> is widely promoted as the popular choice, this can be exactly <u>that</u> a marketer expects us to do. 모의응용

배열영작

Test 2

다음 괄호 안의 어구를 모두 알맞게 배열하여 주어진 우리말을 영작하시오.

1 말은 당신이 매일 경험하는 것에 이름을 지어주고 꼬리표를 붙이며, 세상에 대한 당신의 인식을 형성한다.

(name / what / experience every day / words / and / you / label)

→ _____, shaping your perception of the world. [Rank 09] 모의응용

2 사람들이 할 필요가 있는 것은 어떤 일들은 그들의 통제 밖에 있다는 것을 인정하는 것이다.

(people / some things / what / beyond / need / that / to do / are / to accept / their control)

→ _____ is _____

_____. [Rank 23, 69] 모의응용

3 결정을 하는 데 있어 리더들의 어려움을 악화시키는 것은 전문가들이 정보과부하라고 부르는 것인데, 이 상태에서 그들은 정신을 산만하게 하는 투입들로 어쩔 줄 모르게 된다.

(making / what / leaders' difficulty / information overload / what / in / compounds / call / a decision / experts)

→ _____ is _____

_____, where they become overwhelmed by distracting inputs. 모의응용

고난도 **4** 사람들은 돕는 것이 자신들에게 이점을 주기 때문만이 아니라, 다른 사람들이 그들을 위해 해준 것에 보답해야 한다고 사회적으로 학습하기 때문에도 다른 사람들을 돕는다.

(for them / that / what / socially learn / have done / they / others / should repay / they)

→ People help others not only because helping gives them advantages, but also because _____

_____. [Rank 10, 23]

모의응용

어법

Test 1

다음 문장이 어법상 옳으면 ○, 틀리면 ×로 표시하시오.

1 Social animals living in groups can achieve things which an individual cannot do. 모의응용

2 Sound is simply vibrating air which the ear picks it up and converts to electrical signals. 모의응용

3 In the world of professional sports, as the off-season approaches, a team is likely to consider trade options for veterans on expiring contracts which it doesn't expect to re-sign to their team.

*trade: 트레이드((프로팀 사이에서 소속 선수를 이적시키거나 교환하는 일))

4 Even a successful paradigm often encounters certain phenomena it cannot easily accommodate or experiences mismatches between the theory's predictions and the experimental facts. (Rank 09)

모의응용

배열영작

Test 2

다음 괄호 안의 어구를 모두 알맞게 배열하여 주어진 우리말을 영작하시오.

1 더 나은 의사소통을 위해, 여러분이 만나려고 계획하는 사람들의 문화와 의사소통 관습을 사전에 조사해라.

(whom / the cultures / plan / and / of those / to meet / communication conventions / you)

→ For better communication, research in advance _____

_____. 모의응용

2 한 가지에 집중하는 것이 당신이 당신의 학업 분야에서 목표를 달성하기 위해 해야 하는 전부이다.

(to achieve / one thing / your goals / is / do / all / focusing / you / that / should / on)

→ _____ in your field of study. (Rank 13, 15)

고난도 3 인간이 누리는 건강의 질은 공기나 식수의 오염을 통제하는 서비스와 같은 것들에 기인한다. (or / of the air / of health / which / is / control / the quality / enjoy / drinking water / human populations / the pollution)

→ _____ attributable to things like services _____. (Rank 25) 모의응용

고난도 4 정신 건강은 그것에 붙은 사회적 오명 때문에, 모두가 문제라고 생각하지만 공개적으로 논의하기를 주저하는 사안이 된다.

(finds / but / openly discuss / becomes / problematic / to / which / hesitates / an issue / everyone)

→ Mental health _____

_____, owing to the social stigma attached to it. (Rank 09, 11)

*stigma: 오명, 치욕

어법

다음 문장에서 어법상 **틀린** 부분을 찾아 바르게 고치고, 선행사에 밑줄을 그으시오. (시제는 변경하지 말 것, 한 단어로 고칠 것)

Test 1

1 A ship traveling through rough seas lost 12 cargo containers, one of which were holding 28,800 floating bath toys. 수능응용

2 As you explore one subject after another, the previously gained knowledge is retained within your brain in simplified forms, which leave room for new learning. 수능응용

3 In a production workflow, the manufacturer must be cautious of outsourcing a task, who could elevate the risks associated with quality control, scheduling, and the performance of the final product. 모의응용

4 A dramatic example of how culture can influence our biological processes was provided by an anthropologist named Clyde Kluckhohn, he spent much of his career in the American Southwest studying the Navajo culture. 모의응용

조건영작

다음 주어진 우리말과 일치하도록 괄호 안의 어구를 모두 활용하여 <조건>에 맞게 영작하시오.

> <조건> • 필요시 밑줄 친 단어 변형 가능
> • 콤마(,)를 알맞은 위치에 넣을 것

Test 2

1 손으로 일하는 것은 신경 화학 물질인 도파민과 세로토닌의 분비를 증가시키는데, 그것들 둘 다 긍정적인 감정을 발생시킨다.
(of / of / generate / the neurochemicals dopamine / the release / and serotonin / which / positive emotions / both)

→ Working with our hands increases _____

_____ . 모의응용

2 나노 구조로 된 필터는 물에서 불순물을 제거할 수 있는데, 궁극적으로 도움이 필요한 사람들에게 깨끗한 식수를 제공할지도 모른다. (can / of / impurities / which / rid / nanostructured filters / get)

→ _____ from water, may

ultimately provide clean drinking water for those in need. *impurity: 불순물; 불결

3 면역 체계가 위험한 기생균을 감지할 때, 특별한 세포들을 만들어내기 위해 신체가 동원되며, 그것들은 혈액에 의해 운반되어 작은 군대처럼 전투에 들어간다. (the blood / to produce / mobilized / special cells / carried by / is / be / which)

→ When the immune system senses a dangerous parasite, the body _____

_____ into battle like a small army. (Rank 03, 13) 모의응용

고난도 4 사회적 놀이에서, 아이들은 다른 사람들과 협상하고 갈등에서 발생하는 분노를 극복하는 방법들을 배우는데, 그중 무엇도 경험 없이 언어적인 수단을 통해 가르쳐질 수 없다. (overcome / none / to negotiate / and / can be taught / from conflicts / the anger / which / ways / arising / of / with others)

→ In social play, children learn _____

_____ through verbal means without experience.

(Rank 09, 52) 모의응용

문장전환 다음 두 문장을 <전치사+관계대명사>를 사용하여 한 문장으로 바꿔 쓰시오. (단, 전치사와 관계대명사를 붙여 쓸 것)

Test 1

1 The researchers are planning a survey. They will examine participants' preferences for music genres in the survey.

→ The researchers are planning a survey _____

_____ .

2 In her memoir, she dedicated a chapter to the president, reflecting on his guidance and wisdom. She worked for him.

→ In her memoir, she _____ ,

reflecting on his guidance and wisdom.

어법 다음 문장이 어법상 옳으면 ○, 틀리면 ×로 표시하시오.

Test 2

1 If well managed, there are many methods by which tourism contributes to the preservation of heritage sites, such as generating necessary funding. Rank 76 모의응용

2 Often, what people focus on when they introduce themselves is their work or the activities which they spend time. Rank 26 수능응용

3 One fundamental aspect in which games differ from other forms of entertainment is that they give players the chance to influence the result. Rank 23 EBS응용

배열영작 다음 괄호 안의 어구를 모두 알맞게 배열하여 주어진 우리말을 영작하시오.

Test 3

1 모든 사회적 상호 작용은 관련된 당사자들이 그들의 행동을 조정할 수 있는 어떤 공통된 기반을 요구한다.
(their / which / some common ground / can / the involved parties / coordinate / upon / behavior)

→ All social interactions require _____

_____ . 모의

2 자동차의 초창기에, 타이어는 검은색이 거의 없었는데, 그것(타이어)들이 만들어지는 고무는 자연적으로 흰색이나 황갈색이었기 때문이다. (they / from / the rubber / were made / which)

→ In the early days of automobiles, tires were seldom black, because _____

_____ was naturally white or tan. Rank 03 모의응용

고난도 3 많은 사람들이 그들이 관계를 맺는 사람들과 비슷한 가치관을 공유해야 한다고 생각하지만, 이것은 사실 의무적인 것이 전혀 아니다. (mandatory / whom / is actually / which / far / have / from / with / a relationship / they / people)

→ Many people believe that they should share similar values with _____

_____ , _____

_____ . Rank 28 수능응용

정답 및 해설 p. 24

문장전환 다음 두 문장을 관계부사 when, where, why, how 중 적절한 것을 사용하여 한 문장으로 바꿔 쓰시오.

Test 1

1 Prejudice based on rumors should never affect the way. We think about or deal with other people in that way.

→ Prejudice based on rumors should never affect _____

_____ .

2 While today we emphasize artists' individuality, there was a day. Priority was given to an observance of tradition on that day.

→ While today we emphasize artists' individuality, there was a day _____

_____ . 모의응용

어법 다음 문장에서 틀린 부분을 찾아 바르게 고치시오. (옳은 문장이면 ○로 표시할 것)

Test 2

1 Relying solely on one field is dangerous; a farmer who relies on just one big field will starve in an inevitable year which that field has a low yield. 모의응용

2 The high pay promised by the company was why she decided to accept the job offer and relocate to the country where the company is located.

배열영작 다음 괄호 안의 어구를 모두 알맞게 배열하여 주어진 우리말을 영작하시오.

Test 3

1 우리가 먼 거리를 이동할 때, 우리의 체내 시계는 우리가 도착한 곳이 아니라 우리가 떠나온 지역의 시간을 따르며, 적응하는 데 어느 정도의 시간을 필요로 한다. (where / arrived / we / of / left / where / we / follow / the one / the region / the time)

→ When we move a long distance, our internal clocks _____

_____ , not _____ ,

requiring some time to adjust. 모의응용

고난도 **2** 부정적인 상태의 사람들은 종종 활동적이려는 욕구를 잃는데, 이것이 우울증을 겪는 사람들이 밖으로 나가려는 동기가 부족한 이유이다. (lack / why / experiencing / the reason / which / those / the motivation / is / depression)

→ People in a negative mood often lose the desire to be active, _____

_____ to go outside. (Rank 05, 28) 모의응용

3 뇌에 관한 연구는 지능이 이해되는 방식을 근본적으로 변화시켜 왔으며 일반 지능의 개념을 둘러싼 많은 논쟁을 유발해 왔다.

(the notion / and / surrounding / has radically changed / considerable controversy / is understood / how / caused / intelligence)

→ Research on the brain _____

_____ of general intelligence. (Rank 03, 05, 09) 수능응용

배열영작 다음 괄호 안의 어구를 모두 알맞게 배열하여 주어진 우리말을 영작하시오.

Test 1

1 당신이 더 좋은 그래픽 카드를 가지고 있을수록, 높은 설정에서 게임이 더 원활하게 실행될 것이다.

(run / better / have / games / smoothly / the / graphics card / the / will / you / more)

→ _____ , _____

on high settings.

2 우리가 우리의 행동을 더 자기 성찰적으로 되돌아볼수록, 우리는 우리의 동기에 대한 더 다채로운 통찰력을 얻을 수 있다.

(we / the / gain / introspectively / the / insight / on / richer / our actions / reflect / more / we)

→ _____ , _____

_____ into our motivations.

3 마케터들은 제품이 더 희귀할수록, 그것이 소비자들에게 더 매력적이게 된다는 원칙을 자주 이용한다.

(more / becomes / a product / appealing / the / the / it / scarcer / is / to consumers)

→ Marketers often capitalize on the principle that _____ ,

_____ . Rank 52 모의응용

4 'serendipity'와 같이 우리가 하나의 단어에 더 많은 의미를 담을 수 있을수록, 생각을 이해시키기 위해 우리는 더 적은 단어가 필요하다. (can / fewer / a single word / meaning / more / the / the / we / we require / pack into / words)

→ _____ such as "serendipity,"

_____ to get an idea across. 수능응용   *serendipity: 뜻밖의 재미[기쁨]

조건영작 다음 주어진 우리말과 일치하도록 괄호 안의 어구를 모두 활용하여 <조건>에 맞게 영작하시오.

Test 2

> <조건> • 필요시 밑줄 친 단어 변형 및 단어 추가 가능
> • 「the+비교급, the+비교급」 구문을 사용할 것

1 사람들이 특정 브랜드를 더 일찍 사용하기 시작할수록, 그들은 앞으로 수년 동안 그것을 계속 사용할 가능성이 더 크다.

(start / are / early / a certain brand / using / people / it / likely / using / they / to keep)

→ _____ , _____

_____ for years to come. Rank 11 모의응용

고난도 2 수심이 더 깊을수록, 증가되는 압력과 저항 때문에 물속에서 팔을 움직이기가 더 힘들다.

(your arm / deep / to move / it is / difficult / the depth of water)

→ _____ , _____

_____ through the water due to the increased pressure and resistance. Rank 14

고난도 3 광고의 이미지가 더 강력하고 더 매혹적일수록, 그것은 사람들의 기억 속에 스스로를 더 강력히 깊이 새긴다.

(the imagery / and / itself / captivating / it / strong / of an advertisement / intensely / embeds)

→ _____ ,

_____ in people's memories. Rank 09

어법

다음 문장이 「가목적어-진목적어」 구문을 포함하도록 밑줄 친 부분을 바르게 고치시오.

Test 1

1 Individuals who consider it <u>difficultly</u> to be confident about their financial stability in the future are advised to exercise caution when it comes to using credit cards. 모의응용

2 While some assume only lonely children play with imaginary friends, research makes <u>evident it</u> that it is often the highly imaginative children who invent these creatures. [Rank 45] 수능응용

고난도 3 Finding it unacceptable <u>for</u> the city council was planning to end the service of the only public transport available in our area, I wrote a letter to oppose the plan. [Rank 06] 모의응용

4 Merely knowing that you're not the only one resisting, even if you have few companions, will make it substantially easier for you <u>reject</u> societal norms. 모의응용

배열영작

다음 괄호 안의 어구를 모두 알맞게 배열하여 주어진 우리말을 영작하시오.

Test 2

1 오래된 휴대전화에 들어 있는 금, 은, 구리와 같은 가치 있는 금속들은 우리가 그것들을 재활용하는 것이 꽤 이득이 되게 만든다.
(recycle / quite profitable / us / it / for / make / to / them)
→ Valuable metals such as gold, silver, and copper in old cell phones _____
_____. 교과서응용

2 치과 의사가 여러분에게 뇌졸중에 대해 경고할 수 있다는 것을 이상하다고 생각할 수 있지만, 많은 전신 질환이 실제로 구강에서 첫 징후를 보인다. (it / a dentist / about a stroke / strange / can warn / that / may consider / you)
→ You _____, but many systemic diseases actually show first signs in the oral cavity.   *stroke: 뇌졸중 **systemic: 전신에 영향을 주는

3 의사소통을 장려하는 가정에서 자란 아이들은 장래에 다양한 상황에서 자신의 감정을 표현하는 것이 편안하다고 여기는 경향이 있다. (their emotions / to / communication / it / that / tend to / comfortable / encourage / find / express)
→ Children raised in households _____
_____ in various situations later in life. [Rank 11, 25] 모의응용

고난도 4 천문학자들이 명왕성의 궤도를 도는 네 번째 위성을 발견했을 때, 모두가 허블 우주 망원경이 우리가 50억 킬로미터 넘게 떨어진 곳에 있는 그렇게나 작은 물체를 볼 수 있도록 해주었다는 것이 놀랍다고 생각했다.
(it / such a tiny object / to / that / see / allowed / the Hubble Space Telescope / remarkable / us / thought)
→ When astronomers discovered a fourth moon orbiting Pluto, everyone _____
_____ located more than 5 billion kilometers away. [Rank 07]   *Pluto: 명왕성

어법

Test 1

다음 밑줄 친 부분이 어법상 옳으면 ○, 틀리면 ✕로 표시하고 바르게 고치시오.

1 These days, the influence of books is vastly overshadowed by <u>those</u> of visual media due to the easy access and convenience provided by online platforms and streaming services. 모의응용

2 Be mindful about every purchase by carefully researching the corporations that are taking your money in order to figure out if it is worthwhile for you to support <u>them</u>. Rank 14 모의응용

3 Most mice in the wild die from external causes, such as predators, disease, or starvation, rather than from aging, before <u>its</u> life span of two years is over. 모의응용

고난도 4 Many predatory fish of the deep sea are equipped with enormous mouths and sharp teeth, which enable <u>it</u> to hold on to prey and overpower it. Rank 28 모의응용

조건영작

Test 2

다음 주어진 우리말과 일치하도록 괄호 안의 어구를 모두 활용하여 <조건>에 맞게 영작하시오.

<조건> • 필요시 밑줄 친 대명사의 수 변형 가능

1 음악 모음집들의 디지털화를 통해, 이전에 잊혔던 곡들이 지금 발견되고 새로운 것들의 창작에 영향을 미치는 데 사용되고 있다.
(the creation / are now / and used / of / being / to influence / new <u>one</u> / found)

→ Through digitizing music collections, previously forgotten tracks _____

_____. Rank 13, 16, 49

2 어떤 사회 운동의 성공에 있어 결정적인 요소는 그것의 지지자들이 그들의 견해에 일관성을 유지하는지이고, 이러한 일관성은 여론의 점진적인 설득과 의미 있는 변화를 낳는다.
(whether / are / in <u>its</u> views / consistent / <u>its</u> supporters / of any social movement / a crucial factor / is / in the success)

→ _____

_____, and this consistency results in the gradual

persuasion of public opinion and meaningful change.

고난도 3 생태계는 그 구성과 규모가 상이하다. 그것은 당신의 입속 생물체들의 상호 작용에서부터 지구의 바닷속 그것들에 이르는 범위로 정의될 수 있다. (the interactions / in / ranging from / in your mouth / organisms / in Earth's oceans / of / to <u>that</u> / differ / <u>its</u> composition and extent)

→ Ecosystems _____. They can be defined as

_____. 모의응용

고난도 4 어떤 정책을 평가할 때, 사람들은 그 정책이 어떻게 특정 문제들을 해결할지에 집중하는 경향이 있으며, 그것이 시행될 때 그들에게 미칠 그것의 다른 잠재적인 영향들은 종종 무시한다.
(how / on <u>it</u> / will fix / <u>it</u> / particular problems / the policy / <u>its</u> other potential effects / implemented / when / is)

→ When evaluating a policy, people tend to concentrate on _____

_____, often ignoring _____

_____. Rank 03, 17, 35 모의응용

서술형 대비 **실전 모의고사 3회**

[01-05] 다음 밑줄 친 부분이 어법상 옳으면 ○, 틀리면 ×로 표시하고 바르게 고치시오. (단, 한 단어로 고칠 것) [밑줄당 2점]

01 Emotionally mature people understand that there are occasions <u>when</u> respecting the feelings of others is <u>that</u> friends should do. EBS응용

02 When we learn to read, we recycle a specific region of our visual system <u>know</u> as the visual word-form area, thereby <u>connect</u> strings of letters we recognize to language areas. 수능

고난도

03 When we find a poorly written piece <u>in which</u> context and content don't fit together well, it's hard to understand it. Consequently, <u>that</u> we comprehend is probably very different from <u>which</u> the writer actually wanted to say. 모의응용

04 One cup of tea or coffee in the morning will last much of the day for the people <u>when</u> are very sensitive to caffeine's effects, and if they should have a second cup, even early in the afternoon, they will find it <u>difficultly</u> to fall asleep in the evening. 모의응용

고난도

05 One advantage of reading books is <u>what</u> readers are allowed to have the unique opportunity to immerse themselves in diverse cultures and ideas which extend far beyond <u>its</u> immediate surroundings and are given a window into worlds <u>where</u> they might never physically step into.

[06-07] 다음 글의 밑줄 친 ① ~ ⑥ 중 틀린 부분 2개를 찾아 바르게 고친 후, 틀린 이유를 작성하시오. [각 4점]

> Effective coaches focus on a single task instead of trying to multitask. They understand that multitasking is another way of saying you are going to complete several tasks, none of ① them are going to be very good. A professor of psychology points out ② that the brain isn't built to concentrate on two things at once. It works more slowly if it tries to. Effective coaches focus on ③ what needs to get done and separate out everything else. Separating what is important from the thing ④ what is not important is prioritizing. Ineffective coaches fail ⑤ to put the big tasks first. They either believe they have unlimited time, ⑥ thinking that they will have more time tomorrow to get something done, or they underestimate how much time they really do have. 모의응용

06 틀린 부분:_____ → 바르게 고치기: _____

틀린 이유:_____

07 틀린 부분:_____ → 바르게 고치기: _____

틀린 이유:_____

[08-11] 다음 주어진 우리말과 일치하도록 괄호 안의 어구를 모두 활용하여 <조건>에 맞게 영작하시오. [각 5점]

<조건> • 필요시 밑줄 친 단어 변형 가능

08 우리가 경험하는 재화와 서비스의 향유는 수많은 사람들의 기여에 의해 촉진되는데, 그들 중 대부분은 우리가 결코 만나지 않을 사람들이다. (of / facilitate / of / we / be / by / experience / numerous people / never meet / we / who / that / most / the contributions / will)

→ The enjoyment of goods and services _____

_____, _____. 모의응용

09 선이 지도에 그려지는 정밀성과 기호가 사용되는 일관성은 그것이 세계를 객관적인 방식으로 표현하게 한다.
(it / use / the lines / make / symbols / the world / be / on the map / be / with which / represent / with which / draw)

→ The precision _____ and the consistency

_____ in an objective manner. 수능응용

고난도
10 우리의 일상생활에서 대수롭지 않게 여겨질 수 있는 행동들에 몰입하는 것은 해방감을 제공할 수 있으며, 우리가 우리의 잠재력을 발견할 수 있는 보호공간을 만들어 내는 것을 가능케 한다. (make / can / where / insignificant / our potential / to / acts / might be / possibly / we / generate / engage in / that / considered / a protected space / it / discover)

→ _____ in our ordinary lives can

provide a sense of liberation, _____

_____. 모의응용

고난도
11 미학적 범주는 우리가 예술을 경험하는 방식에 대한 우리의 인식을 체계화한다. 범주화가 더 응집력이 있을수록, 전달되는 것에 대한 우리의 이해는 더 깊어지게 된다. (deep / the categorization / be / of / we / art / more / our perception / cohesive / convey / the / the / our understanding / how / becomes / is / what / of / experience)

→ Aesthetic categories organize _____;

_____, _____

_____. 수능　　　*aesthetic category: 미학적 범주

12 다음 글의 제목을 <보기>에 주어진 어구를 배열하여 완성하시오. [6점]

An individual who feels he or she has been attacked verbally and whose ego is bruised is likely to become defensive. The natural response in such a situation is to strike back to establish a position. If what you are hearing upsets you, remain calm and keep listening — and then reflect on your interpretations and check them for accuracy. Too often, we become defensive and strike back, even though the speaker is offering constructive criticism. When you feel yourself reacting defensively, restrain yourself and continue to listen. Once you hear the speaker out, you will be in a better position to respond.

<보기> while / Reactions / Reflective / are / that / Remaining / Defensive

[제목] Avoiding _____

13 다음 글의 요지를 <조건>에 맞게 완성하시오. [8점]

> Words and language play a vital role in expressing how we feel or conveying a message. But more importantly, how we use those words can make all the difference in meaning. For instance, a simple sentence like "You know, I really like him" can have several different meanings depending on the stress and inflection in your voice. If you put emphasis on the pronoun, "I," it would mean that you "like him" even if the other person you're talking to doesn't. You could also say, "You know I really like him" which would mean "you should already know that I like him." And if you're being sarcastic, the phrase can have the opposite meaning, "I really don't like him." So the next time you're speaking, think twice about what you stress and emphasize.
>
> *inflection: 억양, 어조

<조건> 1. <보기>에 주어진 어구 중 하나를 제외하고 사용할 것
　　　　2. 필요시 밑줄 친 단어 변형 가능

<보기> our intended / words / we / a crucial role / emphasize / meaning / in communicate / how / play / the way

[요지] _____.

[14-15] 다음 글을 읽고 물음에 답하시오.

> In theory, practitioners in the classic professions, like medicine or the clergy, ① <u>containing</u> the means of production in their heads and hands, and therefore do not have to work for a company or an employer. They can draw their income directly from their clients or patients. Because the professionals hold knowledge, their clients are dependent on ② <u>them</u>. Journalists hold knowledge, but it is not theoretical in nature; one might argue that the public depends on journalists in the same way ③ <u>that</u> patients depend on doctors. But in practice, a journalist can serve the public usually only by working for a news organization, ④ <u>which</u> can fire him or her at will. Journalists' income depends not on the public, but on the employing news organization, which often ⑤ <u>derive</u> the large majority of its revenue from advertisers. 모의응용

14 윗글의 밑줄 친 ①~⑤ 중 틀린 부분 2개를 찾아 바르게 고치시오. [각 3점]

(1) 틀린 부분: _____ → 바르게 고치기: _____

(2) 틀린 부분: _____ → 바르게 고치기: _____

고난도
15 윗글의 내용을 요약하고자 한다. <보기>에 주어진 어구를 배열하여 요약문을 완성하시오. [8점]

<보기> struggle with / income directly / can work autonomously / traditional professionals / and / which / from clients or patients / who / do not / earn

[요약문] Journalists encounter the distinct challenge of being dependent on organizations that control their income and employment status, _____

_____.

(A) Your memory merges similar events not only because it's more efficient to do so, but also because this is fundamental to the way how we learn things — our brains extract abstract rules that tie experiences together. This is especially true for things that are routine. If your breakfast is always the same — cereal with milk, a glass of orange juice, and a cup of coffee for instance — there is no easy way for your brain to extract the details from one particular breakfast. Ironically, then, for behaviors that are routinized, (B) remembering the generic content of the behavior (such as the things you ate, since you always eat the same thing for many days) is that your brain is usually capable of, but calling up particulars to that one instance (such as the sound of a garbage truck going by or a bird that passed by your window) can be very difficult *unless* they were especially distinctive. On the other hand, if you did something unique that broke your routine — perhaps you had leftover pizza for breakfast and spilled tomato sauce on your dress shirt — you are more likely to remember it. 모의응용

고난도

16 윗글의 밑줄 친 (A), (B)에서 틀린 부분을 찾아 바르게 고치시오. [각 5점]

(A) 틀린 부분: _____ → 바르게 고치기: _____

(B) 틀린 부분: _____ → 바르게 고치기: _____

고난도

17 윗글의 요지를 <조건>에 맞게 완성하시오. [10점]

> <조건> 1. <보기>에 주어진 어구를 모두 한 번씩만 사용할 것
>   2. 필요시 밑줄 친 단어 변형 가능
>   3. 「the+비교급, the+비교급」 구문을 사용할 것
>
> <보기> hard / our daily activities / is / much / any one particular instance / into a routine / to remember / blend / the / it / the

[요지] _____, _____

_____ without unique elements.

Skill is only developed by hours and hours of work.

- Usain Bolt -

34
Rank
44

Rank 34	목적·결과의 부사절
Rank 35	시간·조건의 부사절
Rank 36	양보·대조의 부사절
Rank 37	형용사 자리 vs. 부사 자리
Rank 38	주어+동사+보어(2문형)
Rank 39	to부정사와 동명사의 태
Rank 40	to부정사와 동명사의 완료형
Rank 41	비교급+than~
Rank 42	원급을 이용한 비교 표현
Rank 43	최상급을 나타내는 여러 표현
Rank 44	4문형·5문형의 수동태

서술형 대비 실전 모의고사 4회

서술형 PLUS 표현 ▶▶ 주어진 내용을 단서로 하여 빈칸을 채우세요.

정답 및 해설 p. 29

+ 형명동형 Rank 37, 38

형태	형용사 의미	명사 의미	형태	형용사 의미	명사 의미
alternative			plain		
concrete			potential		
content			present		
core			relative		
fake			representative		
fundamental			resolve		
good			standard		
individual			subject		
intent			total		
moral			valuable		
objective			variable		

+ 형동동형 Rank 37, 38

형태	형용사 의미	동사 의미	형태	형용사 의미	동사 의미
alert			last		
close			long		
complete			mean		
duplicate			open		
elaborate			own		
exempt			present		
faint			secure		
hurt			separate		

정답 및 해설 p. 30

어법

Test 1

다음 밑줄 친 부분이 어법과 문맥상 옳으면 ○, 틀리면 ✕로 표시하고 바르게 고치시오.

1 Human reactions are <u>so complicated</u> they can be challenging to decode. 모의응용

2 Copyright places reasonable time limits on creative rights, <u>so that</u> authors' rights can be protected and outdated works can be freely used in new creative efforts. Rank 03 수능응용

3 We are having student presentations in the next three weeks in order <u>to</u> all parents can have the opportunity to see how their child has settled into their new year class. Rank 17, 52

4 In *Three Musicians*, Picasso used abstract forms to shape the musicians in <u>so</u> an unexpected way that when you first see this artwork, you assume that nothing makes sense. Rank 13 모의응용

배열영작

Test 2

다음 괄호 안의 어구를 알맞게 배열하여 주어진 우리말을 영작하시오.

1 도덕 이론은 그것의 실질적 요구 사항들이 너무 부담이 커서 그것들이 겨우 몇몇의 특별한 개인이나 엄선된 집단에게만 가능하다면 널리 수용되지 않는다. (that / its practical requirements / possible / demanding / they / so / are / are)

→ A moral theory is not widely acceptable if _____

_____ for only a few extraordinary individuals or select groups.

2 나방들은 천적들이 그들을 실제 잎과 구별할 수 없도록 놀라운 위장술을 진화시켜 왔다.

(aren't / to distinguish / in / enemies / them / order / real leaves / able / that / from)

→ Moths have evolved a remarkable camouflage _____

_____. Rank 62 모의응용

3 기술이 항상 진보로 이어진다는 생각은 그것이 통념이라고 불릴 수 있을 정도로 아주 오래 계속된 가정이다.

(longstanding / a conventional wisdom / a / called / it / that / could / assumption / such / be)

→ The idea that technology always leads to progress is _____

_____. Rank 44 모의응용

고난도 4 면역 체계는 특정 전투를 위해 만들어 낸 분자 도구를 계속 보유하고 있어서, 같은 기생균에 의한 모든 후속 감염은 우리가 그것을 알아채지조차 못할 정도로 아주 빠르게 격퇴된다. (by / even notice / so / the same parasite / quickly / it / so / are repelled / we / that / don't / all subsequent infections / that)

→ The immune system retains the molecular tools it created for a specific battle, _____

_____

_____. Rank 03 모의응용

정답 및 해설 p. 30

어법

다음 밑줄 친 부분이 어법과 문맥상 옳으면 ○, 틀리면 ×로 표시하고 바르게 고치시오.

1 <u>Once</u> an item is past the sell-by date, it goes into the waste stream and increases its carbon footprint. 모의응용

*sell-by date: 판매 유효 기한 **carbon footprint: 탄소 발자국

2 <u>As long as</u> I opened my mouth to answer the speaker's question, someone else yelled out the answer. 교과서응용

3 We should not consider the possibility that aliens have visited Earth <u>until</u> we observe undeniable evidence from reputable scientific sources. 모의응용

배열영작

다음 괄호 안의 어구를 모두 알맞게 배열하여 주어진 우리말을 영작하시오.

1 한 번에 여러 가지 일을 하는 개념이 1920년대에 주목을 받기 시작한 이래로, 심리학자들은 우리의 인지 과정과 효율성에 미치는 그것의 영향을 연구해 오고 있다. (studying / multiple things / to receive / since / have / attention / its effects / of / at a time / the concept / been / doing / began / in the 1920s)

→ _____ ,

psychologists _____ on our cognitive processes and efficiency. Rank 11, 16, 52 수능응용

2 아이들과 그들의 보호자 사이의 애착의 질이 그들의 미래의 관계 패턴에 영향을 미칠 수 있다는 점을 고려하면, 보호지기 아이들과의 안정감 있는 관계를 발전시키는 것은 중요하다. (for caregivers / of attachment / given that / is / can influence / children / between / crucial / the quality / their caregivers / it / to foster / and)

→ _____

their future relational patterns, _____ secure relationships with their children. Rank 14

고난도 **3** 그는 날카로운 이빨을 가진 생물이 자신을 향해 다가오고 있는 것을 알아차리자마자 주저하지 않고 빠르게 가장 가까운 나무에 올라갔다. (than / had / towards him / rapidly climbed / the creature / the nearest tree / he / he / with sharp teeth / noticed / moving)

→ No sooner _____

_____ without any hesitation. Rank 08, 18

4 문제가 수면 위로 떠오를 때마다 우리는 두 가지 선택에 직면하게 된다. 우리는 그것이 지나갈 때까지 그 순간에 차분하게 머무를 수도 있고 아니면 행동하는 것을 선택할 수도 있다.

(calm / until / passes / can remain / whenever / in the moment / surfaces / two choices / trouble / faced with / it / are)

→ We _____ . We _____

_____ or we can choose to act. Rank 38

문장전환 다음 두 문장이 같은 의미가 되도록 빈칸을 완성하시오. (단, 빈칸당 한 단어만 쓸 것)

Test 1

1 Although the population is rapidly aging, the young still play a crucial role in shaping societal trends.

= ＿＿＿＿＿＿ ＿＿＿＿＿＿ ＿＿＿＿＿＿ the rapid aging of the population, the young ~.

2 Though they are invisible to human eye, ultraviolet rays from the sun can be harmful.

= Invisible ＿＿＿＿＿＿ ＿＿＿＿＿＿ ＿＿＿＿＿＿ to the human eye, ultraviolet rays ~.

*ultraviolet rays: 자외선

배열영작 다음 괄호 안의 어구를 모두 알맞게 배열하여 주어진 우리말을 영작하시오.

Test 2

1 사회주의는 집단적 복지와 자원의 평등을 강조하는 반면, 자본주의는 개인의 성공과 자유 시장 경쟁을 우선시한다.

(competition / individual / and / success / capitalism / whereas / prioritizes / free market)

→ Socialism emphasizes collective welfare and equality of resources, ＿＿＿＿＿＿＿＿＿＿＿＿

＿＿＿＿＿＿＿＿＿＿＿＿＿＿＿＿＿＿＿＿＿ .

2 당신이 자신의 감정을 아무리 잘 숨긴다고 하더라도, 손톱 물어뜯기 같은 미묘한 행동이 당신의 진정한 감정을 드러낼지도 모른다.

(well / feelings / how / you / matter / no / your / conceal)

→ ＿＿＿＿＿＿＿＿＿＿＿＿＿＿＿＿＿＿＿＿＿ , subtle actions like nail biting

may reveal your true emotions.

3 그들이 함께 노래를 부르는 활동을 이끌든 청중이 박수를 칠 리듬을 가르치든, 음악가들은 청중을 음악에 참여시킴으로써 참여도를 올릴 수 있다. (lead / clap / teach / to / whether / a rhythm / or / for the audience / a sing-along activity / they)

→ Musicians can boost the level of engagement by involving the audience in the music, ＿＿＿＿＿＿

＿＿＿＿＿＿＿＿＿＿＿＿＿＿＿＿＿＿＿＿＿ . 모의응용

4 '집단 지성'은 비록 그들이 고등 교육을 받지 않았거나 개별적으로 논리적이지 않아도 사람들은 협력하여 효과적인 해결책을 만들어 낼 수 있다는 것을 내포한다. (even though / collaboratively generating / highly educated / are / or / they / individually logical / not / effective solutions / capable of / are)

→ "Collective intelligence" implies that people ＿＿＿＿＿＿＿＿＿＿＿＿＿＿＿＿＿＿＿

＿＿＿＿＿＿＿＿＿＿＿＿＿＿＿＿＿＿＿＿＿ .

5 비록 어떤 의사 결정들은 직관적으로 느껴지지만, 그것들은 종종 우리가 의식적으로 알지 못하는 복잡한 인지 과정에 의해 뒷받침된다. (as / by / are / some decisions / complex cognitive processes / intuitive / often supported / they / feel)

→ ＿＿＿＿＿＿＿＿＿＿＿＿＿＿＿＿＿＿ , ＿＿＿＿＿＿＿＿＿＿＿＿＿＿＿

＿＿＿＿＿＿＿＿＿＿＿＿＿＿ that we are not consciously aware of. Rank 03

고난도 **6** 그것들이 어떤 환경적 변화에 직면할지라도, 그리고 아무리 그 변화의 속도가 빠르다고 할지라도, 동물 종들은 진화한다.

(rapid / face / the pace / may / environmental changes / changes / they / whichever / of / be / however)

→ Animal species evolve, ＿＿＿＿＿＿＿＿＿＿＿＿＿＿＿＿＿＿＿＿＿ and

＿＿＿＿＿＿＿＿＿＿＿＿＿＿＿＿＿＿ . 모의응용

어법 다음 밑줄 친 부분이 어법상 옳으면 ○, 틀리면 ×로 표시하고 바르게 고치시오.

Test 1

1 Sorting reusable items like glass, paper, and plastic is a <u>simple</u> yet impactful activity we can do <u>personal</u> to reduce our carbon footprint. [Rank 13, 27]

2 Stable patterns are <u>necessary</u> to avoid chaos; however, they make it very <u>hardly</u> to break old habits, even when those are no longer useful or constructive. [Rank 32, 38] 모의응용

고난도 3 The more <u>exclusive</u> we surround ourselves with people who are the same as us, who hold the same views, and who share the same values, the more <u>likely</u> we are to stagnate as human beings rather than grow. [Rank 31] 모의응용

*stagnate: 정체되다, 침체되다

고난도 4 Wind bursts that can lead to plane crashes <u>general</u> result from high-speed downdrafts in the turbulence of thunderstorms, but they can occur in clear air when rain evaporates and rises <u>high</u> above the ground. [Rank 25] 모의응용

*downdraft: 하강 기류 **turbulence: 난기류

조건영작 다음 주어진 우리말과 일치하도록 괄호 안의 어구를 모두 활용하여 <조건>에 맞게 영작하시오.

Test 2

<조건> • 필요시 밑줄 친 단어 변형 가능

1 부모가 더 적극적으로 자신감을 보여줄수록, 그들의 자녀는 더 독립적이 되어 자신의 미래를 구체화하는 기술을 발달시킨다.
(independent / the more / confidence / their children / active / the more / parents / become / demonstrate)

→ _____, _____

_____, developing skills to shape their own future. [Rank 31]

2 광범위하게 효과적인 살충제의 사용은 익충들에 부정적인 영향을 갖는 것으로 관찰되었는데, 특히 그것들의 번식 주기를 방해한다.
(the use / impact / has / to have / observed / of / negative / pesticides / been / a / broad effective)

→ _____

on beneficial insects, particularly in disrupting their reproductive cycles. [Rank 16, 44] 모의응용

3 어떤 일이 여러분의 시간을 지나치게 소모할 때, 그것을 위해 다른 누군가를 고용하고 시간을 더 가치 있는 것에 쓰는 것이 이롭다는 것을 알게 될 수도 있다. (advantageous / excessive consumes / to / may find / your time / hire / it / someone else)

→ When a task _____, you _____

_____ for it and spend your time on something more valuable. [Rank 32, 35]

4 실수를 저질렀다는 것을 깨달았을 때, 가능한 한 지체 없이 그것을 인정하고 즉시 그것을 바로잡기 위한 조치를 취해라.
(possible / steps / immediate take / prompt / it / it / acknowledge / as / as / to correct)

→ When you realize you have made a mistake, _____

and _____. [Rank 09, 42]

어법

Test 1

다음 밑줄 친 부분이 어법상 옳으면 ○, 틀리면 ✕로 표시하고 바르게 고치시오.

1 She found that the subscription had become too <u>costly</u> to keep, so she decided to cancel it.

(Rank 37)

2 I think we should stay <u>relaxing</u>, look at what actually happened, and also appreciate that everyone is <u>alive</u>. (Rank 54)

조건영작

Test 2

다음 주어진 우리말과 일치하도록 괄호 안의 어구를 모두 활용하여 <조건>에 맞게 영작하시오.

<조건> • 필요시 밑줄 친 단어 변형 가능
• 단어 추가 불가

1 여러 숏을 계속해서 고치는 데 들인 감독의 시간 덕분에, 그 장면들은 현실처럼 보이고 그 영화는 그의 이전 작품보다 더 유명해지고 사랑받게 되었다.

(more famous / reality / has grown / his previous work / the scenes / the movie / like / beloved / look / than / and)

→ Thanks to the director's hours spent endlessly reworking different shots, _____ _____, and _____

_____. (Rank 09, 41) 교과서응용

2 삶을 개선하는 데 중요한 한 걸음은 당신이 가지고 있는 가치를 행동으로 변화시키는 것이다.

(transforming / have / that / into / you / be / values / behaviors)

→ One important step in improving your life _____

_____. (Rank 01, 27)

3 하늘이 녹색으로 보일 때, 이는 다가오는 폭풍의 지표일 수 있으므로 안전을 보장하기 위해 최신 날씨 정보에 관해 계속 알아두십시오. (green / informed / can be / appears / an indicator / weather updates / stay / the sky / about)

→ When _____, it _____ of an approaching storm, so please _____ to ensure safety.

고난도 4 농업이 시작된 이후로 계속 그것은 식량 안보와 경제 안정을 위해 중요하게 남아 있어 왔지만, 이제 수많은 도전이 그것의 지속가능성에 대한 긴급한 위협이 되고 있다. (for / economic stability / food security / are becoming / threats / <u>crucially</u> / and / numerous challenges / pressing / has remained)

→ Ever since agriculture began, it _____, but now _____ to its sustainability.

(Rank 09) 모의응용

정답 및 해설 p. 32

어법

Test **1**

다음 밑줄 친 부분이 어법상 옳으면 ○, 틀리면 ×로 표시하고 바르게 고치시오.

1 The policy change led to his family <u>excluding</u> from the subsidy benefits they had previously relied on.

2 Nobody likes <u>to be crossed off</u> from a list without <u>giving</u> a chance to show others who they are.
`Rank 11, 44, 72` 모의

3 To avoid <u>deceiving</u>, you should know that legitimate organizations will never ask for sensitive information over the phone, such as passwords or PINs. `Rank 11` 교과서응용 *PIN: (은행 카드 등의) 개인 식별 번호

4 Even though surveillance cameras are intended to be harmless, the right for all individuals not <u>to observe</u> must be protected to ensure that personal boundaries are respected. `Rank 52` 모의응용
*surveillance: 감시

조건영작

Test **2**

다음 주어진 우리말과 일치하도록 괄호 안의 어구를 모두 활용하여 <조건>에 맞게 영작하시오.

<조건> • 필요시 밑줄 친 단어를 be p.p./v-ing/being p.p. 중 하나로 변형 가능

1 등록금을 내리는 것에 대한 요구가 학생들에 의해 계속 제기되자, 대학 이사회는 가능한 해결책을 모색하기 시작했다.
(kept / decreasing / <u>raise</u> / for / students / the demand / tuition fees / by)

→ As _____,

the university board began to explore possible solutions. `Rank 11`

2 비유는 두 상황을 견줌으로써 새로운 의미가 만들어지는 효율적인 방법이다.
(for / an efficient way / new meanings / is / <u>create</u> / an analogy / to)

→ _____ by comparing

two situations. `Rank 52` 교과서응용

고난도 **3** 아인슈타인은 과학의 진정한 즐거움이 우주의 신비에 도전받고 우리의 이해의 경계를 넓히는 데서 온다고 언급한 적이 있다.
(by the mysteries / <u>challenge</u> / comes from / the boundaries / in science / of our understanding / of the universe / the true pleasure / <u>push</u> / and)

→ Einstein once remarked that _____

_____. `Rank 09, 72`
모의응용

고난도 **4** 우리 몸이 느끼는 모든 감각은 정보가 뇌로 전달되기를 기다려야 하는데, 그것이 감각 정보를 기존 지식과 통합하는 책임을 맡고 있기 때문이다. (feels / our body / to the brain / <u>carry</u> / every sensation / to / the information / <u>wait for</u> / has to)

→ _____,

because it is responsible for integrating sensory information with existing knowledge. `Rank 27`
모의응용

to부정사와 동명사의 완료형

부정사, 동명사

정답 및 해설 p. 33

어법

Test **1**

다음 밑줄 친 부분이 어법과 문맥상 옳으면 ○, 틀리면 ×로 표시하고 바르게 고치시오.

1 Around 3500 residential properties are estimated to <u>destroy</u> in 2020 by forest fires, which burned across the landscape of Australia. (Rank 70)

2 In cultures that prize silence, responding too quickly after speakers have finished their turns is interpreted as <u>having been devoted</u> inadequate attention to their speeches. (Rank 72) 모의응용

3 Laika, the first dog to orbit Earth, sent by the Soviet Union in 1957, remains one of the most famous dogs ever <u>to have lived</u>, symbolizing the early days of space exploration. (Rank 46)

4 In spite of having <u>helped</u> by significantly reduced interest rates during the pandemic period, small businesses still struggle to bounce back from their financial downturn. (Rank 72)

조건영작

Test **2**

다음 주어진 우리말과 일치하도록 괄호 안의 어구를 모두 활용하여 <조건>에 맞게 영작하시오.

<조건> • 필요시 밑줄 친 단어 변형 가능
• 단어 추가 불가

1 14세기 인쇄기의 발명은 17세기까지 유럽에서 읽고 쓸 줄 아는 능력의 보급에 기여했던 것으로 보인다.
(to / literacy / of / have / seems / to the prevalence / <u>contribute</u>)
→ The invention of the printing press in the 14th century _____
_____ in Europe by the 17th century. (Rank 69)

2 모두가 크리스마스 저녁 식사 준비로 온종일을 보냈기 때문에 매우 지쳐 보인다.
(because of / preparing / so worn out / looks / <u>have</u> / the whole day / dinner / <u>spend</u>)
→ Everyone _____
for Christmas. (Rank 72)

3 버스의 차량 배터리로 사용된 뒤에, 이 배터리들은 상업 시설에 재활용될 수 있다.
(recycled / <u>be</u> / commercial facilities / can / <u>use</u> / at / be / vehicle batteries / <u>have</u> / as)
→ Subsequent to _____ in buses, these batteries
_____. (Rank 03, 72)

고난도 **4** 나무를 심는 것이 사회적이거나 정치적인 의미를 가질 수 있다는 생각은 영국 귀족들에 의해 고안되었던 것으로 보이는데, 그들은 소유지의 범위를 선언하는 방법으로 나무를 심었다. (appears / trees / planting / could have / to / by English aristocrats / <u>invent</u> / significance / the idea / a social or political / have / that / <u>be</u>)
→ _____
_____, who planted trees as a way to declare the extent of their property.
(Rank 52) 모의응용

정답 및 해설 p. 33

어법

다음 밑줄 친 부분이 어법상 옳으면 ○, 틀리면 ×로 표시하고 바르게 고치시오.

1 Envy entails the feeling or perception that we are inferior <u>than</u> another person in something we value. 모의

2 The psychological term "Loss Aversion" refers to the tendency that people care <u>much</u> more about losing something than gaining something of equal value. *loss aversion: 손실 회피 성향

3 As open space allows sound waves to travel a longer distance without obstructions, sound in an empty auditorium spreads a lot more widely than <u>those</u> in a small room. [Rank 33]

조건영작

Test **2**

다음 주어진 우리말과 일치하도록 괄호 안의 어구를 모두 활용하여 <조건>에 맞게 영작하시오.

> <조건> • 필요시 밑줄 친 단어 변형 가능
> • 필요시 more 추가 가능

1 스마트폰을 사용해서 휴가를 계획하는 것이 실물 지도와 여행 안내서로 모든 계획을 조정하는 것보다 훨씬 더 쉽다.
(easy / all the plans / far / coordinating / than / is)

→ Planning a vacation using a smartphone _____

with physical maps and travel guide books.

2 전기차는 가솔린차보다 더 부드럽고 더 조용한 운전 경험을 제공한다.
(<u>smooth</u> / a / driving experience / offer / electric cars / gasoline cars / than / <u>quiet</u> / and)

→ _____ .

3 그것 안에 있는 인공감미료의 잠재적인 식욕 효과를 고려할 때, 무설탕 탄산음료를 마시는 것은 물을 마시는 것보다 체중 감소에 덜 유익하다. (than / is / drinking / beneficial / sugar-free soda / not / water / drinking)

→ _____ for weight loss,

given the potential appetite effects of artificial sweeteners in it. [Rank 15]

고난도 4 사람들이 거짓말을 할 때, 그들은 종종 평소보다 더 머뭇거리며 반응하는데, 뇌가 저장된 사실을 떠올리는 데보다 이야기를 만들어 내는 데 더 많은 시간을 필요로 하기 때문이다.
(the brain / often respond / than / a story / stored facts / they / <u>hesitant</u> / needs / to recall / to invent / <u>much</u> time)

→ When people tell a lie, _____ than usual because

_____ . [Rank 13, 37] 모의응용

고난도 5 대도시에서 혼자 사는 거주자의 수가 많아지면서, 대도시의 공동체 의식은 (여러) 세대들이 함께 사는 곳의 그것(공동체 의식)보다 더 약한 경향이 있다. (be / generations / <u>weak</u> / that / live together / of / where / places / tends to / than)

→ As the number of solitary residents in big cities rises, the community spirit of large cities

_____ . [Rank 30, 33]

RANK 42 원급을 이용한 비교 표현

배열영작 다음 괄호 안의 어구를 모두 알맞게 배열하여 주어진 우리말을 영작하시오.

Test 1

1 풍력 에너지는 태양 에너지의 3배만큼 생산적이며 태양광 발전소가 필요로 하는 토지의 일부만을 차지한다.
(as / wind energy / as / three times / is / solar energy / productive)

→ _____ and covers only a fraction of

the land that a solar farm requires.

2 사람들이 걷는 방식은 그들의 얼굴만큼이나 독특하기 때문에, 그것은 범죄 수사에서 중요한 증거로 쓰일 수 있다.
(as / people / as / is / the way / their face / distinctive / walk)

→ Since _____, it can serve as crucial

evidence in criminal investigations. (Rank 30)

3 어떤 일관된 이유가 없이 끊임없이 변하는 사업체들은 꼭 변화에 완전히 저항하는 곳들만큼 쉽게 실패할 것이다. (that / just /
easily / that / any consistent rationale / as / change constantly / those / without / will fail / resist change / as)

→ Businesses _____

_____ altogether. (Rank 25) 모의응용

4 어른들은 자신이 청년 시절에 그랬던 것만큼 신체적으로 강하지 않다는 걸 깨달아서, 충돌을 수반하는 팀 스포츠를 피하는
경향이 있다. (they / as / were / that / are / physically strong / in youth / as / realize / not / they)

→ As adults _____,

they tend to avoid team sports involving collisions. (Rank 23) 모의응용

5 운동선수들은 그들이 훈련 동안 소모한 만큼의 많은 에너지를 재충전하기 위해 고열량 식사를 한다.
(high-calorie meals / energy / athletes / as / to recharge / as / spent / eat / they / much)

→ _____ during

their training. (Rank 13)

고난도 **6** 예전에는 직원들이 가능한 한 오래 일하기를 요구받았지만, 오늘날에는 일과 삶의 균형을 거의 일 자체만큼 중요하게 여기는 것의
중요성에 대한 인식이 있다. (as / work-life balance / as / as / to work / the work itself / possible / crucial / were expected
/ as / considering / long / almost)

→ In the old days, employees _____, but

today there is a recognition of the importance of _____

_____. (Rank 44, 72)

어법

Test 1

다음 문장에서 <u>틀린</u> 부분을 찾아 바르게 고치시오. (옳은 문장이면 O로 표시할 것)

1 Changing our food habits is one of the hardest thing we can do, as the impulses governing our preferences are often subconscious. 모의응용

2 It is widely believed that video is the very most powerful tool in modern marketing for capturing the public's attention.

조건영작

Test 2

다음 주어진 우리말과 일치하도록 괄호 안의 어구를 모두 활용하여 <조건>에 맞게 영작하시오.

<조건> · 필요시 밑줄 친 단어 변형 가능
· 필요시 more 또는 most 추가 가능

1 배우이자 감독으로서, 그는 인도 문화권에서 가장 영향력 있는 인물들의 목록에 자주 포함된다.
(is / on / influential / in Indian culture / the / people / regularly featured / lists of)

→ As an actor and a producer, he _____

_____. Rank 03 모의응용

고난도 2 에세이를 쓰는 가장 좋은 방법 중 하나는 형식에 상관없이 여러분의 생각을 종이 위에 담으며 그것을 최대한 빨리 쓰는 것이다.
(the / to write / possible / it / <u>good</u> / an essay / <u>way</u> / as / one / <u>be</u> / as / to write / of / quickly)

→ _____, getting

your thoughts onto paper without regard to style. Rank 01, 42, 52, 69 모의응용

문장전환

Test 3

다음 문장이 같은 의미가 되도록 괄호 안의 어구를 활용하여 빈칸을 완성하시오. (단어 추가 가능, 주어진 어구 변형 불가)

1 Our responsiveness to what children do and say is the most crucial influence for their cognitive development.

= _____ is _____ to what children do and say for their cognitive development. (no other, more, influence)

= _____ is _____ to what children do and say for their cognitive development. (no other, as, influence)

2 A study showed that honey was more favored than any other food among the Hadza hunter-gatherers of Tanzania. 수능응용

= A study showed that _____ was _____ among the Hadza hunter-gatherers of Tanzania. (food, no other, more)

= A study showed that honey _____ among the Hadza hunter-gatherers of Tanzania. (most, food)

4문형·5문형의 수동태

태

정답 및 해설 p. 34

어법

Test 1

다음 밑줄 친 동사의 태가 어법상 옳으면 ○, 틀리면 ×로 표시하고 바르게 고치시오. (단, 시제는 변경하지 말 것)

1 Participants at the gathering were heard <u>cheering</u> with enthusiasm as the two men dressed in sleek black suits made their grand entrance. Rank 08

2 During Black History Month, millions of students will <u>be told</u> the story of how America <u>was</u> <u>abolished</u> slavery 150 years ago with the ratification of the 13th Amendment.

*ratification: 비준, 승인 **Amendment: 미국 헌법 수정 조항; (법 등의) 수정

3 If you think you <u>sent</u> a fake text message posing as us, take a screenshot of the text and <u>send</u> it to our official reporting email or contact page for investigation. Rank 09

4 In the late 16th century, Queen Elizabeth I, initially cautious, was eventually persuaded <u>support</u> the voyages of exploration after seeing the potential for new trade routes. Rank 07

조건영작

Test 2

다음 주어진 우리말과 일치하도록 괄호 안의 어구를 모두 활용하여 <조건>에 맞게 영작하시오.

<조건> • 필요시 밑줄 친 단어 변형 가능
• 필요시 be동사/to 추가 가능

1 같은 사건도 그것에 선행하는 사건의 특성에 따라서 매우 다르게 보이도록 만들어질 수 있다.
(look / the same event / very different / <u>make</u> / can)

→ _____, depending on the nature of the event that precedes it. Rank 38 모의응용

2 첫 강의 동안에, 학생들은 다음 2주 동안 완료되도록 요청되는 것에 대해 기록하라는 충고를 받는다.
(ask / notes / what / on / take / <u>advise</u> / students / be done)

→ During the first lecture, _____
over the next two weeks. Rank 07, 26, 39 교과서응용

고난도 3 재판에서, 모든 배심원들은 공평하고 편파적이지 않은 판결 과정을 보장하기 위해 같은 증거를 제시받고 동일한 법적 주장을 듣는다. (the same evidence / identical legal arguments / <u>hear</u> / show / all jurors / and)

→ In trials, _____ to ensure a fair and impartial decision-making process. Rank 09

4 사람들이 혼자 남겨져서 자택에서 10분에서 15분 동안 그냥 앉아 있도록 권유받았을 때, 절반이 넘는 사람들이 결국 일어나거나 휴대전화나 음악으로 자신을 산만하게 했다. (encourage / in their home / <u>leave</u> / and / alone / simply sit / people)

→ When _____
for 10 to 15 minutes, more than half ended up standing or distracting themselves with phones or music. Rank 07, 09

서술형 대비 **실전 모의고사 4회**

[01-05] 다음 밑줄 친 부분이 어법상 옳으면 ○, 틀리면 ✕로 표시하고 바르게 고치시오. [밑줄당 2점]

01 During the early stages when the aquaculture industry was <u>rapid</u> expanding, high-density rearing led to outbreaks of infectious diseases that were as <u>problematic</u> for local wild fish populations as for the caged fish. 수능응용

02 If normal scientists <u>will get</u> an experimental result which conflicts with the paradigm, they will usually assume <u>what</u> their experimental technique is faulty, not that the paradigm is wrong.

모의응용

03 The church, Sveta Bogoroditsa in Karlovo, <u>about which</u> little is known, is believed by some to <u>have built</u> already at the end of the fifteenth century, at the time of the town's founding. 모의응용

고난도
04 In his short philosophical novel, *Candide*, Voltaire <u>completely</u> undermined the kind of religious optimism about humanity and the universe <u>what</u> other contemporary thinkers had expressed, and he did it in <u>so</u> an entertaining way that the book became an instant bestseller. 모의응용

고난도
05 An individual neuron <u>sends</u> a signal in the brain uses <u>as much as energy</u> a leg muscle cell running a marathon. Of course, we use more energy overall when we are running, but we are not always on the move, <u>whereas</u> our brains never switch off. 모의응용

[06-07] 다음 글의 밑줄 친 ① ~ ⑥ 중 틀린 부분 2개를 찾아 바르게 고친 후, 틀린 이유를 작성하시오. (단, 시제는 변경하지 말 것) [각 4점]

> Unless your company ① <u>offers</u> a class on how to give and receive feedback, don't assume those around you know how to give negative feedback. They may be ② <u>so</u> aggressive or direct that it's difficult to hear the underlying messages. Perhaps they are bad at giving feedback because they ③ <u>haven't taught</u> how. Try to brush aside the stuff that offends you to try to hear ④ <u>what</u> they are saying you can do better next time. And if they only tell you things like, "don't let that happen again," then work to figure out what you can do better next time, ⑤ <u>so that</u> it doesn't actually happen again. Preparing to solve a problem feels ⑥ <u>very</u> better than getting upset about our failure to solve it this time. 모의응용

06 틀린 부분: _____ → 바르게 고치기: _____
   틀린 이유: _____

07 틀린 부분: _____ → 바르게 고치기: _____
   틀린 이유: _____

[08-11] 다음 주어진 우리말과 일치하도록 괄호 안의 어구를 모두 활용하여 <조건>에 맞게 영작하시오. [각 5점]

<조건> ・ 필요시 밑줄 친 단어 변형 가능

08 토론 주제는 학생들이 계속 동기가 부여되게 할 만큼 충분히 도전적이어야 하지만, 의욕을 꺾는 것이 될 만큼 어렵지는 않아야 한다. (discouraging / students / difficult / become / to keep / challenging / to / enough / motivate / as / so)

→ The debate topics should be _____,

but not _____.

09 참가자들에게 올바른 뇌진탕 증상을 분간하도록 요청한 한 설문 조사의 결과에서, 오직 한 참가자만이 모두 맞는 응답을 고른 것으로 밝혀졌으며, 가장 간과된 증상은 '잠들기 어려움'이었다. (all true responses / participants / was / asked / to / symptom / to / find / identify / most / have / the / was / overlooked / that / choose)

→ In the results of a questionnaire _____ correct

concussion symptoms, only one participant _____,

and _____ "difficulty falling asleep." *concussion: 뇌진탕

고난도
10 셰익스피어 희곡의 초기 인쇄판은 셰익스피어 본인에 의해 그의 경력 전반에 걸쳐 수정되어 왔다는 증거를 포함하고 있는데, 이것은 학자들이 그의 연극적 기법의 발전을 추적할 수 있게 해줄 정도로 상세하다. (have / that / include / revise / be / to / so / the development / trace / detailed / allows / which / it / evidence of / is / scholars)

→ Early printed editions of Shakespeare's plays _____

by Shakespeare himself throughout his career, _____

_____ of his theatrical techniques.

고난도
11 여러 이점으로 알려져 있지만, 유기농법에는 몇몇 문제점도 있다. 가장 빈번한 비판 중 하나는 유기농 농장의 작물 수확량이 전통 농장의 것보다 훨씬 더 낮아서 세계 인구를 먹여 살릴 수 없다는 것이다.
(A) (for / while / many benefits / known) (B) (the / are / that / much / frequent / that / low / criticism / most / they / of / than / the world's population / cannot feed / be / of / so / traditional farms / one)

→ (A) _____, organic farming also has some drawbacks.

(B) _____ that the crop yields of organic farms

_____. 모의응용

12 다음 글에 주어진 어구를 글의 흐름과 어법에 맞게 배열하시오. [6점]

> Fans actively create meaning. They build identities and experiences, and even make their own artistic creations to share with others. More often, individual experiences are embedded in social contexts where other people with shared attachments socialize around the object of their affections. Much of the pleasure of fandom (in / where / a community / from / can / comes / involved / being / some common interests / individuals / share). In their diaries, Bostonians of the 1800s described being part of the crowds at concerts as part of the pleasure of attendance. A compelling argument can be made that what fans love is less the object of their fandom than the attachments to one another that those affections afford. 모의응용

→ _____

Education must focus on the trunk of the tree of knowledge, revealing the ways in which the branches, twigs, and leaves all emerge from a common core. Tools for thinking stem from this core, (A) (provide) a common language with which practitioners in different fields may share their experience of the process of innovation and discover links between their creative activities. (B) _____. If they practice abstracting in writing class, if they work on abstracting in painting or drawing class, and if, in all cases, they call it abstracting, they begin (C) (understand) how to think beyond disciplinary boundaries. They see how to transform their thoughts from one mode of conception and expression to another. Linking the disciplines comes (D) (natural) when the terms and tools are presented as part of a universal imagination. 모의응용

13 윗글의 (A), (C), (D)의 괄호 안에 주어진 단어를 어법상 알맞은 형태로 바꿔 쓰시오. [각 3점]

(A) _____ (C) _____ (D) _____

고난도
14 윗글의 (B)에 들어갈 문장을 <보기>에 주어진 어구를 모두 한 번씩만 활용하여 완성하시오. (필요시 밑줄 친 단어 변형 가능) [7점]

<보기> different / employ / the same terms / start / connect / to grasp / subjects and classes / how / be / when

→ Specifically, _____ across the curriculum, students

_____.

고난도
15 다음 글의 내용을 요약하고자 한다. <조건>에 맞게 요약문을 완성하시오. [8점]

Research with human runners found that the ground-reaction forces at the foot and the shock transmitted up the leg and through the body after impact with the ground varied little as runners moved from extremely compliant to extremely hard running surfaces. As a result, researchers began to believe that runners are subconsciously able to adjust leg stiffness prior to foot strike based on their perceptions of the stiffness of the surface on which they are running. This view suggests that runners create soft legs that soak up impact forces when they are running on very hard surfaces and stiff legs when they are moving along on yielding terrain. As a result, impact forces passing through the legs are strikingly similar over a wide range of running surface types. 모의응용   *compliant: 말랑말랑한 **terrain: 지형

<조건> 1. <보기>에 주어진 어구를 모두 한 번씩만 사용할 것   2. 필요시 밑줄 친 단어 변형 가능
<보기> (A) than / only a bit / shock to / on soft surfaces / generated / much / the legs / running
      (B) solidly / may shift / is / how / on / depending / their leg stiffness / runners / the surface

[요약문] Observing that running on hard surfaces (A) _____

_____, researchers concluded that (B) _____

_____.

Many negotiators assume that all negotiations involve a fixed pie. Those ① who believe in the mythical fixed pie assume that parties' interests stand in opposition, with no possibility for integrative settlements and mutually beneficial trade-offs, so they suppress efforts to search for them. In a hiring negotiation, a job applicant who assumes that salary is the only issue may insist on $75,000 when the employer ② is offering $70,000. Only when the two parties discuss the possibilities further ③ they discover that moving expenses and starting date can also be negotiated, which may facilitate resolution of the salary issue.

The tendency to see negotiation in fixed-pie terms ④ varies with how people view the nature of a given conflict situation. This was shown in a clever experiment involving a simulated negotiation between prosecutors and defense lawyers over jail sentences. Some participants, divided in three groups, ⑤ made view their goals in terms of personal gain (e.g., arranging a particular jail sentence will help your career), effectiveness (a particular sentence is most likely to prevent recidivism), or values (a particular jail sentence is fair and just). Negotiators focusing on personal gain were most likely to come under the influence of fixed-pie beliefs and approach the situation ⑥ competitively. Negotiators focusing on values were least likely to see the problem in fixed-pie terms. Stressful conditions such as time constraints also contribute to this common misperception, ⑦ whichever way it manifests, and may lead to less integrative agreements. 모의응용   *prosecutor: 검사 **recidivism: 재범, 상습적 범행

16-17 윗글의 밑줄 친 ①~⑦ 중 틀린 부분 2개를 찾아 바르게 고친 후, 틀린 이유를 작성하시오. [각 4점]

16 틀린 부분: _____ → 바르게 고치기: _____

틀린 이유: _____

17 틀린 부분: _____ → 바르게 고치기: _____

틀린 이유: _____

고난도

18 윗글의 요지를 <조건>에 맞게 완성하시오. [10점]

<조건> 1. <보기>에 주어진 어구를 모두 한 번씩만 사용할 것
2. 필요시 밑줄 친 단어 변형 가능
3. (A)와 (B) 각각에 to를 추가할 것

<보기> (A) competitive situations with / are / that / limited resources / all negotiations / believe

(B) for / it / both sides / an agreement / make / very hard / good for / makes / be

[요지] Under some perspectives or circumstances, it is easy (A) _____

_____, which (B) _____

_____.

Risk comes from not knowing what you're doing.

- Warren Buffett -

45 Rank 55

Rank 45   it be ~ that... 강조구문

Rank 46   to부정사의 명사 수식

Rank 47   자동사로 오해하기 쉬운 타동사

Rank 48   S+wish/as if 가정법

Rank 49   used to / be used to-v / be used to v-ing

Rank 50   with+명사+v-ing/p.p.

Rank 51   주의해야 할 부정구문

Rank 52   동격을 나타내는 구문

Rank 53   가주어-진주어(명사절)

Rank 54   감정을 나타내는 분사

Rank 55   인칭대명사, 재귀대명사

서술형 대비 실전 모의고사 5회

서술형 PLUS 표현 ▶▶ 주어진 내용을 단서로 하여 빈칸을 채우세요.

╋ 감정을 나타내는 표현 Rank 54

감정을 나타내는 동사	v-ing(감정을 불러일으킴)	p.p.(감정을 느낌)
amaze (깜짝) 놀라게 하다		
amuse 즐겁게 하다		
annoy 짜증나게 하다		
bore 지루하게 하다		
confuse 혼란스럽게 하다		
delight 기쁘게 하다		
depress 우울하게 만들다		
disappoint 실망스럽게 하다		
embarrass 당혹하게 하다		
excite 들뜨게 만들다, 흥분시키다		
exhaust 지치게 하다		
fascinate 매혹시키다		
frighten 무서워하게 하다		
frustrate 좌절시키다		
impress 감동을 주다		
interest 흥미를 끌다		
please 즐겁게 하다		
puzzle 어리둥절하게 만들다		
relieve 안도하게 하다		
satisfy 만족시키다		
shock 충격을 주다		
surprise 놀라게 하다		
terrify 겁나게 하다		
thrill 신나게 만들다, 열광시키다		
touch 감동시키다, 마음을 움직이다		

정답 및 해설 p. 39

문장전환 <it be ~ that...> 강조구문을 사용하여 굵게 표시한 부분을 강조하는 문장으로 바꿔 쓰시오.

Test 1

1 Our selves are developed and maintained **through social relationships** during our entire lifetime.

→ It _____ during our entire lifetime.

2 **The pressure to perform** doesn't create your stress. Rather, **the self-doubt** bothers you.

→ It is not _____ . Rather, it _____

_____ . Rank 52 모의

고난도 3 The civil rights movement did**n't** gain national attention **until Rosa Parks refused to give up her seat to a White passenger**.

→ It _____

_____ .

*civil rights movement: 시민 평등권 운동(1950년대 미국 흑인의 평등권 요구 운동)

4 Viewers found **the authenticity of the dialogue** compelling in the TV series that was based on real interviews with war veterans.

→ It _____ that

was based on real interviews with war veterans. Rank 25

*veteran: 참전 용사

배열영작 다음 괄호 안의 어구를 모두 알맞게 배열하여 주어진 우리말을 영작하시오.

Test 2

1 무역 관계를 강화하기 위해 대통령이 강조한 것은 바로 경제 외교에 대한 주목이었다.

(the focus / the president / economic diplomacy / to strengthen / emphasized / on / trade relations / that)

→ It was _____ .

Rank 13

2 그가 환경친화적인 가방을 디자인하는 데 영감을 받은 것은 바로 버려진 안전벨트와 낡은 현수막으로부터였다.

(banners / received / and / he / inspiration / safety belts / old / from / that / discarded)

→ It was _____

for designing eco-friendly bags. 교과서응용

고난도 3 영장류가 마주 볼 수 있는 엄지를 발달시키고 난 후에야 그들은 물건을 효과적으로 쥐고 다룰 수 있었다.

(developed / primates / that / effectively grasp / opposable thumbs / only after / could / they)

→ It was _____

and manipulate objects. *opposable: 마주 볼 수 있는

4 시장 반응 모델에 따르면, 공급자가 새 공급원을 찾도록 장려하고 소비자는 대안을 찾도록 장려하는 것은 바로 오르는 가격이다.

(consumers / which / alternatives / and / increasing prices / providers / encourage / new sources / to find / to seek)

→ According to the market response model, it is _____

_____ . Rank 07, 09 수능응용

83

어법

다음 밑줄 친 부분이 어법상 옳으면 ○, 틀리면 ×로 표시하고 바르게 고치시오.

1 The company has announced a new code of ethics, defining a series of principles for employees to <u>adhere</u> during business activities to ensure the organization's reputation.

2 When it comes to calculating cost effectiveness regarding energy, there are significant externalities to <u>take</u> into account. Rank 76 수능응용

*externality: 외부 효과

3 To encourage a student to be more active, the teacher assigned the student a task for the class and asked her to choose a partner <u>work</u> with on her own. 모의응용

4 Having a trustworthy person to <u>talk to</u> offers adolescents the power to manage stress effectively.

조건영작

Test 2

다음 주어진 우리말과 일치하도록 괄호 안의 어구를 모두 활용하여 <조건>에 맞게 영작하시오.

<조건> • 적절한 곳에 to를 추가할 것

1 '봄의 첫날'과 같이 새로운 시작과 관련된 날은 종종 사랑하는 이들과 함께 보내기에 완벽한 때로 여겨진다.

(a perfect time / is often / as / with / spend / loved ones / viewed)

→ A day associated with a new beginning, such as "the first day of spring," _____

_____. Rank 04, 63 모의응용

2 소비자 권리 단체들은 공공요금의 인상에 반대하는 대중 여론을 이용하여, 그것이 저소득 가구에 불균형적으로 영향을 미칠 것이라고 주장했다. (object / public opinion / to the rise / utility prices / in / employed)

→ Consumer rights groups _____

_____, arguing that it would disproportionately affect low-income households.

고난도 **3** 우리가 말하기 전에, 우리의 뇌는 그 순간에 말할 몇몇 가능한 것들을 생각해 내고 잠시 그 선택지들에 대해 숙고한다.

(and / some possible things / consider / say / with / in that moment / the options / come up)

→ Before we speak, our brains _____

_____ briefly. Rank 09, 47 수능응용

4 농촌을 재활성화시키려는 시도로, 영농조합은 지역 농부들에게 유기농 농법과 교육을 소개할 계획을 발표했다.

(rural areas / organic farming practices / revitalize / training / introduce / in / a plan / and / an attempt)

→ _____, the farming cooperative announced

_____ to local farmers. Rank 52

어법

Test 1

다음 밑줄 친 부분이 어법상 옳으면 O, 틀리면 ×로 표시하고 바르게 고치시오.

1 The renowned writer <u>married with</u> a young mathematics professor she had met in Moscow, Idaho many years before. (Rank 27) 모의응용

2 The attachment theory of British developmental psychologist John Bowlby has been described as the dominant <u>approach to</u> early social development. 모의응용

3 When trouble arises, you and your friend may choose not to <u>discuss about</u> it by swiftly switching topics, but this choice only postpones its resolution. (Rank 11) 모의응용

4 There are communication patterns shaped by social norms. When you compliment someone, for example, you will be typically <u>answered with</u> a response like "Thank You." (Rank 03) 수능응용

배열영작

Test 2

다음 괄호 안의 어구를 모두 알맞게 배열하여 주어진 우리말을 영작하시오.

1 때때로, 우리의 뇌는 우리의 필요에 맞도록 물리적 세계에 대한 우리의 인지를 수월하게 바꾼다.
(our needs / of / our perceptions / the physical world / comfortably change / to suit)
→ Sometimes, our brains _____
_____. (Rank 13) 모의응용

2 작은 고양이든 큰 사자든, 고양잇과 동물들은 조용한 발걸음으로 사냥감에 다가가고 나서 갑자기 그것을 공격한다.
(quiet steps / prey / their / and then / with / it / suddenly attack / approach)
→ Whether they are small cats or large lions, felines _____
_____. (Rank 09) 모의
*feline: 고양잇과 동물

3 '훈민정음해례본'은 대략 600년 전에 쓰였고, 그것은 한글 창제 뒤에 숨은 생각과 원리에 대해 설명해 준다.
(behind / Hangeul / the creation / and / of / the ideas / principles / explains / it)
→ The *Hunminjeongeum Haerye* was written roughly 600 years ago, and _____
_____. 교과서응용

고난도 4 자기 효능감이 높은 사람들은 보통 자신의 한계에 대해 과도하게 생각하지 않으면서 보통 사람의 범위 밖에 있는 힘든 목표를 추구한다.
(are / their limitations / reach / the average person / of / overly considering / that / challenging goals / outside the)
→ People who have a high sense of self-efficacy often pursue _____
_____, not _____
_____. (Rank 25) 모의응용
*self-efficacy: 자기 효능감

RANK 48 S+wish/as if 가정법

정답 및 해설 p. 40

어법

Test 1

다음 괄호 안에 주어진 어구를 어법상 알맞은 형태로 빈칸에 쓰시오.

1 I wish we _____ at this restaurant earlier. We have been waiting in line for more than 30 minutes. (arrive)

2 When she fell on her way home, she was so embarrassed that she felt as if even the butterflies flying around her _____ her. (laugh at) `Rank 05, 34`

3 To ease my anxiety before the marathon, I pretended as if I already _____ the marathon successfully with joy. (complete) 모의응용

4 He knew the conveniences of modern technologies, but he wished he _____ time right away to experience the simplicity of life before the advent of the smartphone or other electronics. (turn back, can)

조건영작

Test 2

다음 주어진 우리말과 일치하도록 괄호 안의 어구를 모두 활용하여 <조건>에 맞게 영작하시오.

> <조건> • 필요시 밑줄 친 단어 변형 가능
> • 필요시 have/had 추가 가능

1 강아지가 항상 그 노인을 마치 그가 어린아이인 것처럼 맞아주어서, 그는 강아지와 함께 있을 때면 언제든지 어린 시절의 순간을 다시 체험할 수 있다. (a child / as if / be / he / the old man / always greet)
→ Since the puppy _____, he can relive a childhood moment whenever he is with the puppy. `Rank 65` 수능응용

2 마감일이 빠르게 다가오고 있었지만, 그는 한 무더기의 미완성된 일들에 직면해 있었고 자신이 미리 그것들을 끝냈었기를 바랐다. (incomplete tasks / finish / he / them / faced / and / a pile of / wish / be / with)
→ Although the deadline was fast approaching, he _____ _____ beforehand. `Rank 09`

3 나는 꼭 내가 그러는 것처럼, 많은 사람들이 자신이 원할 때면 언제든 순식간에 어디로든 이동하는 능력을 가지기를 바란다고 믿는다. (to move / they / wish / anywhere / many people / the ability / have)
→ I believe that _____ in a second whenever they want, just as I do. `Rank 52`

4 이 풍경화는 그것의 생생한 색감으로 관람객들을 사로잡아서, 그들은 마치 그 그림이 그려지고 있었을 때 그들이 그 장소에 있었던 것처럼 느낀다. (with / they / as if / feel / at the place / its vivid colors / they / captivate / be / so / viewers)
→ This landscape painting _____, _____ _____ when the painting was being created. `Rank 34`

어법

Test 1

다음 밑줄 친 부분이 어법과 문맥상 옳으면 〇, 틀리면 ✕로 표시하고 바르게 고치시오.

1 As a famous voice actor, she's used to be recognized by her voice rather than her face, with fans often doing a double-take when she speaks. (Rank 39)

2 Scientists are used to think that animals would risk their lives in altruistic behaviors only for kin with whom they shared common genes, but new evidence suggests that there is an exception. 모의응용

*altruistic: 이타적인

3 Chopsticks used to reaching communal dishes on large tables tend to be very long and made of wood in order to reduce their weight. (Rank 05, 68)

4 I have gotten used to commuting a long distance from home to school; I realized this time could be used to catching up on my reading or plan my day.

조건영작

Test 2

다음 주어진 우리말과 일치하도록 괄호 안의 어구를 모두 활용하여 <조건>에 맞게 영작하시오.

<조건> • 필요시 밑줄 친 단어 변형 가능
• 필요시 be동사 추가 가능

1 스톤헨지는 태양의 움직임을 관찰하고 계절의 변화를 나타내는 데 사용되었을 것으로 생각된다.
(the changing / mark / observe / seasons / of / used / and / to / the Sun's movements)

→ It is believed that Stonehenge _____

_____. (Rank 09)

2 우리의 뇌가 특정한 방법으로 생각하는 것에 익숙해지면, 그러한 고정된 패턴을 바꾸는 것은 점점 어려워진다.
(think / our brains / a specific manner / used / in / to)

→ When _____, changing those fixed

patterns becomes increasingly difficult. (Rank 35)

3 그 항공사는 고객이 휴면계정에서 마일리지를 옮기거나 사용할 수 있도록 했었지만, 그것은 이 방침을 2023년에 중단했다.
(transfer / used / a dormant account / customers / mileage / use / from / let / to / or)

→ The airline _____, but it

discontinued this policy in 2023. (Rank 07)

*dormant: 휴면 중인

고난도 4 '기계화'라는 용어는 손으로 했던 작업들을 수행할 기계를 도입하는 과정을 나타내는 데 사용된다. (of / to / that / to perform / refer / tasks / introducing / the process / machinery / used / by hand / to / to / used / done)

→ The term "mechanization" _____

_____. (Rank 25, 39, 46)

어법 다음 밑줄 친 부분이 어법상 옳으면 ○, 틀리면 ✕로 표시하고 바르게 고치시오.

Test **1**

1 That evening there was a full moon with many ominous-looking clouds <u>drift</u> over it.

*ominous: 불길한, 전조의

2 The suitcase lay open on the bed with its compartments <u>empty</u>, ready to be packed for the journey.

3 In the study, groups of adults and children were asked to answer simple questions with letters <u>presenting</u> in front of them, at intervals of three seconds. 모의응용

4 With pests often <u>consumed</u> about 40 percent of the crops grown in the United States, most organic farmers have no choice but to rely on chemicals as necessary supplements to their operations.

모의응용

조건영작 다음 주어진 우리말과 일치하도록 괄호 안의 어구를 모두 활용하여 <조건>에 맞게 영작하시오.

Test **2**

<조건> • 필요시 밑줄 친 단어 변형 가능

1 수천 마리의 개미들이 식량을 모으고 군집을 방어하기 위해 함께 일하면서, 개미 군집은 마치 공장과 같다.
(collaborate / ants / thousands / with / of)

→ An ant colony is like a factory, _____ to gather food and to defend the colony. 모의응용

2 이러한 모든 생각과 노력이 함께 만들어져서, 우리는 우리의 현재 세대뿐만 아니라 미래 세대에게도 이익이 되는 더 지속 가능한 미래를 만들 수 있다. (all these ideas / efforts / together / with / make / and)

→ _____, we can create a more sustainable future that benefits not only our current generation but also those to come. 교과서응용

3 나쁜 수면 자세는 여러분의 무릎을 여러분의 상반신까지 당겨 올린 채로 옆으로 눕는 것이다.
(your knees / your upper body / to / with / pull up)

→ A bad position for sleeping is on your side _____.

교과서응용

고난도 **4** 인터넷 사용량에 있어서 휴대전화와 같은 얇은 디지털 기기들이 개인용 컴퓨터를 뛰어넘으면서, 개인이 온라인에서 보내는 총시간이 급증했다. (slim digital devices / with / like cell phones / personal computers / have surged / spent online / surpass / by individuals)

→ The total hours _____, _____ _____ in Internet usage. Rank 05 모의응용

조건영작

다음 주어진 우리말과 일치하도록 괄호 안의 어구를 모두 활용하여 <조건>에 맞게 영작하시오.

Test
1

<조건> • <보기>에 주어진 표현을 한 번씩 사용할 것

<보기> impossible ~ without   not entirely

not ~ without   not both   not ~ fully

1 건축물에 널리 퍼진 콘크리트의 존재를 고려하지 않고서는 현대 도시의 풍경을 상상하는 것이 불가능하다.

(of a modern city / envision / of concrete / the pervasive presence / to / the landscape / considering)

→ It is _____

_____ in architecture. (Rank 14, 72) 모의응용

2 미국에서, 주요 정당 둘 다 개정안에 대해 공통된 입장을 찾을 수 있는 것은 아니라면, 법안 통과의 가능성은 상당히 낮아진다.

(can / on the amendment / of the two main parties / if / common ground / find)

→ In the U.S., _____

_____, the likelihood of the bill passing is significantly

reduced. (Rank 35)

3 소화된 음식에서 남은 열량은 보통 다음 식사나 간식 때의 허기를 줄이는 데 도움이 되지만, 이 메커니즘은 초과한 열량이 액체 형태로 섭취되면 완전하게 작동하지는 않는 것으로 보인다.

(functional / does / to be / seem / this mechanism)

→ The leftover calories from digested foods usually help to lessen hunger at the next meal or

snack, but _____ when excess

calories are consumed in the form of liquids. (Rank 69) 모의응용

고난도 4 우리의 신념, 가치관, 생각, 그리고 감정이 시장의 영향 없이는 독립적으로 형성되지 않기 때문에, 소비자로서 우리의 선택은 전적으로 우리 자신의 것은 아니다.

(do / our choices / form independently / our own / are / of the marketplace / the influence)

→ As consumers, _____ as our beliefs, values,

thoughts, and emotions _____

_____. (Rank 65) 모의응용

정답 및 해설 p. 42

어법

Test 1

다음 밑줄 친 부분이 어법상 옳으면 ○, 틀리면 ×로 표시하고 바르게 고치시오.

1 If you find yourself having doubts <u>whether</u> you chose the right job with the right firm or not, it might be time to reassess your career goals and values.

2 Our commonplace definition of emotions is often that of feelings <u>which</u> we would portray physically or verbally. ⦗Rank 27⦘

3 There is increasing evidence <u>of</u> we are more motivated to tune in to our favorite shows and characters when we are feeling lonely or have a greater need for social connection. 모의응용

4 Passwords, double-key identification, and biometrics are common ways <u>that</u> keeping the account details hidden from potential fraudsters. 모의응용　　　*biometrics: 생체 인식

조건영작

Test 2

다음 주어진 우리말과 일치하도록 괄호 안의 어구를 모두 활용하여 <조건>에 맞게 영작하시오.

<조건> • 필요시 밑줄 친 단어 변형 가능

1 전국의 많은 학교들은 학생들에게 졸업 전에 다양한 진로를 살펴볼 기회를 제공하고 있다.
(with / look into / be providing / to / opportunities / career paths / a variety of / students)

→ Many schools across the country _____

_____ before graduation. ⦗Rank 63⦘ 교과서응용

2 음악적 소리는 자연의 거의 모든 소리가 지속적으로 변동이 있는 주파수로 구성되는 반면에 그것들은 고정된 음조의 사용을 수반한다는 사실에 의해 자연의 소리와 구별될 수 있다. (distinguished from / they / can / musical sounds / natural sounds / that / involve / be / of fixed pitches / by the fact / the use)

→ _____

_____, whereas virtually all sounds in nature consist of constantly fluctuating frequencies. ⦗Rank 04, 62⦘ 수능응용　　　*frequency: (소리, 전자파 등의) 주파수, 진동수; 빈도

3 때때로, 아주 나태해지지 않는 최고의 방법은 그것이 불가능하다는 생각을 그만하고 하루하루 그것을 그저 해나가는 것이다.
(be / thinking / the best way / to / lazy / to stop / be / not / so)

→ Occasionally, _____ that it is impossible and just do it, one day at a time. ⦗Rank 11, 69⦘ 모의응용

📶 고난도 **4** 문화가 사회 구조를 형성한다고 믿었던 미국의 인류학자인 Franz Boas는 생명 활동이 인간 행동의 주요 동인이라는 믿음을 거부했고, 대신 문화적 영향의 역할을 강조했다. (shape / biology / culture / rejected / of human behavior / that / societal structures / believed / the main driver / that / the belief / is / who / an American anthropologist)

→ Franz Boas, _____,

_____, instead emphasizing the role of cultural influences. ⦗Rank 25, 52⦘ 모의응용

정답 및 해설 p. 42

어법

Test 1

다음 밑줄 친 부분이 어법상 옳으면 ○, 틀리면 ×로 표시하고 바르게 고치시오.

1 In a highly commercialized setting such as the United States, <u>this</u> is not surprising that many landscapes are already treated as commodities. 모의응용

2 It was doubtful <u>whether</u> the company could recover from its financial difficulties or not, but the government loan seems to have helped.

3 In today's fast-paced world, where stress and distraction are commonplace, it is necessary <u>what</u> we learn self-awareness and listen to what our body is always telling us. 모의응용

4 Humans have been drinking coffee for centuries, however, it is not clear <u>where</u> coffee originated or <u>who</u> first discovered it. (Rank 09, 17) 모의응용

조건영작

Test 2

다음 주어진 우리말과 일치하도록 괄호 안의 어구를 모두 활용하여 <조건>에 맞게 영작하시오.

<조건> • 「가주어-진주어(명사절)」 구문을 사용할 것
• 필요시 단어 추가 가능

1 금리 인하가 지속적인 경제 성장으로 이어질지 아닐지는 논란의 여지가 있다.
(or not / will / controversial / to / cutting / economic growth / interest rates / lead / sustained)

→ _____

_____. (Rank 15)

2 멀티태스킹이 모든 작업에서 완벽함을 보장하지는 않는다는 것은 분명한데, 그것이 세부 사항에 주의를 덜 기울이는 결과를 야기하기 때문이다. (multitasking / in every task / doesn't / evident / perfection / guarantee)

→ _____, as it results in

less attention to detail. (Rank 51)

고난도 3 고고학자들에게는 무슨 화석이 발견되고, 어디에 퇴적층이 위치하며, 언제 주변 암석이 형성되었는지가 중요하다.
(was formed / fossil / the sedimentary layers / is found / the surrounding rock / matters / are positioned)

→ For archaeologists, _____ , _____

_____ , and _____ .

(Rank 03, 09, 17) *sedimentary layer: 퇴적층

고난도 4 수리가 정확히 얼마나 오래 걸릴지는 알려지지 않았지만, 수영장은 일주일간 문을 닫을 수 있을 것으로 추정됩니다.
(could / known exactly / will take / closed / not / the repairs / the pool / estimated / for a week / be / long)

→ _____, though _____

_____ . (Rank 03, 17, 36, 70)

어법 다음 괄호 안에 주어진 단어를 어법상 알맞은 분사 형태로 바꿔 빈칸에 쓰시오.

Test 1

1 A weekend trip to the coast sounds (appeal)＿＿＿＿＿＿ to my ears, especially in this dreary weather.

2 Ahead of the important test for the college admissions, all students were (touch)＿＿＿＿＿ by their teacher's (comfort)＿＿＿＿＿ words.

3 Bacteria can multiply at an (alarm)＿＿＿＿＿ rate when each bacterium splits into two new cells, thus doubling. [Rank 35]

고난도 4 When you are stressed out, there are easy ways to make yourself feel (relieve)＿＿＿＿＿＿: enjoying a (refresh)＿＿＿＿＿ lunch with friends or reading a good book can also make you feel emotionally (relax)＿＿＿＿＿. [Rank 07] 모의응용

조건영작 다음 주어진 우리말과 일치하도록 괄호 안의 어구를 모두 활용하여 <조건>에 맞게 영작하시오.

Test 2

<조건> • 필요시 밑줄 친 단어 변형 가능

1 어떤 사람들은 예상보다 더 낮은 점수를 받을 때 스스로에게 실망한다. (with / people / themselves / are / some / disappoint)

→ ＿＿＿＿＿＿＿＿＿＿＿＿＿＿＿＿＿＿ when they get a lower grade than expected. [Rank 55]

2 그들의 놀라운 동작으로 관객들을 열광시키고 있던 공중 곡예사들은 기립 박수를 받았다.
(their / with / moves / aerial acrobats / the audience / who / stun / were thrill)

→ ＿＿＿＿＿＿＿＿＿＿＿＿＿＿＿＿＿＿ received a standing ovation. [Rank 25]

*acrobat: 곡예사 **standing ovation: 기립 박수

3 채소를 직접 기르는 것은 여러분이 자연의 경이로움에 기쁘게 만드는 만족스러운 경험이 될 것이다.
(makes / the wonders / satisfy / delight / you / a / that / of nature / will be / with / experience)

→ Growing your own vegetables ＿＿＿＿＿＿＿＿＿＿＿＿＿＿＿＿＿＿

＿＿＿＿＿＿＿＿＿＿＿＿. [Rank 25]

고난도 4 끊임없는 변화는 우리가 좌절하고 지치게 둔다. 그러나 완벽한 규칙성은 변함없는 단조로움에서 생겨난 다른 피로감 때문에 더 무서울 수 있다. (unchanging monotony / because of / frustrate / leaves / exhaust / horrify / and / more / can be / bear from / us / a different exhaustion)

→ Endless change ＿＿＿＿＿＿＿＿＿＿＿＿＿＿＿＿. Yet, perfect regularity ＿＿＿＿＿＿

＿＿＿＿＿＿＿＿＿＿＿＿＿＿＿＿.

[Rank 05] 모의응용

어법

Test 1

다음 밑줄 친 부분이 어법상 옳으면 ○, 틀리면 ×로 표시하고 바르게 고치시오. (단, 한 단어로 고칠 것)

1 Parenting books frequently discuss setting boundaries to discipline children and educate <u>themselves</u> about self-control and responsibility. ⟨Rank 13⟩

2 The idea Jake proposed in the meeting was actually <u>my</u>. I had shared it with him last week, hoping for some feedback, but I didn't expect him to claim it as <u>him</u> in front of everyone. ⟨Rank 07⟩

3 By observing others behave badly, we can reflect on <u>ourselves</u> to see if any of our behaviors have been similar to <u>their</u>. ⟨Rank 35⟩ EBS응용

고난도 4 Certain parasitic species adopt specific chemical signals that allow <u>them</u> to invade host colonies, where the parasite disguises <u>it</u> as a member of the host species. ⟨Rank 07, 25, 28⟩

조건영작

Test 2

다음 주어진 우리말과 일치하도록 괄호 안의 어구를 모두 활용하여 <조건>에 맞게 영작하시오.

> <조건> • 필요시 밑줄 친 단어를 적절한 대명사로 변형할 것
> • 단어 추가 불가

1 '평균 이상 효과'는 사람들이 그들 자신을 다른 사람들과 비교해 평균 이상이라고 평가하고 그들의 능력과 자질을 과대평가하는 경향이다. (evaluate / above average / the tendency / <u>they</u> / <u>they</u> / overestimate / abilities and qualities / people / that)

→ The *Above Average Effect* is ＿＿＿＿＿＿＿＿＿＿＿＿＿＿＿＿＿＿＿＿＿

＿＿＿＿ in comparison to others and ＿＿＿＿＿＿＿＿＿＿＿＿＿＿＿＿＿＿. ⟨Rank 52⟩

2 우리는 그것들의 유용성에서 득을 보기 위해서가 아니라 광고주가 보여줬던 이미지와 우리 자신을 연관시키기 위해 제품을 살지도 모른다. (products / the image / usefulness / might buy / to associate / <u>they</u> / <u>we</u> / not to / <u>we</u> / benefit from / with)

→ ＿＿＿＿＿＿＿＿＿＿＿＿＿＿＿＿＿＿＿ but ＿＿＿＿＿＿＿＿＿＿＿

＿＿＿＿＿＿＿＿＿＿＿ that advertisers have displayed. ⟨Rank 10, 13, 63⟩ 교과서응용

고난도 3 발표 중에, 우리가 목소리의 변화, 몸짓, 그리고 표정을 통해 다른 사람들에게 우리 자신을 제시하는 방식은 우리가 그들에게 제시하는 내용보다 더 많은 의미를 전달할 수 있다.

(more meaning / to / <u>we</u> / the contents / convey / <u>we</u> / than / the way / present / present / can / <u>they</u> / <u>we</u>)

→ During a presentation, ＿＿＿＿＿＿＿＿＿＿＿＿＿＿ to others through voice modulation, body language, and facial expressions ＿＿＿＿＿＿＿＿＿＿＿＿

＿＿＿＿＿＿＿＿＿＿＿. ⟨Rank 27, 30, 41⟩ 모의응용 *modulation: (목소리 등의) 변화, 억양, 조절

고난도 4 내가 동료들이 상황을 처리하는 방식에 동의하지 않을 때, 나는 그들의 관점이 왜 내 것과 다른지 이해하기 위해 스스로 그들의 입장이 되어보려고 노력한다. (shoes / <u>I</u> / perspective / <u>they</u> / to put / in / <u>I</u> / why / from / try / differs / <u>they</u>)

→ When I don't agree with how my coworkers handle the situation, I ＿＿＿＿＿＿＿＿＿

＿＿＿＿＿＿ to understand ＿＿＿＿＿＿＿＿＿＿＿＿＿＿＿. ⟨Rank 11, 13, 17⟩

*in one's shoes: ~의 입장에

서술형 대비 **실전 모의고사 5회**

[01-05] 다음 밑줄 친 부분이 어법상 옳으면 ○, 틀리면 ×로 표시하고 바르게 고치시오. (단, 시제는 변경하지 말 것) [밑줄당 2점]

01 *Power distance* is the term used to <u>expressing</u> the extent to which an unequal distribution of power is <u>wide</u> accepted by the members of a culture. 모의응용

02 Self-report methods can be quite useful. They take advantage of the fact <u>of</u> people have a unique opportunity to observe <u>themselves</u> full-time. 모의응용

03 Her speech at the graduation ceremony was so <u>touched</u> that it left everyone in attendance feeling thoroughly <u>inspired</u> by her words.

04 When their children are grown up enough, some parents wish that they <u>spent</u> more quality time with <u>themselves</u> during their formative years, <u>recognizing</u> its significance to their development and family bonds.

고난도
05 Samuel Smiles, a nineteenth-century English author, argued that the easy road is not good for human nature, writing that <u>this</u> is doubtful whether any heavier curse could be forced on man than having all his wishes <u>fulfilling</u> without his own effort. 모의응용

[06-07] 다음 글의 밑줄 친 ① ~ ⑤ 중 틀린 부분 2개를 찾아 바르게 고친 후, 틀린 이유를 작성하시오. (단어 추가 불가) [각 4점]

> The flying fox is not a mammal but a fish ① <u>found</u> in Borneo and Sumatra. This fish is called the flying fox because it swims at a high speed and ② <u>resembles with</u> a fox in appearance. Its body is a bit compressed and mostly elongated, with its mouth ③ <u>directed</u> downward. The color of its bottom side is white, its back is a mix between olive-green and brown, and its eyes are red. It doesn't usually breed when ④ <u>confining</u> in aquarium tanks, even if there are plenty of roots, rocks, and water plants. More than one fish of this type shouldn't be kept together, since they like to fight each other. Each one prefers ⑤ <u>having</u> its own territory which is formed among tree roots and dead branches. 모의응용   *elongated: 가늘고 긴

06 틀린 부분: _____ → 바르게 고치기: _____

   틀린 이유: _____

07 틀린 부분: _____ → 바르게 고치기: _____

   틀린 이유: _____

<조건> • 필요시 밑줄 친 단어 변형 가능

08 이사회에서 만장일치의 합의를 이루지 않고서는 우리 프로젝트를 진행할 기회는 없을 것입니다.

(proceed with / achieving / our project / no opportunity / without / unanimous agreement / to)

→ There will be _____

_____ from the board.

09 두 종이 같은 자원을 이용하고 그 자원이 부족할 때, 그 종들은 마치 그것들이 같은 개체군의 구성원인 것처럼 경쟁해야 한다.

(the same population / they / use / must compete / the same resource / as if / two species / is / members of / be / scarcely / the resource / and)

→ When _____, those species

_____. 모의

고난도

10 신체는 문제들을 축적하는 경향이 있으며, 나중의 문제들 몇몇이 분명해진 후에야 비로소 더 분명한 증상들이 나타난다. 그러므로 어떤 사소한 문제에도 충분한 주의를 기울이며 접근해야 한다.

(noticeable / more obvious symptoms / any minor problem / are / some of / not until / appear / problems / to / tends / approach / the later problems / accumulate / should / that)

→ The body _____, and it's _____

_____. Therefore, you _____

_____ with sufficient care. 모의응용

고난도

11 인구 증가가 그 속도를 잃으면서, 더 많은 농업 생산에 대한 수요를 증가시키는 가장 강력한 힘은 '높아지는 소득'일 것인데, 그것이 사람들이 더 많은 음식을 소비하도록 이끌 수 있기 때문이다.

(to / its speed / strong / people / can lead / the / increase / to / more agricultural production / demand for / which / more food / force / population growth / consume / lose)

→ With _____, _____

_____ will be *rising incomes*, _____

_____. 모의응용

고난도

12 환경 보호와 일자리 창출이 상호 배타적이라는 생각은 전적으로 정확하지는 않다. 예를 들어, 재활용은 재활용 센터의 노동력으로 외딴곳에서 새로운 자재를 추출하기 위해 사용되는 거대한 기계들을 대체하여 더 많은 일자리를 만들어 낸다.

(A) (and / entirely accurate / are mutual / is / that / job creation / not / exclusive / environmental protection)

(B) (use / substitute / new materials / for huge machines / extract / to / labor in recycling centers)

→ The notion (A) _____

_____. For instance, recycling makes more new jobs,

(B) _____

_____ from remote places. 모의응용

The wife of American physiologist Hudson Hoagland became sick with a severe flu. Dr. Hoagland was curious enough to notice that whenever he left his wife's room for a short while, she complained that he had been gone for a long time. In the interest of scientific investigation, he asked his wife to count to 60, with each count (A) (represent) _____ what she felt was one second, while he kept a record of her temperature. His wife reluctantly accepted, and he quickly noticed that the hotter she was, the faster she counted. When her temperature was 38 degrees Celsius, for instance, she counted to 60 in 45 seconds. After a few trials, he found that when her temperature (B) (reach) _____ 39.5 degrees Celsius, she counted one minute in just 37 seconds. The doctor thought that his wife must have some kind of 'internal clock' inside her brain that ran faster as the fever went up. 모의응용

13 윗글의 (A), (B)의 괄호 안에 주어진 단어를 어법상 알맞은 형태로 바꿔 쓰시오. [각 3점]

(A) _____   (B) _____

고난도

14 윗글의 내용을 요약하고자 한다. <조건>에 맞게 요약문을 완성하시오. [8점]

<조건> 1. <보기>에 주어진 어구를 모두 한 번씩만 사용할 것
        2. 필요시 밑줄 친 단어 변형 가능

<보기> pass / if / her body temperature / actually had / as / increasing / have / than / feel / it / more time

[요약문] In Dr. Hoagland's investigation of his wife's perception of time, his wife _____ _____ , with _____ .

15 다음 글의 빈칸에 들어갈 가장 적절한 말을 <보기>에 주어진 어구를 배열하여 완성하시오. [8점]

The growing field of genetics _____ . This information helps us better understand that genes are under our control and not something we must obey. Consider identical twins; both individuals are given the same genes. In midlife, one twin develops cancer, and the other lives a long healthy life without cancer. A specific gene instructed one twin to develop cancer, but in the other the same gene did not initiate the disease. One possibility is that the healthy twin had a diet that turned off the cancer gene — the same gene that instructed the other person to get sick. For many years, scientists have recognized other environmental factors, such as chemical toxins (tobacco for example), can contribute to cancer through their actions on genes. But the idea that there is a specific relation between food and gene expression is relatively new. 모의응용

<보기> the genetic blueprint / a fact / confirms / foods / that / influence / can immediately

→ _____

By noticing the relation between their own actions and resultant external changes, infants develop self-efficacy, a sense _____ⓐ_____ they are agents of the perceived changes. In early social interactions, infants most readily perceive the consequence of their actions. People have perceptual characteristics that virtually assure _____ⓑ_____ infants will orient toward them. They have visually contrasting and moving faces. They produce sound, provide touch, and have interesting smells. In addition, people engage with infants by exaggerating their facial expressions and inflecting their voices in ways _____ⓒ_____ infants find (A) (fascinate) _____ . But most importantly, these antics are responsive to infants' vocalizations, facial expressions, and gestures; people vary the pace and level of their behavior in response to infant actions. Consequentially, early social interactions provide a context where infants can easily notice the effect of their behavior. 모의응용

*inflect: (음성을) 조절하다 **antics: 익살스러운 행동

16 윗글의 ⓐ ~ ⓒ의 빈칸에 공통으로 들어갈 한 단어를 쓰시오. [3점]

→ _____

17 윗글의 (A)의 괄호 안에 주어진 단어를 어법상 알맞은 형태로 바꿔 쓰시오. [3점]

→ _____

18 윗글의 요지를 <보기>에 주어진 어구를 배열하여 완성하시오. [10점]

<보기> the infants / their behavior / to / serve as / to / what effect / the foundational material / learn / can cause / use / for / that

[요지] It is the responses of people to infants' behavior _____ _____ to the external world.

No one can make you feel inferior without your consent.

- Eleanor Roosevelt -

56
Rank
66

Rank 56   소유격 관계대명사 whose, of which
Rank 57   관계대명사의 선행사에 수일치
Rank 58   3문형 ⇌ 4문형 전환
Rank 59   조동사+have p.p.
Rank 60   부사구 강조 도치 / 기타 도치
Rank 61   여러 가지 조동사 표현
Rank 62   전치사를 동반하는 동사 쓰임 I
Rank 63   전치사를 동반하는 동사 쓰임 II
Rank 64   의문사+to부정사
Rank 65   원인·이유의 부사절
Rank 66   양태의 부사절
서술형 대비 실전 모의고사 6회

서술형 PLUS 표현 ▶▶ 주어진 내용을 단서로 하여 빈칸을 채우세요.

✦ 전치사를 동반하는 동사 Rank 04, 62, 63

형태	의미
prevent A from B	
distract A from B	
distinguish A from B	
exclude A from B	
separate A from B	
spare A from B	
assure A of B	
cure A of B	
inform A of B	
relieve A of B	
remind A of B	
rid A of B	
rob A of B	
describe A as B	
label A as B	
refer to A as B	
think of A as B	
blame A for B	
charge A for B	
compensate A for B	
exchange A for B	
(mis)take A for B	
thank A for B	
congratulate A on B	
spend A on[in] B	
divide A into B	
put A into B	
transform A into B	

형태	의미
associate A with B	
charge A with B	
compare A with[to] B	
confuse A with B (= mix A up with B)	
equip A with B	
fill A with B	
furnish A with B	
provide A with B (= provide B for A)	
replace A with B	
add A to B	
adjust A to B	
apply A to B	
attach (A) to B	
attribute A to B	
bring A to[into] B	
change A to[into] B	
connect A to B	
contribute (A) to B	
devote A to B	
expose A to B	
lead A to B	
owe A to B	
prefer A to B	
relate A to B	
take A to B	

정답 및 해설 p. 48

어법

Test **1**

다음 밑줄 친 부분이 어법상 옳으면 ○, 틀리면 ✕로 표시하고 바르게 고치시오. (단, 관계대명사를 반드시 포함할 것)

1 Patients <u>whose</u> ability to fight infection is harmed by cancer or illnesses are more likely to have inflammation of wounds.

2 The director and founder of Elderly Suicide Prevention launched a 24-hour hotline <u>volunteers of which</u> reach out to potentially suicidal seniors. 모의응용

3 On the Internet, there are no regulations preventing unprofessional advice from people <u>their</u> experience with a topic can be measured in just a few minutes. 모의응용

4 Currently, infant formula is the only product <u>whose</u> "use-by" date the U.S. Department of Agriculture regulates, and for other products, "use-by" dates have nothing to do with food safety.

모의응용 *infant formula: 유아용 유동식

배열영작

Test **2**

다음 괄호 안의 어구를 모두 알맞게 배열하여 주어진 우리말을 영작하시오.

1 당신이 작가라면, 독자가 당신이 성공을 위해 요구와 기대를 충족시켜야 하는 사람임을 명심해라.
(must meet / is / the reader / whose / the one / you / needs and expectations)

→ If you are a writer, keep in mind that _____

_____ for success. Rank 23

2 코끼리는 형태가 개체들 간 사회적 유대의 강도를 반영하는 정교한 인사 행동을 발달시켜 왔다.
(whose / the social bond / the strength / form / of / elaborate greeting behaviors / reflects)

→ Elephants have evolved _____

_____ between the individuals. 수능응용

고난도 3 시민들이 국경 너머에 있는 어떤 기관의 간섭 없이 자신들의 일을 자유롭게 결정하는 국가를 주권 국가라고 부른다.
(that / of / is / the / are / to determine / its territorial borders / beyond / free / citizens / their own affairs / which / a state)

→ _____ without interference

from any agency _____ is called a sovereign

state. Rank 25 모의응용 *territorial: 영토의 **sovereign: 주권의

고난도 4 사람들은 보통 자신의 행동이 자신이 중요하다고 생각하는 도덕적 원칙을 어길 때 죄책감을 느끼며 행동이 그 원칙과 충돌하는 다른 사람들을 못마땅해한다. (a moral principle / disapprove / their own conduct / conflicts / that / behavior / whose / feel / the principle / with / important / believe / of / violates / they / guilty / others / when)

→ People usually _____

_____ and _____

_____ . Rank 27, 35 수능응용

101

어법

Test 1

다음 밑줄 친 부분이 어법상 옳으면 ○, 틀리면 ×로 표시하고 바르게 고치시오. (단, 시제는 변경하지 말 것)

1 Coincidence once defined as a miracle often turns out to be explainable by the laws of nature that <u>was</u> not discovered at the time. (Rank 25) 모의응용

2 A desire to be of service to others, which <u>appear</u> more commonly among introverts than extroverts, can be a key factor in becoming a leader. (Rank 28, 52) 모의응용

3 If you avoid green-colored foods, you may be lacking chlorophyll, an antioxidant found in plants that <u>guard</u> your cells from damage. (Rank 05, 25) 모의응용 *chlorophyll: 엽록소 **antioxidant: 산화 방지제

4 In the Hopi religion, one important part of its religious ceremonies is a male head of each clan whose duties <u>are</u> in the performance of ceremonies for his clan. (Rank 56) 모의응용 *clan: 부족

조건영작

Test 2

다음 주어진 우리말과 일치하도록 괄호 안의 어구를 모두 활용하여 <조건>에 맞게 영작하시오.

<조건> ・ 필요시 밑줄 친 단어 변형 가능

1 해마라고 불리는 우리 뇌의 부분은 공간 기억과 가장 자주 연관되어 왔다.
(be called / with / the hippocampus / been / <u>have</u> / spatial memory / that / most frequently associated)
→ The part of our brains _____
_____ . (Rank 16, 25, 44) 모의응용 *hippocampus: (대뇌 측두엽의) 해마

2 그 시인은 상류층 후원자들에게 자기 시의 복사본을 선물했는데, 이것이 그를 오늘날까지 작품들이 존속해 온 중요한 문학적 인물로 만들었다. (whose / made / survived / works / him / <u>have</u> / an important literary figure)
→ The poet presented copies of his poetry to his noble patrons, and this _____
_____ to this day. (Rank 21, 56) 모의응용

3 갑작스러운 성공은 일종의 중독의 시작이 될 수 있다. 이것은 대중으로부터 갑작스러운 관심을 얻는 소셜 미디어 시대의 사람들 사이에도 일어날 수 있다. (sudden attention / social media / people in / <u>gain</u> / the age of / who / among)
→ Sudden success can be the start of a kind of addiction. This can also occur _____
_____ from the public. (Rank 25) 모의응용

고난도 **4** 우리의 각 행동은 다음 것의 단서가 된다. 예를 들어, 여러분은 화장실에 갈 때 손을 씻고 말리는데, 이는 여러분이 더러워진 수건을 세탁물에 넣어야 한다는 것을 여러분에게 상기시킨다. (you / to put / dry / need / you / your hands / to the bathroom / and / wash / you / <u>remind</u> / which / go / when / that)
→ Each of our actions becomes a cue for the next one. For example, you _____
_____ , _____
the dirty towels in the laundry. (Rank 23, 28, 35) 모의응용

어법

Test 1

다음 밑줄 친 부분이 어법상 옳으면 ○, 틀리면 ×로 표시하고 바르게 고치시오.

1 She ordered two black coffees <u>for</u> herself and her friend, and then she settled into a cozy corner of the cafe and waited for her friend.

2 In ancient China, the priests taught the concept of time <u>of</u> temple students by showing a rope with knots which represented the hours, burning it evenly from the bottom. 모의응용

문장전환

Test 2

다음 두 문장이 같은 의미가 되도록 빈칸을 완성하시오.

1 On his way to school, he found a cat with a broken leg and got the cat some food and water.

= ~, he found a cat with a broken leg and _____ the cat. 모의응용

2 Sometimes, elephants send their herd low-frequency rumbles in order to signal danger or locate distant members.

= Sometimes, elephants _____ their herd in order to ~.

*rumble: 우르렁거리는 소리

배열영작

Test 3

다음 괄호 안의 어구를 모두 알맞게 배열하여 주어진 우리말을 영작하시오.

1 하루 종일 충분한 물을 마시는 것은 여러분의 몸에 수분을 공급하고 여러분의 피부와 머리카락에 건강한 외양을 가져다준다.

(to / brings / hair / your / and / skin / a healthy appearance)

→ Drinking ample water throughout the day hydrates your body and _____

_____ . [Rank 09] 교과서응용

2 교사는 그들이 시간을 더 생산적으로 쓸 수 있도록 돕기 위해 시간에 압박감을 느끼는 학생들에게 하루 일정표를 만들어줄 수 있다.

(for / constrained / feeling / students / a daily schedule / time / by / make)

→ A teacher can _____ to help

them use their time more productively. [Rank 05]

고난도 3 사업가들은 여러분에게 최상의 신체적 상태에 있는 사람은 계약을 끝까지 성사시킬 수 있는 신체적 체력을 지니고 있기 때문에 협상에서 자주 이긴다고 말해줄 것이다.

(you / in / who / the individual / will / often wins / is / the best physical shape / tell / in negotiations / that)

→ Business people _____

_____, because he has the physical stamina to see

the deal through. [Rank 23, 25] 모의응용

어법

Test **1**

다음 밑줄 친 부분이 어법과 문맥상 옳으면 ○, 틀리면 ✕로 표시하고 바르게 고치시오.

1 The company <u>should</u> have collected its users' data without proper consent as it <u>may</u> have exposed its users to identity theft or fraud.

2 The old house must <u>have abandoned</u> for decades; the dust was undisturbed, and cobwebs filled the rooms. [Rank 03]

*cobweb: 거미줄

3 A new study suggests that, throughout the 20th century, the Rust Belt's thick particulate fog might <u>help</u> slow down the temperature rising caused by climate change, as fine particles like sulfate reflect the Sun's light and heat. 모의응용

*Rust Belt: 러스트 벨트《미국 북부의 제조업 공업 지대》 **particulate: 미립자, 분진 ***sulfate: 황산염

4 The secret to ancient foragers' success which protected them from malnutrition <u>could have been</u> their varied diet. It seems that unlike the pre-modern populations reliant on a single crop such as rice or wheat, they had eaten dozens of different foodstuffs. 모의응용

*forager: 수렵채집인

조건영작

Test **2**

다음 주어진 우리말과 일치하도록 괄호 안의 어구를 모두 활용하여 <조건>에 맞게 영작하시오.

<조건> • 필요시 밑줄 친 단어 변형 가능

1 너는 지금 쉬어야 한다. 그 부상은 무리한 훈련 때문에 생겼음이 틀림없다.

(by / a rest / <u>be</u> / overtraining / ought / <u>cause</u> / <u>take</u> / to / must have)

→ You _____ now; that injury _____.

[Rank 03, 72]

2 압도적인 증거를 고려할 때, 그 용의자가 자신의 무죄를 증명했을 리가 없고, 그는 결국 사형 선고를 받았다.

(cannot / his innocence / have / the suspect / <u>prove</u>)

→ Considering the overwhelming evidence, _____,

and he ended up receiving a death sentence.

3 창작 과정을 서두르는 것은 더 많은 인내심을 가지고 했으면 이루어졌을지도 모르는 결과의 질을 손상시킨다.

(achieve / that / <u>be</u> / the quality / have / with / of / more patience / may / the outcome)

→ Rushing the creative process compromises _____

_____. [Rank 03, 25] 모의응용

4 나는 투기적 저가주에 투자하지 말았어야 했다. 그 대신에 내 저축 계좌에 돈을 그대로 두었어야 했다.

(the money / have / my savings account / in / have / shouldn't / in / should / <u>keep</u> / penny stocks / <u>invest</u>)

→ I _____; instead, I _____

_____.

*penny stock: 투기적 저가주, 페니주《1주가 1달러 미만으로 값싼 투기형 주식》

어법 다음 밑줄 친 부분이 어법상 옳으면 ○, 틀리면 ×로 표시하고 바르게 고치시오. (단, 시제는 변경하지 말 것)

Test 1

1 Of all the medical achievements of the 1960s, most legendary <u>were</u> the first heart transplant, which was performed in 1967. 모의응용

2 Along the coast of British Columbia <u>extends a rainforest</u> — a land of forest green and sparkling blue, measuring 6.4 million hectares. 모의응용

3 To a cactus, the desert conditions in which cacti have evolved do not pose a threat; nor <u>the icy lands of Antarctica are</u> for penguins. (Rank 67) 모의응용　　*Antarctica: 남극 대륙

문장전환 다음 문장을 밑줄 친 부분을 강조하는 도치구문으로 바꿔 쓰시오.

Test 2

1 A framed quotation written by my grandfather was <u>on the wall of our dining room</u>.

→ _____.

(Rank 05) 수능응용

2 The travelers who arrived at the inn after a long journey with so many obstacles were <u>hungry and tired</u>.

→ _____ after a long journey with so many obstacles. (Rank 25)

3 A lighthouse which guides sailors through rough seas stands <u>upon the craggy cliffs</u>.

→ _____ through rough seas. (Rank 25)

조건영작 다음 주어진 우리말과 일치하도록 괄호 안의 어구를 모두 활용하여 영작하시오. (단, 도치구문으로 쓸 것)

Test 3

1 소년은 언덕 위에서 축제 전체를 바라보았다. 그의 아래로는 작은 천막들과 노점들이 펼쳐져 있었고, 한편 그의 위에서는 커다란 빨간 풍선이 까닥거리고 있었다. (the big red balloon / the little tents / stretched / bobbed / the stalls / and)

→ The boy looked over the whole festival on the hill. Below him _____

_____, while above him _____. 모의응용　　*bob: 까닥거리다

고난도 2 종종, 오해의 소지가 있는 것은 자연이 조금도 변하지 않은 채 있을 것이라는 믿음이다. 지구는 역동적이고, 그것의 거주자들이 함께 살아가는 방식도 역시 그렇다. 결과적으로, 생태계는 변할 것임에 틀림없고 결국 정말 변한다.

(are / that / the belief / so / unchanged / the ways / is / live together / should remain / nature / its inhabitants)

→ Often, misleading _____ at all.

Our planet is dynamic, and _____.

Consequently, ecosystems must and do change eventually. (Rank 30, 52, 67) 모의응용

어법 다음 밑줄 친 부분이 어법과 문맥상 옳으면 O, 틀리면 ×로 표시하고 바르게 고치시오.

Test 1

1 He <u>cannot apologize too sincerely</u> for the significant hurt he caused through his actions.

2 Servant leaders are the ones who don't seek attention but rather would like <u>shining</u> a light on others' achievements, believing it will lead to their organization's success. 모의응용

3 She knew that she had better not <u>meddle</u> in the overheated argument between her colleagues, but the topic was so interesting that she couldn't help <u>to voice</u> her opinion.   *meddle: 끼어들다, 간섭하다

4 In an auction for TV commercial placements, one cinema chain reasoned it <u>might as well</u> bid for a region known for its frequent rain, where people are more likely to prefer indoor activities, rather than compete for the expensive slots in a city. 모의응용

조건영작 다음 주어진 우리말과 일치하도록 괄호 안의 어구를 모두 활용하여 <조건>에 맞게 영작하시오.

Test 2

<조건> • 필요시 밑줄 친 단어 변형 가능

1 내 친구는 우리가 다음 날 기차를 놓치지 않도록 일찍 자는 편이 낫겠다고 말했다.
(we / had / our train / do / so / not / early / better / <u>miss</u> / go to bed)

→ My friend said that we _____
the next day.

2 카메라 셔터를 누를 알맞은 타이밍을 놓치면, 사진은 아마 당신이 풍경에서 담고 싶었던 에너지의 일부분을 잃게 되는 것도 당연하다. (to capture / you / well / the picture / that / some of / may / <u>lose</u> / the energy / wanted)

→ If you miss the right timing of pressing the camera shutter, _____
_____ from the scene. Rank 07, 11, 27 모의응용

3 전문 지식은 상당한 훈련과 노력을 요구하므로, 자신들의 삶 속 모든 것에 대한 전문가가 되고 싶은 사람들은 그저 그렇게 할 충분한 시간이 없다. (have / would like / enough / those / in their lives / to / time / simply don't / to do so / experts / who / <u>become</u> / on everything)

→ Expertise requires considerable training and effort, so _____
_____ . Rank 25, 52
수능응용

고난도 4 그 배우는 주연으로 선정된 다른 배우에게 질투를 느끼지 않을 수 없었다. 그는 조연을 맡느니 차라리 연기하고 싶지 않다고 생각했다. (of / not / jealous / would / <u>feel</u> / but / help / not / who / rather / he / had been chosen / the other actor / could / than / <u>act</u>)

→ The actor _____
for the leading role; he thought _____
play a supporting role. Rank 05, 16, 22, 25

배열영작 다음 괄호 안의 어구를 모두 알맞게 배열하여 주어진 우리말을 영작하시오.

Test 1

1 David는 멀리 있는 익숙한 실루엣을 그의 오랜 친구라고 오인했지만, 결국 낯선 사람임을 깨달았을 뿐이었다.

(the distance / the familiar silhouette / old friend / his / in / for / took)

→ David _____, only to realize

that it was a stranger.

고난도 2 여러분은 종종 여러 사실들을 기억 속에서 함께 결합하는데, 이는 여러분이 실제로 일어났던 것을 그렇지 않았던 것과 구별하는 것을 어렵게 만든다. (to know / makes / really happened / what / you / it / what / from / did not / for / difficult)

→ You often combine various facts together in your memory, which _____

_____. Rank 26, 28, 32, 67 모의응용

조건영작 다음 주어진 우리말과 일치하도록 괄호 안의 어구를 모두 활용하여 <조건>에 맞게 영작하시오.

Test 2

<조건> • 필요시 밑줄 친 단어 변형 가능
• 필요시 전치사 from, for 중 하나를 추가할 것

1 선매 행위란 사전에 조치를 취하여 경쟁자가 어떤 특정 활동을 시작하지 못하게 하는 전략이다.

(start / a rival / some particular activity / prevent)

→ Pre-emption is a strategy to _____

by proactively taking actions. Rank 52, 72 모의응용   *pre-emption: 선매 행위

2 우리 언어는 분류 체계를 포함한다. 예를 들어, 우리는 '개'와 '고양이' 같은 단어들을 사용해 특정 종류의 동물들을 다른 동물들과 구별할 수 있다. (other animals / of animals / a certain class / can tell)

→ Our language embodies a classification system. For example, we _____

_____ using words like "dog" and "cat."

고난도 3 그 책은 농부에게서 지불금으로 받은 돈을 잃어버린 것을 이유로 꾸짖음을 당하는 한 게으른 아들에 대한 이야기를 담고 있다.

(as payment / he / is scold / that / the money / received / lose)

→ The book contains a story about a lazy son who _____

_____ from a farmer. Rank 04, 27, 72 모의응용

4 한 연구에 따르면, 다른 어떤 활동도 없이 너무 많이 앉아 있는 것은 피가 효율적으로 순환하는 것을 막을지도 모른다.

(without / blood / any other activity / excessive sitting / discourage / circulate efficiently / may)

→ According to a study, _____

_____. Rank 72 모의응용

정답 및 해설 p. 51

배열영작 다음 괄호 안의 어구를 모두 알맞게 배열하여 주어진 우리말을 영작하시오.

Test **1**

1 식당이 손님들에게 식사의 칼로리를 알려주면, 체중을 감량하고 싶은 사람들은 그 정보를 활용할 수 있다.
(customers / their meals / restaurants / of / inform / in / the calories)

→ If _____, those who want to lose

weight can make use of the information. `Rank 35` 수능응용

2 우리는 한 종류의 음식만 제공받을 때보다 다양한 음식들을 제공받을 때 훨씬 더 많이 먹는 경향이 있다.
(are / a variety of / we / tend / foods / when / presented / to eat / with / much more)

→ We _____ than with only

one type of food. `Rank 04, 11, 35, 41` 모의응용

3 아이들이 모든 사회적 상호 작용을 자신들이 만들어 낸 상상의 친구들로 대체하는 것이 아닌 한, 부모들은 자녀의 상상의
친구들을 존중해야 한다. (they / all their social interactions / the imaginary friends / with / have developed / replace)

→ Unless children _____

_____, parents should respect the imaginary friends

of their children. `Rank 27, 35` 모의응용

4 17세기 아프리카에서는, 머리카락이 영적 목적으로 혹은 심지어 마법을 걸기 위해 사용될 수 있는 힘의 원천으로 여겨졌다.
(that / a source / as / could / of / was / be / regarded / used / power)

→ In seventeenth century Africa, hair _____

_____ for spiritual purposes or even to cast spells. `Rank 03, 04, 25` 모의응용

고난도 **5** 우리가 더 열심히 하는 것만으로 재능을 완전히 대체할 수는 없다는 것을 깨닫는 순간들이 있지만, 우리는 우리가 될 수 있는
최고가 되려고 계속해서 노력해야 한다.
(just trying harder / we / for / that / realize / talent / moments / we / entirely substitute / when / cannot)

→ There are _____

_____, but we should keep trying to become the best

we can be. `Rank 23, 30, 51` 모의응용

고난도 **6** 외부 위탁을 통해 줄어든 가정의 요리 의무는 여성들에게서 전통적으로 그들의 책무로 여겨져 온 것을 덜어주는 결과를 가져왔다.
(of / traditionally been / as / seen / relieving / in / their responsibility / have resulted / has / what / women)

→ Reduced domestic cooking duties through outsourcing _____

_____. `Rank 04, 16, 26, 72` 모의응용

문장전환 다음 두 문장이 같은 의미가 되도록 빈칸을 완성하시오. (단, 빈칸당 한 단어만 쓸 것)

Test 1

1 When we should book a flight can be significantly affected by the price and availability of tickets.

= _____ _____ _____ a flight can be significantly affected by ~.

2 Consider your career goals to decide where you should invest your time for professional development.

= Consider your career goals to decide _____ _____ _____ your time for professional development.

3 Like most professors, I knew what I should teach, but I didn't know how I should teach it.

= Like most professors, I knew _____ _____ _____, but I didn't know _____ _____ _____ it. 모의응용

조건영작 다음 주어진 우리말과 일치하도록 괄호 안의 어구를 모두 활용하여 <조건>에 맞게 영작하시오.

Test 2

> <조건> • 의문사와 to를 추가하여 「의문사+to부정사」 형태를 만들 것
> • 의문사는 <보기>에서 골라 쓸 것
> <보기> where   how   when   which

1 직장을 잃은 후, Jane의 가장 큰 걱정은 가족을 부양하기 위해 새로운 일자리를 어디서 찾아야 하는지였다.

(to support / find / was / her family / a new position)

→ After losing her job, Jane's biggest worry _____

_____. Rank 13

2 아이들은 팀 경기에 참여함으로써 그들이 이기든 지든 어떻게 좋은 팀 플레이어가 될 수 있는지를 자연스럽게 배우게 된다.

(be / naturally learn / win / whether / or lose / they / good team players)

→ By participating in team games, kids _____

_____. Rank 36 모의응용

3 초기 천문학은 농작물을 언제 심어야 하는지와 어떻게 시간의 흐름을 기록해야 하는지에 대한 정보를 제공했다.

(plant / the passage / about / record / and / provided / crops / of time / information)

→ Early astronomy _____

_____. Rank 09 모의

4 어떻게 정신적 외상이 뇌에 영향을 미치는지 연구하는 것은 치료를 위해 뇌의 어떤 영역을 자극해야 하는지 우리가 이해하는 데 도움이 될 수 있다. (of / areas / can / us / stimulate / to understand / the brain / help)

→ Studying how trauma affects the brain _____

_____ for healing. Rank 07

어법

Test 1

다음 밑줄 친 부분이 어법과 문맥상 옳으면 ○, 틀리면 ×로 표시하고 바르게 고치시오.

1 Creativity is remarkable <u>in</u> that it finds its way in any kind of situation, no matter how restricted.

Rank 36 모의응용

2 Unfortunately, many individuals struggle with reaching goals <u>due to</u> an inability to prioritize their own needs. Rank 71 모의응용

3 Roman authors could make money from the publishing of their works <u>because of</u> the value of their intellectual creations was recognized. 모의응용

4 If technology produced automobiles that pollute the air, it is <u>due to</u> pollution was not recognized as a problem which engineers had to consider in their designs. Now <u>what</u> it has been decided that cleaner cars are wanted, less polluting cars will be produced. Rank 53 수능

배열영작

Test 2

다음 괄호 안의 어구를 모두 알맞게 배열하여 주어진 우리말을 영작하시오.

1 그의 개가 짖기 시작해서, 그는 개가 짖고 있는 있는 이유를 알아내기 위해 주변을 둘러보았다.

(to / to / started / looked / find out / as / bark / his dog / around / he)

→ _____, _____ the reason why the dog was barking. Rank 11, 13

2 비꼬는 화자는 보통 청자가 비꼬는 의도를 인식하도록 의도하지만, 반면에 기만할 때는 화자가 기만적인 의도가 인식되지 않도록 의도한다는 점에서 비꼼은 기만의 반대이다.

(the sarcastic intent / a sarcastic speaker / to / typically intends / that / in / recognize / the listener)

→ Sarcasm is the opposite of deception _____

_____, whereas in deception, the speaker

intends that the deceptive intent go unrecognized. Rank 07 모의응용

*sarcasm: 비꼼

고난도 3 몇몇 국가들은 자연 자본에 대한 심한 의존으로 인해 몇 가지 문제에 시달리는데, 그것이 다른 유형의 자본을 배제하며 그렇게 함으로써 경제 성장을 방해하는 경향이 있기 때문이다. (to / other types / it / due / their heavy dependence / of capital / exclude / on natural capital / several problems / to / tends / suffer from / since)

→ Some countries _____

_____ and thereby interfere

with economic growth. Rank 11, 71 모의응용

배열영작 다음 괄호 안의 어구를 모두 알맞게 배열하여 주어진 우리말을 영작하시오.

1 물이 그릇의 형태를 취하듯이, 문화적 규범은 개인의 행동을 형성할 수 있다.
(can shape / the shape / its / of / container / individual behaviors / takes / water / as)

→ _____ , cultural norms _____

_____ .

2 한 연구에서, 마치 그 공간이 갑자기 더 가치 있게 되었던 것처럼, 다른 운전자가 기다리고 있을 때 사람들은 주차 공간을 떠나는 데 더 오랜 시간이 걸렸다.
(a parking spot / the space / more valuable / took longer / people / suddenly became / as if / to leave)

→ In one study, _____ when another driver

was waiting, _____ . 모의응용

3 꼭 더 빠른 음악이 사람들이 더 빨리 먹게 하는 것처럼, 그것은 또한 그들이 그것의 빠른 리듬에 더 몰입하게 되어서 더 빨리 운전 하게 할 수 있다. (faster / eat / faster music / can / drive / just as / also make / faster / it / makes / so / them / people)

→ _____ , _____

_____ because they become more engaged with its rapid rhythm. (Rank 07)
모의응용

4 이 교육 과정에서, 꼭 과학자들과 수학자들이 하는 것처럼, 학생들은 이론을 만들어 내고 그것들을 입증하기 위한 통제된 실험을 설계할 시간을 가질 것이다. (do / the way / will have / students / and / theories / to formulate / time / mathematicians / and / just / design / scientists / controlled experiments)

→ With this curriculum, _____

_____ to validate them, _____

_____ . (Rank 09, 52, 67)

5 코알라는 영양이 부족한 유칼립투스 먹이에서 얻는 제한된 에너지를 아끼기 위해 가능한 한 적게 움직이는 경향이 있으며 종종 마치 그것들이 게으른 것처럼 보인다.
(little / tend / as / lazy / possible / are / they / as / as though / often appear / and / move / to)

→ Koalas _____

_____ to conserve their limited energy from their

nutrient-poor eucalyptus diet. (Rank 09, 11, 42) 모의응용

[01-05] 다음 밑줄 친 부분이 어법상 옳으면 O, 틀리면 ×로 표시하고 바르게 고치시오. [밑줄당 2점]

01 Children behavior whose is out of control improve when clear limits on their behavior is set and enforced. 모의응용

02 I would like to take a break, but I cannot help but feeling guilty about neglecting my responsibilities. I might as well to finish this task first before relaxing later.

03 Genetically modified (GM) foods are foods derived from organisms whose genetic material (DNA) has been modified in a way how does not occur naturally, e.g. through the introduction of a gene from a different organism.

고난도

04 Among the most fascinating natural temperature-regulating behaviors in the world is those of social insects such as bees and ants, which is able to maintain a nearly constant temperature in its hives or mounds throughout the year. 모의응용

05 Anthropologist and novelist Amitav Ghosh explains to us that climate change is largely absent from contemporary fiction due to the cyclones, floods, and other catastrophes it brings to mind simply seem too implausibly to belong in stories about everyday life. 모의응용

[06-07] 다음 글의 밑줄 친 ① ~ ⑤ 중 틀린 부분 2개를 찾아 바르게 고친 후, 틀린 이유를 작성하시오. [각 4점]

If you've ever made a poor choice, you might be interested in learning how ① to break that habit. One great way ② to trick your brain into doing so is to sign a "Ulysses Contract." Its name comes from the Greek myth about Ulysses, a captain ③ who ship sailed past the island of the Sirens, a tribe of women who lured victims to their death with their songs. Knowing that he would otherwise be unable to resist, he instructed his crew to tie him to the ship's mast. It worked for him, and you can do the same thing by locking ④ yourself out of your temptations. For example, if you want to stay off your cell phone, delete the apps used with high frequency that ⑤ distracts you or ask a friend to change your password! 모의응용 *mast: 돛대

06 틀린 부분:_____ → 바르게 고치기:_____

틀린 이유:_____

07 틀린 부분:_____ → 바르게 고치기:_____

틀린 이유:_____

[08-11] 다음 주어진 우리말과 일치하도록 괄호 안의 어구를 모두 활용하여 <조건>에 맞게 영작하시오. [각 5점]

<조건> • 필요시 밑줄 친 단어 변형 가능

08 극단적인 사회적 고립 속에서 길러진 아이들은 감정적 신호를 읽는 데 서투른데 그들이 공감을 위한 기본적인 신경 회로가 부족하기 때문이 아니라, 그들이 이러한 메시지에 주의를 기울이는 것을 학습한 적이 없기 때문이다.

(pay / but / the basic circuitry / raise / children / they / to / not because / in extreme social isolation / attention / have never learned / they / for empathy / because / lack)

→ _____ are poor at reading emotional cues _____

_____, _____

_____ to these messages. 모의응용

09 해결책을 찾기 어려운 문제에 직면했을 때, 여러분은 어떻게 상황에 접근해야 하는지, 어디에서 필요한 자원을 찾아야 하는지, 그리고 언제 여러분의 계획을 실행하기 시작해야 하는지에 대해 곰곰이 생각해야 한다.

(to / the solution / to / of which / approach / how / is / to / when / your plan / begin / find / the situation / hard / find / to / to / where / problems / implement / the necessary resources)

→ When faced with _____,

you should ponder _____, _____

_____, and _____.

고난도
10 무리하는 부모님들은 종종 짜증이 난다. 꼭 당신이 연료를 다시 채우지 않고 차를 계속 운전할 수 없는 것처럼, 감정적으로 자기 자신을 재충전하지 않고 아이들에게 사랑을 계속 줄 수는 없다. (keep / can't / drive / refueling yourself / just as / to kids / love / can't / refilling the gas / without / without / give / keep / a car / you)

→ Overextended parents are often annoyed. _____

_____, so you _____

_____ emotionally. 모의응용

고난도
11 사회적 압력이 과도해지면, 그것은 압도당하는 느낌으로 이어지고, 실패나 비판에 대한 두려움으로 인해 개개인들이 사회적 규범을 준수하지 못하게 되는 것을 더 쉽게 만들 수 있다. (conform to / feelings / fear / it / lead to / to be / social norms / make / overwhelmed / of / from / easier / because / be / of / discourage / for individuals)

→ When social pressure becomes excessive, it can _____

and _____

_____ of failure or criticism. 모의응용

Many businesses send free gifts or samples through the mail, or allow customers to try and test new products in order to make future customers ⓐ (purchase) _____ them. Charity organizations, too, use (A) the give and take approach by perhaps sending packages of Christmas cards or calendars to target people. Those who receive a package feel obligated and cannot help ⓑ (send) _____ something in return. (B) This sense of obligation to reciprocate the favor is **so powerful** that it affects our daily lives very much. ⓒ (invite) _____ to a dinner party, we feel pressure to invite our hosts to one of ours. If someone gives us a gift, we need to return it in kind. 모의응용   *reciprocate: 보답하다

12 윗글의 ⓐ ~ ⓒ의 괄호 안에 주어진 단어를 어법상 알맞은 형태로 바꿔 쓰시오. (단, 한 단어로 쓸 것) [각 2점]

ⓐ _____   ⓑ _____   ⓒ _____

고난도

13 윗글에서 언급된 (A)가 무엇인지 <조건>에 맞게 서술하시오. [7점]

<조건> 1. <보기>에 주어진 어구를 모두 한 번씩만 사용할 것   2. 필요시 밑줄 친 단어 변형 가능

<보기> a person / to / whom / to return / complimentary items or experiences / to persuade / be offered / provide / that / the favors / they want

→ It is a strategy where businesses or organizations _____

_____ to that person.

14 윗글의 (B)를 굵게 표시된 부분을 강조하는 도치구문으로 바꿔 쓰시오. [6점]

→ _____ that it affects our daily

lives very much.

고난도

15 다음 글의 빈칸에 들어갈 가장 적절한 말을 <조건>에 맞게 완성하시오. [7점]

Some people have defined wildlife damage management as the management of overabundant species, but this definition is too narrow. All species cause wildlife damage, not just overabundant ones. One interesting example of this involves endangered peregrine falcons in California, which prey on another endangered species, the California least tern. Certainly, we would not consider peregrine falcons as being overabundant, but we wish that they would not feed on an endangered species. The goal of wildlife damage management in this case would be _____. 모의응용   *falcon: 매 **tern: 제비갈매기

<조건> 1. <보기>에 주어진 어구를 모두 한 번씩만 사용할 것   2. 필요시 밑줄 친 단어 변형 가능

<보기> the falcons / without / the falcons / to / from / harm / endangered species / another / stop / eat

→ _____

16 다음 글의 빈칸에 들어갈 가장 적절한 말을 <보기>에 주어진 어구를 배열하여 완성하시오. [5점]

Most people attack a new problem by relying heavily on the tools and skills that are most familiar to them. While this approach can work well for problems that are similar to those previously solved, it often fails, and fails miserably, when a new problem is particularly novel. In this circumstance, it is best to assume nothing and _____ before. In martial arts, this sense of looking freshly at something is known as "beginner's mind." Beginners to any art don't know what is important and what is irrelevant, so they try to absorb every detail. Experienced martial artists use their experience as a filter to separate the essential from the irrelevant. 수능응용

<보기> never seen / you / treat / anything like it / the problem / have / as if

→ _____

[17-18] 다음 글을 읽고 물음에 답하시오.

The impacts of tourism on the environment are evident to scientists, but not all residents attribute environmental damage (A) _____ tourism. Residents commonly have positive views on the economic influences of tourism on quality of life, but their reactions to environmental impacts are mixed. Some residents feel tourism provides tourists (B) _____ more recreation areas, improves the quality of the roads and public facilities, and does not contribute to ecological decline. Many do not blame tourism (C) _____ traffic problems, overcrowded outdoor recreation, or the disturbance of peace of parks. Alternatively, some residents express concern that tourists overcrowd the local fishing, hunting, and other recreation areas or may cause traffic congestion. Some studies suggest that variations in residents' feelings about tourism's relationship to environmental damage are related to the type of tourism, the extent to which residents feel the natural environment needs to be protected, and the distance residents live from the tourist attractions. 수능응용   *congestion: 혼잡

17 윗글의 (A) ~ (C)에 들어갈 전치사로 알맞은 것을 to, for, with 중 골라 쓰시오. [각 2점]

(A) _____   (B) _____   (C) _____

고난도
18 윗글의 내용을 요약하고자 한다. <보기>에 주어진 어구를 배열하여 요약문을 완성하시오. [9점]

<보기> varies / are to / how near / factors / of / because / depend / their perspectives / the attractions / tourism / they / on / perceive / locals / the environmental consequences

[요약문] The way _____,

_____ like specific tourism activities, their

environmental values, and _____.

Don't be afraid to give up the good to go for the great.

- John D. Rockefeller -

67
Rank
77

Rank 67	do 동사의 쓰임
Rank 68	생략구문
Rank 69	보어로 쓰이는 to부정사
Rank 70	that절이 목적어인 문장의 수동태
Rank 71	전치사의 의미와 쓰임
Rank 72	전치사+동명사
Rank 73	당위성 동사+that+S′+(should+)동사원형
Rank 74	혼동하기 쉬운 동사
Rank 75	명사와 수식어의 수일치
Rank 76	There+V+S
Rank 77	명사절을 이끄는 복합관계대명사

서술형 대비 실전 모의고사 7회

서술형 PLUS 표현 ▶▶ 주어진 내용을 단서로 하여 빈칸을 채우세요.

정답 및 해설 p. 55

+ 형용사+전치사 (Rank 71, 72)

형태	의미
be absent from	
be afraid of	
be attached to	
be aware of	
be bad[poor] at	
be based on	
be busy in	
be capable of	
be connected to	
be consistent with	
be crowded with	
be different from	
be familiar with	
be famous for	
be free from	
be full of	
be good at	
be jealous of	
be late for	
be necessary for	
be obliged to	
be proud of	
be ready for	
be related to	
be resistant to	
be responsible for	
be short of	
be similar to	
be suitable for	
be worthy of	

+ 구전치사 (Rank 65, 71)

형태	의미
according to	
ahead of	
along with	
apart from	
as for	
as to	
aside from	
because of	
due to	
except for	
in addition to	
in front of	
in spite of	
in terms of	
instead of	
next to	
other than	
owing to	
prior to	
rather than	
regardless of	
such as	
thanks to	
up to	
when it comes to	

어법

Test 1

다음 밑줄 친 부분이 어법상 옳으면 O, 틀리면 ×로 표시하고 바르게 고치시오. (단, 한 단어로 고칠 것)

1 It's always fascinating to realize that someone else sees the world in a way that is not the same as you <u>are</u>. (Rank 23) EBS응용

2 Oral traditions, even when frequently repeated, naturally incorporate subtle variations over time, and any variation that does <u>exists</u> becomes part of the story itself. (Rank 25) 모의응용

*oral tradition: 구전(말로 전해져 내려옴)

어법

Test 2

다음 굵게 표시한 부분이 강조하는 혹은 대신하는 동사를 문장에서 찾아 쓰시오. (첫 단어만 쓸 것, 단어 변형 불가)

1 The detailed instructions were helpful, and we **do** appreciate the time you took to write them.

2 According to the survey, in each age group, males had higher average kilocalorie intake from sugar-sweetened beverages than females **did**. (Rank 41) 모의응용

조건영작

Test 3

다음 주어진 우리말과 일치하도록 괄호 안의 어구를 모두 활용하여 <조건>에 맞게 영작하시오.

<조건> • 필요시 밑줄 친 단어 변형 가능

1 현대 역사학자들은 이전에는 이용할 수 없었던 자료들을 접할 수 있기 때문에 20세기의 역사학자들이 이전에 그랬던 것보다 더 넓은 시각으로 역사적 서사를 해석한다.

(with / in the 20th century / historical narratives / once <u>do</u> / than / a broader perspective / interpret / those)

→ Contemporary historians _____

_____ because they can access materials

that were previously unavailable. (Rank 41)

고난도 2 자유 놀이는 아이들에게 꼭 어른들이 그런 것처럼 그들도 자율성과 능력이 있다는 것을 가르치는 자연의 수단이다. 어른들로부터 떨어진 놀이에서, 아이들은 정말로 통제력을 가지고 있고 그것을 주장하는 것을 연습할 수 있다.

(the adults / control / asserting / have / can practice / just as / autonomy / <u>do</u> / and / and / have / it / capability / <u>do</u>)

→ Free play is nature's means of teaching children that they _____

_____. In play, away from adults, children _____

_____. (Rank 09, 66) 모의응용

고난도 3 화산은 폭발하기 전에 경고 신호를 제공하지만 지진은 지각 내 갑작스러운 힘의 방출로 인해 그러지 않는데, 이것은 화산이 지진보다 더 예측할 수 있는 이유이다. (more predictable / <u>do</u> not / earthquakes / earthquakes / than / while / <u>be</u> / an eruption / provide / volcanoes / before / warning signs / are)

→ Volcanoes _____

due to sudden stress release in Earth's crust, which is why _____

_____. (Rank 36, 41)

어법

Test 1

다음 문장에서 생략된 부분을 모두 찾아 ✔ 표시하고, 생략된 어구를 쓰시오.

1 Are you planning to join us? If you are unable to, please let us know as soon as possible so that we can make other arrangements. 모의응용

2 At the end of the play, the themes of the story become sharper, the motivations of the characters more complex, and those subtle moments of humor more meaningful. Rank 09

3 A clay pot is an example of a material artifact, which, although transformed by human activity, is not all that far removed from its natural state. Rank 36 모의

4 Products relying on sight or sound might sell easily online, since visuals and audio can be shared, but those relying on touch, taste, or smell might not, due to the inability to convey these senses online. 모의응용

배열영작

Test 2

다음 괄호 안의 어구를 모두 알맞게 배열하여 주어진 우리말을 영작하시오.

1 고대 이집트인들은 나일강이 불어났을 때, 비가 왔기 때문이 아니라 강이 그러길 소망했기 때문이라고 믿었다.
(to / it / wished / because / was / the river)
→ Ancient Egyptians believed that when the Nile rose, _____
_____, not because it had rained. 모의응용

2 우리는 친구가 거의 없는 사람과 친구가 될 가능성보다 친구가 많은 사람과 친구가 될 가능성이 더 높다.
(friends / befriend / with / to / people / are / we / few)
→ We are more likely to become friends with people who have lots of friends than _____
_____. Rank 41 교과서응용

고난도 3 지속 가능한 패션에 대한 많은 정보가 있지만, 소재가 어디서 생산되는지와 윤리적으로 공급받는지에 대한 정보는 거의 없다.
(ethically sourced / about / little / whether / are / the materials / produced / but / where)
→ There's lots of information about sustainable fashion, _____
_____ and _____. Rank 17

고난도 4 당신의 능력에 대해 의구심이 들 때는, 당신이 통제할 수 없는 것이 아니라 통제할 수 있는 것에 집중하라.
(not / in / what / cannot / your own abilities / about / when / you / doubt)
→ _____, focus on what you can control,
_____. Rank 06, 26

배열영작 다음 괄호 안의 어구를 모두 알맞게 배열하여 주어진 우리말을 영작하시오.

Test **1**

1 복잡한 수학 방정식을 푸는 방법들 중 하나는 그것들을 더 간단한 단계로 나누고 미지의 값에 대해 관련된 규칙을 적용하는 것이다.
(is / simpler steps / down / of / into / to / them / break / one / the ways)

→ _____ intricate math equations are solved _____

_____ and apply related rules for unknown values. (Rank 30)

고난도 **2** 제가 귀사의 마케팅팀 일원으로 채용된다면, 제 계획은 신규 고객을 확보하고 반드시 고객이 구매에 대해 계속 만족감을 느끼도록 하는 것일 것입니다. (satisfied / that / ensure / their purchases / to / to / and / continue / about / new clients / get / to / would be / customers / feel)

→ If I were hired as a member of your marketing team, my plan _____

_____.

(Rank 09, 11, 12) 모의응용

문장전환 다음 두 문장이 같은 의미가 되도록 빈칸을 완성하시오. (단, 빈칸당 한 단어만 쓸 것)

Test **2**

1 It seemed that the trend of remote work in the corporate world was irreversible.

→ The trend of remote work in the corporate world _____ _____ _____

_____.

2 The ancient Maya civilization seemed to have declined due to a combination of severe droughts and deforestation.

→ It seemed that _____ _____ _____ _____

_____ due to a combination of severe droughts and deforestation.   *deforestation: 삼림 벌채

3 It seems that the psychological effects of warm and cool hues are used effectively in interior design to create specific moods and atmospheres in various spaces.

→ The psychological effects of warm and cool hues _____ _____ _____

_____ _____ in interior design to create specific moods and atmospheres in

various spaces. 수능응용   *hue: 색조, 빛깔

4 In spacecraft design, it seems that the heat resistance problem had been overcome by ceramic-composite material, which maintains structural integrity under high thermal stress.

→ In spacecraft design, the heat resistance problem _____ _____ _____

_____ _____ by ceramic-composite material, which maintains structural

integrity under high thermal stress.   *thermal stress: 열응력(온도 변화가 일어나 물체 내부에 생기는 변형력)

정답 및 해설 p. 57

문장전환 다음 문장이 같은 의미가 되도록 빈칸을 완성하시오.

Test **1**

1 They think that the unexpected surge in website traffic is a result of a viral social media campaign.

→ It _____ a result of a viral social media campaign.

→ The unexpected surge in website traffic _____ .

2 People believe that the Great Wall of China was built to protect against nomadic invasions.

→ The Great Wall of China _____ to protect against nomadic invasions.

→ It _____ to protect against nomadic invasions.

Rank 39, 40 *nomadic: 유목민의

조건영작 다음 주어진 우리말과 일치하도록 괄호 안의 어구를 모두 활용하여 <조건>에 맞게 영작하시오.

Test **2**

<조건> • 필요시 밑줄 친 단어 변형 가능
• 필요시 be동사 추가 가능

1 인간은 일생의 약 3분의 1을 잠자는 데 보내는 것으로 추정되는데, 이는 평균 수명 중 25~30년의 세월로 환산된다.

(sleeping / their lives / spend / humans / that / of / estimate / approximately one-third)

→ It _____ , which translates to 25-30 years over an average lifespan.

2 연어는 알을 낳기 위해 태어난 곳으로 돌아가는 놀라운 능력을 발달시켰던 것으로 알려져 있다.

(to / develop / know / to their birthplace / a remarkable ability / have / to return)

→ Salmon _____ to spawn. Rank 40, 52 모의응용

*salmon: 연어《복수형 salmon》 **spawn: 알을 낳다

고난도 **3** 박물관 관계자들과 보안 영상에 따르면, 대단히 귀중한 그림이 대대적인 박물관 보수 작업 중 은밀히 도난당한 것으로 생각된다.

(during / stealthily steal / think / have / to / museum renovation / be / the extensive)

→ According to museum officials and security footage, the priceless painting _____

_____ . Rank 39, 40

고난도 **4** 눈의 움직임은 마음속을 들여다보는 창문이라고 언급되는데, 사람들이 어디를 바라보는지가 그들이 어떤 환경 정보에 주의를 기울이고 있는지를 드러내기 때문이다. (that / where / environmental information / what / windows into the mind / say / be / attending to / reveals / look / people / they are / eye movements)

→ It _____ , because _____

_____ . Rank 17 모의

71 전치사의 의미와 쓰임

전치사

정답 및 해설 p. 58

어법

Test 1

다음 밑줄 친 부분이 어법상 옳으면 ○, 틀리면 ×로 표시하고 <보기>에서 알맞은 것을 골라 바르게 고치시오.

> <보기> despite   while   except

1 Wolves run after their prey in packs until the victim gets tired, then they surround the exhausted prey during several pack members attack it simultaneously. (Rank 35) 모의응용

2 Movies often tell stories that we find satisfying; the bad guys are punished, and the romantic couple find each other although the obstacles they encounter on the path to true love. (Rank 27)
수능응용

고난도 3 Local residents who feel strongly attached to the local identity stemming from the particular industry may resist losing their identity in favor of a new one based on a tourism industry. 모의응용

조건영작

Test 2

다음 주어진 우리말과 일치하도록 괄호 안의 어구를 모두 활용하여 <조건>에 맞게 영작하시오.

> <조건> • <보기>에 주어진 표현 중 알맞은 것을 골라 사용할 것
> • 밑줄 친 단어 변형 가능
> <보기> in spite of   owing to   like   in contrast to
> even though   alike   in terms of   since

1 비록 언어 차이가 있다고 할지라도, 전 세계의 도로 표지판은 공통점이 있다. (be / there / language differences)
→ _____, road signs all around the world have something in common. (Rank 36, 76) 교과서응용

2 연구는 식물들이 환경 속에서의 자신의 위치를 특히 공간과 시간 양쪽 측면에서 끊임없이 의식하고 있다는 것을 보여줘 왔다.
(their position / and / constantly aware of / be / space / both / in the environment / time)
→ Research has shown that plants _____,
particulary _____. 모의응용

3 오늘날 우리의 삶은 주로 과학적이고 기술적인 혁신 때문에 300년 전 사람들의 삶과는 완전히 다르다.
(people / be / innovations / of / technological / totally different / scientific / the lives / from / and)
→ Our lives today _____ three hundred years ago,
mostly _____. 모의응용

고난도 4 단순히 학습되는 사실과는 대조적으로, 우리 자신의 사고를 통해 습득된 사실은 타고난 팔다리와 같다. 즉, 그것만이 정말로 우리의 것이다. (a natural limb / be / through / acquire / merely learned / that / our own thinking / a truth / be)
→ _____, a truth _____
_____; it alone really belongs to us. (Rank 03, 05, 25) 모의응용

72 전치사 + 동명사

정답 및 해설 p. 58

어법

Test 1

다음 밑줄 친 부분이 어법상 옳으면 ○, 틀리면 ×로 표시하고 바르게 고치시오. (단어 추가 불가)

1 You can increase your water intake by <u>consuming</u> more fruits and vegetables. 교과서응용

2 In addition to controlling temperatures, controlling the atmosphere is important in <u>management</u> of fresh produce. (Rank 15) 모의응용

3 If you are anxious to <u>acquiring</u> a language, it's important to expose yourself to constant practice to help your brain adjust to <u>processing</u> new linguistic patterns. (Rank 07, 14)

4 Customers' comments are a way of <u>expression</u> their satisfaction or dissatisfaction. Prioritize responding to these comments for <u>enhancement</u> of your products and services. 수능응용

조건영작

Test 2

다음 주어진 우리말과 일치하도록 괄호 안의 어구를 모두 활용하여 <조건>에 맞게 영작하시오.

<조건> • <보기>에 주어진 표현을 사용할 것(이외 단어 추가 불가)   • 필요시 어형 변화 가능
<보기> be accustomed to   adhere to   when it comes to   be committed to   be willing to

1 성공적인 사업 운영에 관한 한, 나는 가장 중요한 요인이 지속적 혁신이라고 생각한다. (a successful business / manage)

→ _____, I think the most crucial factor is continuous innovation.

2 '정서적인'이라는 말은 한때 기계의 능력을 넘어섰지만, 이제 우리는 감정을 나타내거나 감지할 수 있는 기계를 묘사하기 위해 그것을 사용하는 것에 익숙하다. (emotions / sense / or / can portray / it / machines / use / that / to describe)

→ While the word "affective" once exceeded machines' capabilities, now we _____

_____. (Rank 09, 13, 25)

모의응용

고난도 3 화학 물질을 사용하지 않는 잡초 방제와 같은 친환경적인 방법들은 많은 노동을 필요로 할 수 있지만, 사회가 부유해질수록 이 일을 기꺼이 하려는 사람들은 더 적다.

(fewer people / this work / weed control / such as / the use / chemicals / without / who / of / do)

→ Environmentally-friendly methods _____

can require much labor, but there are _____

as societies become wealthier. (Rank 25, 76) 수능응용

고난도 4 제품을 구매하기 전에, 우리는 어느 회사가 세상에 좋은 것을 가져오는 데 헌신하는지 또는 자사 제품을 윤리적인 방식으로 만드는 것을 고수하는지와 같은 정치적인 면을 고려할 수 있다.

(company / good / which / its products / make / in the world / bring about / or)

→ Before purchasing a product, we can consider political aspects, such as _____

_____ in an ethical manner. (Rank 09, 17) 모의응용

124   RANK 77 고등 영어 서술형 실전문제 700제

73 당위성 동사 + that + S' + (should +)동사원형 조동사

정답 및 해설 p. 59

어법

Test 1

다음 밑줄 친 부분이 어법상 옳으면 ○, 틀리면 ×로 표시하고 바르게 고치시오.

1 The ethics committee commanded that the institution <u>conducted</u> all research in strict adherence to ethical guidelines.

2 In response to reports from residents, the management office of the apartments asked that each resident <u>keep</u> his or her dogs' noise levels to a minimum. 모의응용

3 The rule of reciprocation, a fundamental principle in human culture, requires that one person <u>tries</u> to repay, in kind, what another person has provided. 모의응용   *reciprocation: 보답

4 The classic explanation proposes that the coexistence of grasses and trees in savannas <u>is</u> possible because trees have deep roots while grasses have shallow roots, so they are not in fact competitors for resources. 모의응용

조건영작

Test 2

다음 주어진 우리말과 일치하도록 괄호 안의 어구를 모두 활용하여 <조건>에 맞게 영작하시오.

> <조건> • 필요시 밑줄 친 단어 변형 가능
> • 단어 추가 불가

1 우리는 다른 지역으로 이사할 계획을 하고 있었기 때문에, 나는 신문사가 우리 집에 일간 신문 배달을 멈춰야 한다고 요청했다.
(stop / <u>request</u> / the newspaper company / a daily paper / delivering / that)
→ As we were planning to move to another region, I _____
_____ to our home. (Rank 11)

2 과학자들은 사람의 지능이 인생에 걸쳐 변하고 수정된다고 시사하지만, 이 발견은 아직 학교 교육에 어떤 유의미한 방식으로도 영향을 주지 않았다. (and / that / <u>suggest</u> / through life / <u>change</u> / a person's intelligence / <u>modify</u>)
→ Scientists _____,
but this finding has not yet impacted schooling in any significant way. (Rank 09) 모의응용

3 한 연구는 아기들이 부모와 함께 자는 것에 의존하게 만들지 않도록 생후 3개월쯤에는 자기 방으로 옮겨져야 한다고 권고했다.
(babies / into / should / that / <u>moved</u> / their own room / a study / be / <u>recommend</u>)
→ _____ by three months
of age not to make them dependent on sleeping with their parents. (Rank 03) 수능응용

고난도 4 자신감을 쌓는 것은 한 사람이 그가 잘할 수 있는 것들만 하기보다는 두려움에 발을 들이고 미지의 것과 함께 있을 것을 요구한다.
(the unknown / an individual / he / <u>step</u> / well / that / into / sit with / and / <u>demand</u> / the things / <u>fear</u> / only doing / can do)
→ Building confidence _____,
rather than _____. (Rank 02, 09, 27) 모의응용

어법

Test 1

다음 밑줄 친 부분이 어법상 옳으면 O, 틀리면 ×로 표시하고 바르게 고치시오. (단, 한 단어로 고칠 것)

1 In 1964, when the largest earthquake ever recorded in North America rocked Alaska, a street in Anchorage <u>felled</u> twenty feet vertically. 모의응용

2 He exhibited a subtle change in his demeanor when he <u>lied</u> compared to when he was telling the truth; he would throw his head back and laugh awkwardly. Rank 35

*demeanor: 태도, 행동

3 In a study, participants who listened to rhythmic music were inclined to cooperate more, and this positive boost in willingness to cooperate was <u>arisen</u> regardless of whether they liked the music or not. Rank 03 모의응용

4 She could reach the barn in half the time if she took a direct route, but she prefers following the trail which <u>wounds</u> along the mountainside. Rank 12, 25 모의응용

조건영작

Test 2

다음 주어진 우리말과 일치하도록 괄호 안의 어구를 모두 활용하여 <조건>에 맞게 영작하시오.

<조건> • [ ] 안에 주어진 어구 중 하나만 사용할 것(필요시 어형 변화 가능)

1 그녀는 그것의 주인을 알아내기 위해 공책을 펼쳤지만, 그녀가 찾은 것은 읽기 어려운 갈겨쓴 단어들이었다.
([**find / found**] / illegible scribbled words / were / she / what)

> She opened the notebook to figure out its owner, but _____

_____ . Rank 05, 26 모의응용

2 소 목축과 콩 농장을 위한 공간을 만들기 위해 아마존 열대 우림의 상당 부분이 불법적으로 (베어) 넘어뜨려지고 불에 태워진다.
(cattle ranching / [**fall / fell**] / to create / and / space / burned / are illegally / for)

→ Large portions of the Amazon rainforest _____

_____ and soy plantations. Rank 03, 13

고난도 3 나방의 청력은 박쥐에게 먹히는 것의 위험에 특별히 대응하여 발생한 것으로 여겨진다.
(response / by bats / being eaten / moths / the threat / specifically in / [**arouse / arise**] / to / hearing in / of)

→ It's believed that _____

_____ . Rank 39, 70 모의

고난도 4 매년 봄 북미에서, 앉아서 노래하고 있는 새들 중 다수는 영역을 위한 치열한 경쟁 중인 것인데, 이는 궁극적으로 그것들이 가족을 기를 수 있을지 아닐지를 결정할 수 있다. (the middle of / and / songs / singing / [**rise / raise**] / an intense competition / many of / can / if / could ultimately decide / a family / [**seat / sit**] / are / the birds / in / they)

→ Every spring in North America, _____

_____ for territories, which _____

_____ . Rank 05 모의응용

정답 및 해설 p. 60

어법

Test 1

다음 밑줄 친 부분이 어법과 문맥상 옳으면 ○, 틀리면 ×로 표시하고 바르게 고치시오.

1 The simple act of typing a <u>little</u> vocabulary words into a search engine will instantaneously produce links related to the topic at hand. (Rank 72) 모의응용

2 The wildfire spread so quickly that residents had no time to save belongings, with <u>few</u> optimism of a quick recovery to their normal life. (Rank 34)

3 Within democratic frameworks, political parties that secure a large <u>number</u> of votes wield considerable influence over the direction of governance.   *wield: (권력 등을) 행사하다

4 While there are <u>plenty</u> of innovative products only focused on healthcare, there are still <u>much</u> potential challenges to overcome before they become widely accessible to elders. (Rank 76)

조건영작

Test 2

다음 주어진 우리말과 일치하도록 괄호 안의 어구를 모두 활용하여 <조건>에 맞게 영작하시오.

<조건> • 필요시 밑줄 친 단어의 수 변형 가능
    • [ ]안에 주어진 어구 중 하나만 사용할 것

1 많은 통근자들이 그 사고에 의해 유발된 많은 교통량 때문에 오랜 지체를 겪고 있는 중이다. (delays / [**many** / **much**] / are / caused / facing / <u>traffic</u> / the accident / <u>commuter</u> / by / due to / long / [**many** / **much**])

→ _____ .

(Rank 05)

2 채용 공고는 지원자를 거의 끌어오지 않았고, 안타깝게도 지원한 사람들은 그 직무와 관련된 전문 기술이 거의 없었다.
(possessed / who / [**few** / **little**] / attracted / <u>candidate</u> / the position / applied / relevant / [**few** / **little**] / to / those / <u>expertise</u>)

→ The job posting _____ , and unfortunately, _____

_____ . (Rank 25)

3 당신의 행복이 자신 외의 누군가에게 깊은 인상을 줄 필요에 얽매이지 않는다는 것을 그저 아는 것으로부터 오는 많은 자유가 있다.
(to the need / from / is / great / your happiness / <u>freedom</u> / a / of / which / [**deal** / **number**] / is not / comes / that / bound / just knowing]

→ There _____

_____ to impress anyone but yourself. (Rank 23, 25, 72, 76)

4 '베토벤의 교향곡 5번'은 클래식 작곡가가 몇 개의 음표와 간단한 리듬감 있는 두드림에서 얼마나 많은 힘을 얻을 수 있는지 보여준다. (a classical composer / [**many** / **much**] / from / and / <u>note</u> / can obtain / [**a few** / **a little**] / energy / demonstrates / a simple rhythmic tapping / how)

→ *Beethoven's Fifth Symphony* _____

_____ . (Rank 17) 모의응용

76 There + V + S

정답 및 해설 p. 60

어법

Test 1

다음 밑줄 친 부분이 어법상 옳으면 ○, 틀리면 ×로 표시하고 바르게 고치시오. (단, 시제는 변경하지 말 것)

1 The land my grandpa bought was good and rich land, but there <u>were</u> bank loans and taxes on it.

모의응용

2 The principal announced that there <u>are</u> major road construction scheduled to take place around our school buildings next month. Rank 05 모의응용

3 There <u>has</u> been psychological studies in which subjects were shown photographs of people's faces and asked to identify the state of mind evinced. Rank 29 수능응용

*evince: (감정을) 나타내다

4 When people deny and suppress their anger, there <u>come</u> a danger that they store up the anger and, at some future point, may find they cannot contain it any longer. Rank 52 수능응용

조건영작

Test 2

다음 주어진 우리말과 일치하도록 괄호 안의 어구를 모두 활용하여 <조건>에 맞게 영작하시오.

<조건> • 필요시 밑줄 친 단어 변형 가능
• <there+V+S> 구문을 사용할 것

1 삶과 사랑에 관해 이야기하기 위해 사람들이 사용하는 수천 개의 은유가 있다.

(metaphors / be / there / of / people / that / use / thousands)

→ _____ to talk about life and love. Rank 27

교과서응용

2 그것(지구)이 둥글다는 객관적인 증거가 있음에도 불구하고, 지구가 평평하다고 믿는 사람들이 존재한다.

(the Earth / people / believe / is / that / exist / flat / there / who)

→ _____, although we have objective evidence that it is round. Rank 23, 25 모의응용

고난도 3 과학의 발전과 함께, 어떤 주장이든 그것들이 '과학적'이라고 꼬리표가 붙여질 수 있는 경우에만 진짜임이 증명될 수 있다고 상정하는 경향이 있어 왔다. (to / be / been / authenticated / a tendency / can / there / that / have / any claims / assume)

→ With the advance of science, _____

_____ only if they can be labeled as "scientific." Rank 03, 23, 52 수능응용

*authenticate: 진짜임을 증명하다

고난도 4 비타민 C가 감기를 정말로 예방한다는 것은 사실일 수도 있지만, 그 주장을 뒷받침하는 과학적 증거는 거의 없다.

(little scientific evidence / true / be / to support / may be / colds / vitamin C / there / that claim / does / that / prevent)

→ It _____, but _____

_____. Rank 52, 53, 67 모의응용

명사절을 이끄는 복합관계대명사

정답 및 해설 p. 61

어법 다음 밑줄 친 부분이 어법과 문맥상 옳으면 O, 틀리면 ×로 표시하고 <보기> 중에서 알맞은 것을 골라 바르게 고치시오.

Test **1**

<보기> whatever   whoever   whenever

1 Social programs aim to rehabilitate <u>whatever</u> has committed offenses and assist with reintegration into society.

*rehabilitate: (재소자의) 사회 복귀를 돕다; 재활 치료를 하다

고난도 **2** Some behavioral psychologists argue that being observed enhances performance, as people tend to do <u>whatever</u> it might be better when they know others are watching. 수능응용

3 Remember that, whether it's expensive or not, <u>whenever</u> captures your own priceless moments will become a cherished reminder of your trip, far more meaningful than <u>whoever</u> souvenir you can easily buy with money. 교과서응용

배열영작 다음 괄호 안의 어구를 모두 알맞게 배열하여 주어진 우리말을 영작하시오.

Test **2**

1 불빛이 흐릿한 환경에서, 더 큰 조리개를 사용하는 것은 당신이 사진을 찍고 싶은 무엇이든 그로부터 더 많은 빛이 포착될 수 있게 해 준다. (be / want / allows / you / captured from / to photograph / more light / whatever / to)

→ In dimly lit conditions, using a larger aperture _____

_____ . [Rank 07, 11, 39]   *aperture: (카메라의) 조리개

2 예산을 담당하는 사람은 누구든지 한정된 자원의 가장 효율적이고 효과적인 사용을 보장하기 위해 지출에 대한 철저한 평가를 해야 한다. (must / expenditures / is / undertake / charge / the budget / whoever / of / of / in / a thorough evaluation)

→ _____

to guarantee the most efficient and effective use of finite resources.

3 우리는 다양한 자원봉사 기회를 제공합니다. 여러분의 관심사와 일정에 적합한 것처럼 느껴지는 것은 어느 것이든 선택하세요.

(a good fit / whichever / choose / for / and / like / schedule / your interests / feels)

→ We offer a variety of volunteer opportunities; _____

_____ .

고난도 **4** 장차 작가가 되려는 사람들은 당시 유행하는 어떤 글쓰기 스타일이든지 그것을 인지하라는 충고를 받지만, 그들은 자신에게 편한 어떤 글쓰기 스타일이든지 그것을 결코 잊어서는 안 되는데, 이러한 진정성은 대체할 수 없기 때문이다.

(whatever style / fashionable / whatever style / is / of writing / of / of writing / are advised / is / lose sight of / comfortable / to be / for them / aware)

→ Aspiring writers _____ at the

time, yet they should never _____,

as this authenticity is irreplaceable. [Rank 44]

서술형 대비 **실전 모의고사 7회**

[01-04] 다음 밑줄 친 부분이 어법상 옳으면 ○, 틀리면 ✕로 표시하고 바르게 고치시오. [밑줄당 2점]

01 When the Indonesian volcano explosion <u>was occurred</u> in 1883, the striking news of the disaster did <u>traveled</u> around the world with unprecedented speed because the undersea telegraph cables had already been <u>laid</u>.

02 Algorithms were once believed <u>to be</u> inferior to expert judgment for simple prediction problems, but there <u>is</u> evidence that they have since demonstrated surprising accuracy in <u>predict</u> whether a potential candidate will perform well in a job in the future. 수능응용

03 Performance feedback requires that the program <u>goes</u> beyond the "win, place, or show" level of feedback because information about performance should be very helpful, not only to the participant who does not win or place but also to those who <u>are</u>. 모의응용

고난도
04 When it comes to <u>feed</u> your body, preparing meals at home can be a better option because <u>give</u> you complete control over whichever ingredients you select allows you to carefully manage a great <u>number</u> of salt used in many recipes. 모의응용

[05-07] 다음 글의 ① ~ ③의 각 네모 안에서 어법상 올바른 것을 골라 쓰고, 그 이유를 작성하시오. [각 4점]

> When a company releases a new product, its competitors typically go on the defensive, doing ① whenever / whatever they can do to reduce the odds that the offering will eat into their sales. Responses usually include increasing marketing efforts. In many cases, though, such efforts are misguided. ② In spite of / Although the conventional wisdom that a rival's launch will hurt profits is often correct, the research shows that companies sometimes see profits increase after a rival's launch. The underlying mechanism is simple: When a company comes out with a new product, it often ③ rises / raises the prices of its existing product to make the new one look attractive. However, its competitors can also adjust their pricing without risking customer defections over price. 모의응용   *defection: 이탈

05 ①에서 올바른 것: _____
올바른 이유: _____

06 ②에서 올바른 것: _____
올바른 이유: _____

07 ③에서 올바른 것: _____
올바른 이유: _____

다음 주어진 우리말과 일치하도록 괄호 안의 어구를 모두 활용하여 <조건>에 맞게 영작하시오. [각 5점]

<조건> • 필요시 밑줄 친 단어 변형 가능

08 우리 단체는 모든 동물이 존중받고 친절로 대우받아야 하며, 법으로 보호받아야 한다는 신념 위에 설립되었습니다.

(on / should / all animals / be / that / <u>respect</u> / the belief / our organization / <u>found</u> / be)

→ _____ and

treated with kindness, and must be protected by law. 모의응용

09 진화의 관점에서 볼 때, 두려움은 변화를 촉진하고 제한하는 것 둘 다에, 그리고 종을 보존하는 것에 기여해 왔다.

(to / species / <u>foster</u> / to / and / change / <u>preserve</u> / <u>limit</u> / both / contribute / have)

→ From an evolutionary perspective, fear _____

_____, and _____. 모의응용

고난도
10 여러 해 동안 암에 대해 '하나'의 치료법만 있었다고 생각되었지만, 이제는 암이 여러 가지 형태를 띠며 치료법을 제공하기 위해 다양한 접근 방식이 필요로 된다고 이해된다. (now <u>understand</u> / be / multiple forms / be / there / that / <u>think</u> / cancer / <u>need</u> / "one" cure / and that / that / for cancer / <u>take</u> / be / be / multiple approaches)

→ For many years it _____,

but it _____

_____ to provide a cure. 수능응용

고난도
11 그 순간에 더 쉬워 보이는 것은 무엇이든지 종종 즉각적인 만족감에 대한 욕구를 반영하지만, 지속 가능한 성공은 기꺼이 미래를 위해 투자하려는 마음을 필요로 하며, 그렇게 하는 사람이 가장 큰 보상을 거둔다.

(easier / <u>do</u> / necessitates / sustainable success / often <u>reflect</u> / who / a desire / the greatest rewards / to invest / in the moment / seems / <u>reap</u> / those / whatever / a willingness)

→ _____ for immediate

gratification, but _____ for the future,

and _____.

12 다음 글의 빈칸에 들어갈 가장 적절한 말을 <보기>에 주어진 어구를 배열하여 완성하시오. [6점]

> One unspoken truth about creativity — it isn't about wild talent so much as it is about productivity. To find a few ideas that work, you need to try a lot that don't. It's a pure numbers game. Geniuses don't necessarily have a higher success rate than other creators; they simply do more — and they do a range of different things. They have more successes *and* more failures. The thing about creativity is that at the outset, you can't tell which ideas will succeed and which will fail. So the only thing you can do _____. 모의응용

<보기> fail faster / on to / is / so / to / you / the next idea / to / that / can move / try / creating

→ _____

Empathy is frequently (A) (list) _____ as one of the most desired skills in an employer or employee, although without (B) (specify) _____ exactly what is meant by empathy. Some businesses stress cognitive empathy, emphasizing the need for leaders to understand the perspective of employees and customers in decision-making. When consultants argue that successful companies foster empathy, what that translates to (C) (be) _____ that companies should conduct good market research. When some people speak of design with empathy, it means that companies should take into account the specific needs of different populations — the blind, the deaf, the elderly, and so on. Those companies designing for accessibility involve understanding different viewpoints, as empathy in business ⓐ does. 모의응용

13 윗글의 (A) ~ (C)의 괄호 안에 주어진 단어를 어법상 알맞은 형태로 바꿔 쓰시오. [각 3점]

(A) _____ (B) _____ (C) _____

14 윗글의 밑줄 친 ⓐ가 대신하는 부분을 본문에서 찾아 쓰시오. (단어 변형 불가) [6점]

→ _____

15 다음 글의 필자가 주장하는 바를 한 문장으로 표현하고자 한다. <보기>에 주어진 어구를 배열하여 빈칸을 완성하시오. [9점]

When people try to control situations that are essentially uncontrollable, they are inclined to experience high levels of stress. Thus, suggesting that they need to take active control is bad advice in those situations. What they need to do is to accept that some things are beyond their control. Similarly, teaching people to accept a situation that could readily be changed could be bad advice; sometimes the only way to get what you want is to take active control. Research has shown that when people who feel helpless fail to take control, they experience negative emotional states such as anxiety and depression. Like stress, these negative emotions can damage the immune response. We can see from this that health is not linearly related to control. 모의응용

<보기> of control / to / when / control / accept / to / learn / discern / the limits / one / to / and when / take

[주장] The author suggests that _____

_____ to optimize his or her health and well-being.

[16-17] 다음 글을 읽고 물음에 답하시오.

Keith Chen, a professor at Yale, had a question about ① what would happen if he could teach a group of monkeys to use money. Chen went to work with seven male monkeys at a lab. When Chen gave a monkey a coin, he sniffed it and, after ② determination he couldn't eat it, he tossed it aside. When Chen repeated this, the monkey started ③ tossing the coin at him. So Chen gave the monkey a coin and then showed a treat. ④ Whenever the monkey gave the coin back to Chen, he got the treat. It took months, but the monkeys eventually learned that the coins could buy the treats. Once they learned the transactional value of coins, it turned out that there ⑤ was strong preferences for different treats among individual monkeys. The monkey _____. 모의응용

16 윗글의 밑줄 친 ① ~ ⑤ 중 틀린 부분 2개를 찾아 바르게 고치시오. (단, 한 단어로 고칠 것) [각 3점]

(1) 틀린 부분: _____ → 바르게 고치기: _____

(2) 틀린 부분: _____ → 바르게 고치기: _____

17 윗글의 빈칸에 들어갈 가장 적절한 말을 <조건>에 맞게 완성하시오. [10점]

<조건> 1. <보기>에 주어진 어구를 모두 한 번씩만 사용할 것
          2. 필요시 밑줄 친 단어 변형 가능

<보기> his specific tastes / food / for / his coins / met / to / whichever / deliberate choose / would / exchange

→ _____

MEMO

MEMO

안정적인 수능영어 상위권을 위한
수능영어 절대유형

약점을 강점으로 바꾸는 절대 공략으로
Level Up!

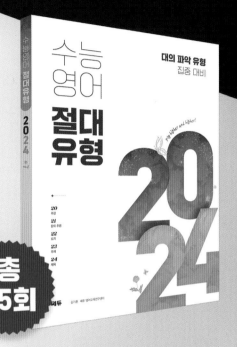

총 25회

절대유형 2024
20~24번 대의 파악 유형 집중 공략

· 대의파악의 Key point '주제문'의 공통적 특징 학습
· 수능·모의 기출 분석을 통한 유형별 해결전략
· 실전대비를 위한 25회의 고품질 2024 모의고사
· 지문마다 배치된 변형문제로 독해력 강화

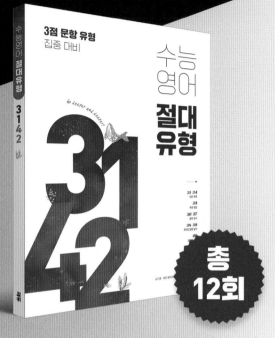

총 12회

절대유형 3142
31~42번 고난도 3점 문항 완벽 대비

· 내용의 추상성 등 높은 오답률의 원인 요소 완벽 반영
· 철저한 수능·모의 기출 분석을 통한 유형별 최신 전략
· 12회의 고품질 모의고사로 충분한 전략 적용 연습
· 대의파악 유형의 변형 문제로 본질적인 독해력 Up!

한 지문으로 학습 효과를 두 배로 끌어올리는 추가 문제

요약문 완성 유형의 20·22·23·24번 변형 문제	**20** PLUS+ 변형문제	윗글의 내용을 한 문장으로 요약하고자 (A), (B)에 들 Since our ___(A)___ attitude toward social pheno critical eye to ___(B)___ those who are trying to ta 　　(A)　　　　　　(B) ① unconditional …… choose　　② ind
제목 찾기 유형의 21번 변형 문제	**21** PLUS+ 변형문제	윗글의 제목으로 가장 적절한 것은? ① Love Yourself, You Deserve It ② Conflict: Our Greatest Fear to Overcome ③ Be Strong! Learn How to Handle Conflict ④ The Disconnect Between Fear and Strength ⑤ Why Aggression Matters: Winning in a Conflic

제목·요지·주제·주장을 묻는 대의파악 유형 변형 문제를 31번~39번까지 배치	PLUS+ 변형문제　윗글의 제목으로 가장 적절한 것은? ① Does Arts Education Boost Young Brains? ② Good at Math Means Good at Playing Piano ③ Advantages of Teaching Piano and Computer
	PLUS+ 변형문제　윗글의 요지로 가장 적절한 것은? ① 목적에 맞는 최적의 전략을 선택해야 한다. ② 성공을 위해 전략적 사고는 필수 불가결하다. ③ 지나친 전문화는 전략적 사고에 오히려 해가 된다.
	PLUS+ 변형문제　윗글의 주제로 가장 적절한 것은? ① reasons alternates are seldom made in science ② constant efforts to prove capability of retooling ③ various ways to demonstrate a paradigm's validity
	PLUS+ 변형문제　윗글에서 필자가 주장하는 바로 가장 적절한 것은? ① 역사는 결정론의 관점에서 바라볼 필요가 있다. ② 역사에 과학 법칙을 적용하는 것은 삼가야 한다. ③ 과학 교육에 있어서 역사 교육이 선행되어야 한다.

쎄듀북닷컴(www.cedubook.com)에서 부가 자료를 무료로 다운로드할 수 있습니다.

쎄듀

1 구문 판매 1위 '천일문' 콘텐츠를 활용하여 정확하고 다양한 구문 학습

끊어읽기 해석하기 문장 구조 분석 해설·해석 제공 단어 스크램블링 영작하기

2 문법·서술형 쎄듀의 모든 문법 문항을 활용하여 내신까지 해결하는 정교한 문법 유형 제공

객관식과 주관식의 결합 문법 포인트별 학습 보기를 활용한 집합 문항 내신대비 서술형 어법+서술형 문제

3 어휘 초·중·고·공무원까지 방대한 어휘량을 제공하며 오프라인 TEST 인쇄도 가능

영단어 카드 학습 단어 ↔ 뜻 유형 예문 활용 유형 단어 매칭 게임

4 선생님 보유 문항 이용

Online Test OMR Test

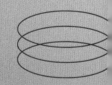

RANK 77

정답 및 해설

고등 영어 서술형

실전문제 700제

RANK 77

고등 영어 서술형
실전문제 700제

정답 및 해설

✦ 수동태 표현

형태	의미
be absorbed in	~에 몰두하다
be charged with	~의 책임을 맡다; ~으로 기소되다; ~으로 가득 차 있다
be composed of	~로 이루어져 있다
be concerned about	~에 대해서 염려하다
be concerned with	~와 관련이 있다
be convinced of	~에 확신하다
be covered with	~으로 덮여 있다
be devoted to	~에 헌신하다
be disappointed at/with/by	~에 실망하다
be engaged in	~에 종사하다
be exposed to	~에 노출되다
be faced with	~에 직면하다
be filled with	~로 가득 차다
be interested in	~에 흥미[관심]가 있다
be involved in	~에 개입되다[관계되다]
be known as	~으로 알려져 있다 (명칭, 별칭 등)
be known for	~으로 유명하다
be known to	~에게 알려져 있다
be obsessed with	~에 사로잡히다[집착하다]
be pleased with	~에 기뻐하다
be prepared for	~에 대비하다
be regarded as	~로 간주되다
be satisfied with	~에 만족하다
be surprised at[by]	~에 놀라다
be tired of	~에 싫증 나다

✦ 구동사 표현

형태	의미
account for	~을 설명하다; (특정 비율을) 차지하다
adapt to	~에 적응하다
adhere to	~을 고수하다[충실히 지키다]
bring about	~을 유발하다, ~을 초래하다
carry out	~을 수행[이행]하다; ~을 완수하다
cope with	~을 다루다; ~에 대처[대응]하다
count on	~을 믿다, ~에 의지하다
deal with	~을 다루다[대하다]; ~을 해결하다
depend on	~에 달려 있다; ~에 의존하다
derive from	~에서 유래되다, ~에서 기인하다
die out	멸종되다, 자취를 감추다
figure out	파악하다[알아내다]; 해결하다[생각해 내다]
keep up with	(뉴스, 유행 등에 대해) 알게 되다[알다]; ~을 따라잡다
rely on	~에 의지하다; ~을 신뢰하다
run out of	~을 다 써버리다
settle down	정착하다; 편안히 앉다; 진정되다
stand for	~을 나타내다; ~을 지지하다
stick to	~에 달라붙다; ~을 고수하다
struggle with	~로 고심하다; ~와 싸우다
take place	~이 발생하다

Test 1

1 × → are　　2 × → provide
3 ○　　4 × → grows

1 요즘, 사람들이 사회적으로 용납할 수 없다고 여기는 사려 깊지 못한 행동들이 대중으로부터 관심을 끌고 있고 빠르게 공유된다.
 ▶ 관계사절(that people ~ unacceptable)이 주어 inconsiderate behaviors를 수식한다.

2 원자력이나 농업 같은 분야 내 기술 개발의 대부분은 환경적 이익이 어떻게 과학 기술의 발전을 동반할 수 있는지에 대한 예를 제공한다.
 ▶ 부분표현 The majority of 다음에 나오는 명사에 동사를 수일치한다.

3 조직에 의해 행해지는 흔한 실수들 중 하나는 소셜 미디어 플랫폼에 지나치게 집중하고 사업 목표에는 충분히 집중하지 않는다는 것이다.
 ▶ 동사를 주어 One에 수일치하여 단수동사로 썼다.

4 가상 현실을 믿는 사용자들이 하나의 사회로 간주될 만큼 많을 때, 사람들의 요구를 충족시키고 광범위한 가치를 제공하는 가상 세계의 능력은 커진다.
 ▶ to부정사구(to fulfill ~ value)는 주어인 A virtual world's ability를 보충 설명하는 동격어구이다.

어휘 inconsiderate 사려 깊지 못한　sector 분야, 부문　agriculture 농업　accompany 동반하다, 수반하다; (사람과) 동행하다　objective 목표; 객관적인　virtual 가상의 cf. virtual reality 가상 현실　fulfill (약속, 요구 등을) 충족시키다; 성취하다

Test 2

1 The money that individuals spend on unnecessary purchases is
2 A study of people struggling with major health problems shows / most of the respondents report
3 Interpretations about the meaning and purpose of prehistoric art rely heavily on
4 Recent estimates by experts in the field suggest / a third of babies born this year are expected

1 ▶ 관계사절(that individuals ~ purchases)이 주어 The money를 뒤에서 수식한다.

2 ▶ 전명구(of people)가 문장의 주어 A study를 뒤에서 수식하고 현재분사구(struggling with ~ problems)가 people을 뒤에서 수식하므로, 차례대로 쓴다.

3 ▶ 전명구(about ~ art)가 주어인 Interpretations를 뒤에서 수식한다.

4 ▶ 전명구(by experts ~ field)가 문장의 주어인 Recent estimates를 뒤에서 수식한다. that이 이끄는 명사절의 주어는 분수 표현이므로 동사는 of 뒤의 명사에 수일치하고, '도달할 것으로 예상되는' 것이므로 수동태로 표현한다.

어휘 struggle 싸우다; 허덕이다　respondent 응답자　derive 얻다, 끌어내다; 유래하다　adversity 역경　interpretation 해석; 이해　prehistoric 선사시대의　analogy 유추; 유사점; 비유　estimate 추정, 추산; 추산하다

Test 1

1 × → correlates　　2 ○
3 × → is　　4 ○

1 국가의 가난한 사람들의 수는 소득 불평등과 교육 및 건강관리에 대한 접근권 부족 같은 요인들과 연관성이 있다.
 ▶ the number of ~+단수동사. 복수 취급하는 the poor(가난한 사람들)에 수일치하지 않도록 주의한다.

2 20세기 초반에 양자 역학과 특수 상대성 이론이라는 물리학의 주요 발견이 모두 이루어졌고, 이는 과학 지도를 바꾸었다.
 ▶ both ~+복수동사

3 당신의 목표가 번성하는 온라인 마켓을 만드는 것이라면, 당신의 소셜 미디어 계정에 팔로워 수가 많은 것은 큰 이점이다.
 ▶ 주어가 동명사구(Having ~ accounts)이므로 단수동사 is로 고쳐 쓴다.

4 사람들은 종종 상사에게 나쁜 소식을 전달하기 전에 그것에 낙관적인 손질을 더하기 때문에, 나쁜 소식으로 시작하는 것이 기업의 사다리(계층 서열)를 타고 올라가면서 더 기분 좋은 소식이 된다.
 ▶ 관계대명사 what이 이끄는 명사절(what ~ news)이 주어이므로 단수동사를 쓴다.

어휘 correlate 연관성이 있다　inequality 불평등　access 접근(권)　physics 물리학　thriving 번성하는, 번창하는　optimistic 낙관적인, 낙천적인　superior 상사, 상급자　corporate 기업의; 단체의, 공동의

Test 2

1 The young tend to be more interested in forms of technology
2 Every driver who uses the intersection without traffic lights has
3 Calling people creative means that they are actively producing something
4 A number of visitors who explored the newly opened art gallery were captivated

1 ▶ <the+형용사>+복수동사

2 ▶ every ~+단수동사. 주어를 수식하는 관계사절(who ~ lights)의 동사도 선행사인 Every driver에 수일치하여 단수동사 uses로 쓴다.

3 ▶ 동명사구 주어(Calling ~ creative)+단수동사

4 ▶ a number of+복수명사+복수동사. 관람객들이 paintings and sculptures에 '마음을 사로잡히는' 것이므로 수동태로 표현되었다.

어휘 wireless 무선의　intersection 교차로, 교차 지점　deliberate 의도적인; 신중한　captivate ~의 마음을 사로잡다　breathtaking 숨이 멎을 만큼 놀라운　on display 전시된

Test 1

1 be divided → divide   2 found → were found
3 criticized → were criticized   4 structures → is structured

1 당신은 큰 과업을 더 작은 과업으로 나눌 수 있는데, 작은 것(과업)은 큰 것(과업)보다 완료하기가 훨씬 더 간단하기 때문이다.
▶ You가 과업을 '나누는' 것이므로 능동태로 고쳐 쓴다.

2 고고학자들은 기원전 9,000년경 근동 지역에서 도자기가 처음 발명되었다고 믿었지만 오랜 시간이 지난 후, 기원전 10,000년의 더 오래된 항아리들이 일본 혼슈섬에서 발견되었다.
▶ older pots가 '발견된' 것이므로 수동태 were found로 고쳐 쓴다.

3 수십 년 전에는 지리학 분야의 소수의 과학자들만이 지구 온난화 및 그와 관련된 문제들에 대해서 공개적으로 말했고 그렇게 한 것에 대해 비판받았는데, 요즘에는 전혀 다르다.
▶ a few scientists가 '비판을 받은' 것이므로 수동태 were criticized로 고쳐 쓴다. and로 병렬 연결된 동사인 spoke out에 태를 일치시키지 않도록 주의한다.

4 경영 대학원에서는 효과가 있든 없든 익숙한 것을 고수하는 우리의 타고난 성향을 극복할 수 있도록 구조화된 경영 의사결정에 대한 접근법을 가르친다.
▶ 선행사인 an approach가 '구조화된' 것이므로 수동태 is structured로 고쳐 쓴다.

어휘 archaeologist 고고학자   pottery 도자기; 도예   geography 지리학   speak out 공개적으로 말하다   structure 구조화하다; 조직하다   cling to ~을 고수하다; ~에 매달리다

Test 2

1 were decorated with pretty toppings which could not be eaten / looked luxurious
2 The processes of muscle movement and coordination in human bodies are facilitated
3 that was raised during the meeting showed a need for better leadership
4 space at the heart of the city to accommodate business and consumer needs is not[isn't] utilized / creates a stark contrast

1 ▶ dishes가 토핑들로 '장식되는' 것이므로 주절의 동사는 수동태 were decorated로 쓴다. 선행사인 toppings는 사람에 의해 '먹히는' 것이고 조동사 could가 포함되므로 관계사절의 동사는 <조동사+be +p.p.>의 형태로 쓴다.

2 ▶ The processes가 '촉진되는' 것이므로 수동태 are facilitated를 쓴다.

3 ▶ Every concern이 더 나은 리더십의 필요성을 '보여주는' 것이므로 문장의 동사는 능동태 showed를 쓴다. 관계사절에서는 선행사인 Every concern이 회의에서 '제기된' 것이므로 수동태 was raised를 쓴다.

4 ▶ space가 '활용되지 않는' 것이므로 첫 번째 동사는 수동태 is not[isn't] utilized를 쓰고, 과거와 극명한 대조를 '만들어 내는' 것이므로 두 번째 동사는 능동태 creates를 쓴다.

어휘 dish 요리; 접시   facilitate 촉진하다; 용이하게 하다   sophisticated 정교한; 세련된   interplay 상호 작용   nervous 불안해하는; 신경의   accommodate 수용하다; 공간을 제공하다   utilize 활용하다, 이용하다   contrast 대조, 대비   vibrant 활기찬; 강렬한

Test 1

1 happened   2 be paid attention to
3 are attributed to   4 showed up / was greeted

1 18세기 중반, 제조업이 수행되던 방식에 혁명적인 일이 일어났는데, 이는 우리가 지금 산업혁명이라고 부르는 것이다.
▶ happen은 '일어나다, 발생하다'라는 의미의 자동사이다.

2 의사소통을 원활하게 하기 위해서는 다른 사람들의 비언어적 신호들에 주의를 기울여야 하는데, 그것들이 말 이상의 중요한 정보를 전달하기 때문이다.
▶ 구동사 pay attention to는 '~에 주의[관심]를 기울이다'의 의미로 수동태에서도 한 덩어리로 움직여야 한다.

3 서양 문화에서 인간은 허구에서 사실을 능숙하게 구분할 수 있는 이성적인 존재로 간주되어서, 효과적이고 정보에 입각한 결정을 내리지 못하는 것은 이성적 사고를 하지 못했기 때문이라고 여겨진다.
▶ <attribute A to B>를 수동태로 바꾸면 전명구를 be p.p. 뒤에 이어 쓴다.

4 그 후보는 어제 행사가 끝날 무렵 유세장에 나타났고 군중들로부터 큰 박수와 함께 환영받았다.
▶ show up은 '나타나다'라는 의미의 자동사이다. The candidate가 군중에게 '환영받은' 것이므로 수동태 was greeted를 쓴다. 어제 있었던 일이므로 과거시제로 써야 함에 주의한다.

어휘 revolutionary 혁명적인; 회전하는   nonverbal 비언어적인   cue 신호   convey 전달하다; 나르다   sort 구분하다, 분류하다   fiction 허구; 소설   well-informed 정보에 밝은; 박식한   rally (정치적) 집회

Test 2

1 Our hopes to go to the final disappeared / our team was robbed of a goal
2 whether their consumers' complaints are dealt with in a reasonable manner
3 It involves the social and environmental transformations in a country that arise
4 Animals that thrive in only one area are referred to as endemic species

1 ▶ 주절의 disappear는 '사라지다'라는 의미의 자동사이다. when절의 동사는 우리 팀이 골을 '빼앗긴' 것이므로 <rob A of B>의 수동형으로 쓴다.

2 ▶ 구동사 deal with는 수동태에서도 한 덩어리로 움직인다.

3 ▶ It(= Development)이 사회적, 경제적 변화를 '포함하는' 것이므로 능동태 involves를 쓴다. arise는 '발생하다, 일어나다'라는 의미의 자동사이고, by economic growth는 문맥상 '원인'을 나타낸다.

4 ▶ thrive는 '번성하다'라는 의미의 자동사이다. <refer to A as B>를 수동태로 쓰면 <A be referred to as B>의 형태가 된다.

어휘 rob A of B A에게서 B를 빼앗다   controversial 논쟁의 여지가 있는   referee 심판을 보다; 심판   evaluation 평가   transformation (완전한) 변화, 탈바꿈   refer to A as B A를 B라고 부르다   endemic (동식물 등이 한 지역에) 고유한   species 《생물》 종(種)   vulnerable 취약한; 상처받기 쉬운   extinction 멸종; 소멸

Test 1

1 imposing → imposed	**2** describing → described
3 ○	**4** wanted → wanting

1 독점 행위에 연루된 회사들에 법원에 의해 부과된 벌금은 시장 내에서 공정한 경쟁을 유지하려는 목적이었다.
▶ The penalty가 법원에 의해 '부과되는' 것이므로 수동관계이다. imposed에 딸린 어구가 있으므로 명사 뒤에서 수식한다.

2 일본에서, 아름답게 배열된 음식은 요리 장인의 솜씨에 의해 생명을 얻은 먹을 수 있는 예술 작품으로 종종 묘사된다.
▶ food가 '배열되는' 것이므로 수동관계이다. arranged가 단독으로 쓰였으므로 명사 앞에서 수식한다. beautifully arranged food가 '묘사되는' 수동관계이므로 described로 고친다.

3 자선 단체가 매년 개최하는 이 교향악 행사의 핵심 기여자들은 자신들의 재능을 무료로 기부하는 참여한 음악가들이었다.
▶ event가 '개최되는' 것이므로 수동관계이다.

4 경쟁 업체가 약간 차별화된 제품을 판매하는 시장에서 더 큰 시장 점유율을 가지기를 원하는 기업들은 광고를 많이 하며, 이는 제품 가격을 끌어올린다.
▶ businesses가 '경쟁하는' 것이므로 능동관계이다.

어휘 impose 부과하다; 강요하다 **arrange** 배열하다; 마련하다 **bring A to life** A를 소생시키다; A가 활기 넘치게 하다 **craftsmanship** (훌륭한) 솜씨; 손재주 **culinary** 요리의 **artisan** 장인(匠人), 기능 보유자 **contributor** 기여자; 기부가 **donate** 기부하다 **differentiate** 차별화시키다; 구별하다 **market share** 시장 점유율 **drive up** (가격 등을) 끌어올리다

Test 2

1 encounter people dressed in traditional "ao dai" and distinctive hats called "non la"
2 broadcasters seeking to make music radio profitable / the size of the audience actively listening to it
3 The camping trip scheduled for this weekend was canceled / a bear carrying its cubs was observed
4 Estimated economic benefits derived from leaving forests full of trees / associated with timber extraction

1 ▶ dress는 '옷을 입히다'라는 의미의 타동사이므로 '~의 옷차림을 한(~을 착용한)'이라는 의미의 과거분사 dressed로 변형하고, 딸린 어구가 있으므로 수식하는 명사 people 뒤에 쓴다. hats가 '~라고 불리는' 것이므로 과거분사 called로 바꾸고 딸린 어구와 함께 명사 뒤에 쓴다.

2 ▶ 수식받는 명사 broadcasters가 수익성 있게 만들고자 '하는' 것이므로 명사와 seek은 능동관계이고, 수식받는 명사 the audience는 음악 라디오를 '듣는' 것이므로 명사와 listen to는 능동관계이다.

3 ▶ 수식받는 명사 The camping trip이 '예정된' 것이므로 명사와 schedule은 수동관계이고, 수식받는 명사 a bear가 새끼들을 '데리고 있는' 것이므로 명사와 carry는 능동관계이다.

4 ▶ 수식받는 명사 economic benefits는 '추정되는' 것이고, 숲에서 '얻어지는' 것이므로 명사와 estimate, derive는 수동관계이다. Estimated는 딸린 어구가 없으므로 단독으로 앞에서 명사를 수식하고, derived는 딸린 어구가 있으므로 명사 뒤에서 수식한다. 수식받는 명사 the monetary gains는 목재 채취와 '관련된' 것이므로 명사와 associate는 수동관계이다.

어휘 encounter (우연히) 만나다 **distinctive** 독특한 **broadcaster** 방송사; 방송인 **cub** (곰, 사자 등의) 새끼 **estimate** 추정하다 **derive A from B** B에서 A를 얻다 **monetary** 금전상의; 화폐의 **associate** 관련시키다 **timber** 목재 **extraction** 얻어냄, 추출

Test 1

1 ○	**2** × → emitting
3 × → removed	**4** × → pretending

1 낯선 물체에 직면했을 때, (그 물체에) 경험이 없는 동물은 꼼짝 못하고 있거나 숨으려고 시도할 수 있지만, 불쾌한 일이 발생하지 않으면 머지않아 활동을 계속할 것이다.
▶ confront의 행위 주체는 a strange object이므로, 의미상의 주어인 an inexperienced animal과 confront는 수동관계이다.

2 아이러니하게도, 숨을 쉴 때마다 이산화탄소를 내뿜지만, 생명체는 대기 중의 이산화탄소가 15퍼센트를 넘는 곳에서는 죽을 것이다.
▶ 의미상의 주어인 living things가 이산화탄소를 '내뿜음' 것이므로 의미상의 주어와 emit은 능동관계이다. 현재분사 emitting으로 고쳐 쓴다.

3 알코올을 섭취하면, 그것은 혈류 속으로 흡수되고 나서 시간이 흐르면 서서히 대사 작용이 되어, 간 안에 있는 효소에 의해 몸에서 제거된다.
▶ 의미상의 주어인 it(= alcohol)이 몸에서 '제거되는' 것이므로 의미상의 주어와 remove는 수동관계이다. 과거분사 removed로 고쳐 쓴다.

4 그 최고 경영자는 경영진에게 회사를 위험에 처하게 할 수 있는 아이디어를 만들어 내도록 요청했고, 이후 두 시간 동안 경영진은 그 회사의 상위 경쟁사들 중의 하나로 가장하며 그룹을 지어 일했다.
▶ 의미상의 주어인 the executives가 경쟁사들 중 하나로 '가장하며' 일한 것이므로 의미상의 주어와 pretend는 능동관계이다. 현재분사 pretending으로 고쳐 쓴다.

어휘 confront 직면하다; 맞서다 **emit** 내뿜다, 방출하다 **atmospheric** 대기 중의; 분위기 있는 **absorb** 흡수하다 **metabolize** 대사 작용을 하다 **executive** 경영진; 이사 **generate** 만들어 내다 **put A at risk** A를 위험에 처하게 하다 **pretend** ~임을 가장하다, ~인 척하다

Test 2

1 Placing limits on children's behavior
2 Washed at the right temperature and managed well
3 feeling the joy of completing a journey that tested her limits
4 Accepted as the best system for distributing resources

1 ▶ 의미상의 주어인 both parents가 한계를 '두는' 것이므로 의미상의 주어와 place는 능동관계이다. 현재분사 Placing으로 변형한다.

2 ▶ 의미상의 주어인 the sweater가 '세탁되고 관리되는' 것이므로 의미상의 주어와 wash, manage는 수동관계이다. 과거분사 Washed와 managed로 변형한다.

3 ▶ 의미상의 주어인 the runner가 기쁨을 '느끼는' 것이므로 의미상의 주어와 feel은 능동관계이다. 현재분사 feeling으로 변형한다.

4 ▶ 의미상의 주어인 capitalism and free markets가 '받아들여지는' 것이므로 의미상의 주어와 accept는 수동관계이다. 과거분사 Accepted로 변형한다.

RANK 07 동사+목적어+보어 I
p.17

Test 1

1 ○　　　　　　　　　　**2** ○
3 to doubt → doubt　　　**4** be → to be

1 지구 기후 변화로 인한 더 따뜻한 공기는 구름이 상승하게 했고, 열대 우림에서 습기를 빼앗아 갔다.
▶cause는 목적격보어로 to-v를 취하는 동사이다.

2 다섯 살 때, 그 바이올린 연주자는 어머니가 바이올린으로 연주하는 것을 들었던 모든 노래들을 연주할 수 있었다는 것이 밝혀졌다.
▶지각동사 hear는 목적격보어로 v 또는 v-ing를 취하는 동사이다.

3 당신이 마음을 바꾸고 싶은 사람이 자기 자신의 가정을 의심하게 하는, 잘 고른 개방형 질문을 하라.
▶사역동사 let은 목적격보어로 v를 취하므로 doubt로 고쳐야 한다. whose mind ~ to change는 let의 목적어인 the person을 수식하는 관계사절이다.

4 1900년대 초반의 관객들은 그들이 듣는 연주회 음악이 적어도 한 세대 이상 된 것이기를 기대했으며, 연주 목록에 이미 소중히 간직되어 있던 고전의 기준에 따라 새로운 음악을 판단했다.
▶expect는 목적격보어로 to-v를 취하므로 to be로 고쳐야 한다. they heard는 concert music을 수식하는 관계사절이다.

어휘 deprive A of B A에게서 B를 빼앗다   reveal 밝히다, 드러내다   assumption 가정, 추정   generation 세대; (특히 전기, 열 등의) 발생   repertoire 연주 목록, 레퍼토리

Test 2

1 can make us jump to conclusions about a whole category
2 have other people listen to your situation and ask for help
3 government regulations require manufacturers in the industry to list sugar as the first ingredient
4 a large majority of people wanted society to move away from greed and excess

1 ▶사역동사 make의 목적격보어로 jump가 와야 한다.
2 ▶명령문 두 개가 병렬 연결된 구조이다. 사역동사 have가 쓰인 첫 번째 명령문에는 목적격보어로 listen to가 온다.
3 ▶동사 require의 목적격보어로 to list가 와야 한다.
4 ▶동사 wanted의 목적격보어로 to move가 와야 한다.

어휘 generalization 일반화   jump to a conclusion 성급히 결론을 내리다   ingredient 성분, 재료   regulation 규정; 규제   manufacturer 제조업자   greed 탐욕   excess 과잉, 지나침

RANK 08 동사+목적어+보어 II
p.18

Test 1

1 ○　　　　　　　　　　**2** trapping → trapped
3 adopted → adopt[to adopt]　**4** carried → carrying[carry]

1 반짝이는 별빛 아래, 우리는 풀이 무성한 산비탈에 누워 오케스트라 명곡이 자연 자체에 의해 연주되는 것을 들었다.
▶목적어인 the orchestral masterpiece가 '연주되는' 것이므로 목적어와 목적격보어는 수동관계이다.

2 외국에서 혼자 여행하는 동안, 그녀는 자신이 나쁜 상황에 빠진 것을 발견했다. 그녀는 모든 소지품을 잃어버렸고, 전화 서비스는 끊겼다.
▶목적어인 herself가 나쁜 상황에 '빠진' 것이므로 목적어와 목적격보어는 수동관계이다.

3 정부는 국민들이 더 건강한 식습관과 규칙적인 운동 습관을 취하는 데 도움이 될 것으로 기대하며, 짧은 보건 교육 동영상들을 제작했다.
▶목적어인 citizens가 식습관과 운동 습관을 '취하는' 것이므로 목적어와 목적격보어는 능동관계이다. help는 목적격보어로 v와 to-v를 모두 쓸 수 있다.

4 종종 훈련받지 않은 수족관의 돌고래는 다른 돌고래가 특정 행동을 수행하는 것을 관찰한 다음 정식 훈련 없이 완벽하게 그 행동을 복제한다.
▶목적어인 another dolphin이 행동을 '수행하는' 것이므로 목적어와 목적격보어는 능동관계이다.

어휘 grassy 풀이 무성한   orchestral 오케스트라의   masterpiece 명작, 걸작   trap (어떤 상태에) 빠뜨리다; 가두다   adopt 취하다; 채택하다   replicate 복제하다

Test 2

1 notice your actions observed by somebody around / would cause you to behave
2 Don't get yourself locked into one thing that causes stress
3 can often see people sharing[share] their achievements / want their competence recognized
4 allows you to control the situation / may leave your opponents not taking the initiative

1 ▶목적어인 your actions가 '관찰되는' 것이므로 목적어와 목적격보어는 수동관계이다. cause는 목적격보어로 to-v를 취하는 동사이다.
2 ▶목적어인 yourself가 '갇히는' 것이므로 목적어와 목적격보어는 수동관계이다.
3 ▶see의 목적어인 people이 '공유하는' 것이므로 목적어와 목적격보어는 능동관계이다. want의 목적어인 their competence가 '인정받는' 것이므로 목적어와 목적격보어는 수동관계이다.
4 ▶allow는 목적격보어로 to-v를 취하는 동사이다. leave의 목적어인 your opponents가 주도권을 '잡지 못하는' 것이므로 목적어와 목적격보어는 능동관계이다.

어휘 attentional 주의적인   let go of ~을 놓아주다   achievement 성취; 업적   competence 능력   proactively 사전에   disclose 밝히다; 드러내다   opponent 반대자; 상대   take the initiative 주도권을 잡다

Test 1

1 × → helps   2 × → complained
3 × → (in) offering   4 ○

1 #AgeProud 캠페인은 노인들이 계속 직면하고 있는 문제들에 대한 인식을 높이고 젊은이들이 나이가 들어가는 것에 대해 더 긍정적인 시각을 갖도록 돕는다.
   ▶ 문장의 동사인 raises와 접속사 and로 병렬 연결된다.

2 우리가 담당했던 프로젝트는 힘들었지만, 팀원 누구도 결코 미소 짓는 것을 멈추거나 불평조차 하지 않았다.
   ▶ 동사 stopped와 접속사 or로 병렬 연결된다. complaining을 stopped 의 목적어로 보면 문맥이 어색해진다.

3 보다 평등한 사회를 보장하는 것의 열쇠는 장기간 병을 앓고 있는 사람들에게 경제적인 도움을 주고 저소득층 가정에 감당할 수 있는 가격의 주택을 제공하는 데 있다.
   ▶ 전치사 in이 이끄는 전명구 두 개가 접속사 and로 병렬 연결된다. 반복되는 전치사 in은 생략할 수 있다.

4 유전공학의 가능성을 받아들이는 것은 흥미롭지만, 윤리적 딜레마에 직면하는 것은 피할 수 없는 측면이다.
   ▶ 주어가 to부정사구인 두 개의 절이 접속사 but으로 병렬 연결된 문장이다.

어휘 awareness 인식, 의식   demanding 힘든, 부담이 큰; 요구가 많은 affordable (가격 등이) 알맞은, 감당할 수 있는   embrace 받아들이다; 포옹하다 genetic engineering 유전공학   ethical 윤리적인, 도덕의   inevitable 피할 수 없는; 필연적인   aspect 측면; 방향; 양상

Test 2

1 Music for motion pictures often serves to authenticate the era or to provide
2 keeps everyone working in one accord and energizes key leadership components
3 motivate them by considering their work as an incomplete task and requiring additional effort
4 aimed to help the disaster area but was abused by dishonest officials

1 ▶ to authenticate와 to provide가 접속사 or로 병렬 연결된다.
2 ▶ 문장의 동사 keeps와 energizes가 접속사 and로 병렬 연결된다.
3 ▶ considering과 requiring은 접속사 and로 병렬 연결되며, 모두 전치사 by의 목적어이다.
4 ▶ 문장의 동사 aimed와 was abused는 접속사 but으로 병렬 연결된다. 동사의 형태는 의미에 맞게 능동태와 수동태를 구분하여 쓴다.

어휘 authenticate 진짜임을 확증[증명]하다   nostalgia 향수《(고향을 그리워하는 마음》   clarity 명확성   accord 합의   energize 활기를 북돋우다   component 구성 요소; 부품   transparency 투명성   abuse 악용하다; 남용하다   relief supply 구호품

Test 1

1 × → (to) encourage   2 × → unveil
3 ○   4 ○

1 특허의 원래 발상은 발명가들에게 독점 이익을 보상하는 것이 아니라 그들이 발명품을 공유하도록 장려하는 것이었다.
   ▶ <not A but B>가 보어인 두 개의 to부정사구를 병렬 연결하므로 to encourage 또는 반복되는 to를 생략한 encourage로 바꿔 쓴다.

2 고대 필사본의 복원은 오랜 세월을 거쳐 묵묵히 보존되어 온 아주 흥미로운 이야기들을 드러낼 뿐만 아니라 빛바랜 페이지 안에 박혀 있던 섬세한 예술성을 드러낼 것이다.
   ▶ <not only A but B>가 will 뒤의 두 개의 동사구를 병렬 연결하므로 unveil로 바꿔 쓴다.

3 부모님들뿐만 아니라 각 운전자 역시 우리 아이들이 매일 학교를 오가기에 안전하고 안심할 수 있는 환경을 제공하는 데 있어 역할이 있음이 분명하다.
   ▶ <B as well as A>가 주어로 쓰이면 강조하는 대상인 B에 수일치시킨다.

4 지질학 연구에서, 암석층은 침식되어 화석을 노출시키거나 압력을 받아 변화하여 석영과 같은 새로운 광물을 만들고 있다.
   ▶ <either A or B>가 현재진행형을 이루는 두 개의 현재분사구를 병렬 연결한다. to expose와 to form은 결과를 나타내는 부사적 역할의 to부정사이다.

어휘 patent 특허(권)   monopoly 독점; 전매   restoration 복원, 복구; 회복 manuscript 필사본; 원고   intriguing 아주 흥미로운   unveil 드러내다, 밝히다 delicate 섬세한   artistry 예술성; 예술적 기교   embed (단단히) 박다, 끼워 넣다 secure 안심하는; 확보하다   erode 침식되다   fossil 화석

Test 2

1 not only carries debris and pollutants / but also facilitates the movement of nutrients that support diverse marine ecosystems
2 either have switched to free markets or have adopted aspects of them
3 not in the limitations of our imagination / but in our ability to secure the materials
4 both adding enjoyable things to our lives and believing we can handle challenges

1 ▶ <not only A but also B>가 동사 carries와 facilitates를 병렬 연결한다.
2 ▶ <either A or B>가 동사 have switched와 have adopted를 병렬 연결한다.
3 ▶ <not A but B>가 in이 이끄는 전명구를 병렬 연결한다. to secure materials는 our ability의 동격어구이다.
4 ▶ <both A and B>가 rely on의 목적어인 동명사 adding과 believing을 병렬 연결한다. believing 뒤에는 명사절을 이끄는 접속사 that이 생략되었다.

어휘 coastal 연안의   debris 부스러기, 파편   pollutant 오염 물질   facilitate 가능하게 하다   socialism 사회주의   communism 공산주의   lie in ~에 있다 pursuit 추구; 추적

Test 1

1 × → to bring	**2** × → hiding
3 ○	**4** × → to experience

1 만약 당신이 회의 중에 뛰어났다면, 그건 아마도 당신이 노트와 관련 서류를 가지고 오는 것을 기억했기 때문이다.
▶ remember는 to-v와 v-ing를 모두 목적어로 쓸 수 있지만 의미가 다르다. 문맥상 '가지고 오는 것을 기억했다'의 의미이므로 to bring으로 써야 한다.

2 투명성과 책임이 필요한 때다. 책임이 있는 자들은 변호사들 뒤에 숨는 것을 그만두고 대중에 의해 제기된 우려들을 처리해야 한다.
▶ quit은 v-ing를 목적어로 취하는 동사이므로 hiding으로 고쳐 써야 한다.

3 만약 우리가 잘할 수 있다는 것을 알고 있는 일들만 한다면, 새롭고 알려지지 않은 것에 대한 두려움이 커지는 경향이 있다.
▶ tend는 뒤에 to-v가 오는 동사이므로 to grow가 적절하다.

4 자율주행의 개발이 진전되어 오고 있으므로, 우리는 향후 교통사고와 사망자의 감소를 경험하는 것을 기대할 수 있다.
▶ expect는 to-v를 목적어로 취하는 동사이므로 to experience로 고쳐 써야 한다.

어휘 excel 뛰어나다　relevant 관련 있는　document 서류, 문서; (상세한 내용을) 기록하다　accountability 책임, 책무　attorney 변호사　address (어려운 문제 등을) 처리하다, 다루다　unknown 알려지지 않은, 미지의　autonomous 자율의; 자치의　progress 진전을 보이다; 나아가다　reduction 감소, 축소; 할인　fatality 사망자; (질병의) 치사율

Test 2

1 chose to spend a week on the mountain and could finish documenting
2 Don't hesitate to clear your doubts / consider asking questions to gain a better understanding
3 have determined to forgive yourself and others / might enjoy embracing positive changes
4 can't deny encountering difficulties in sustaining crop yields / should attempt to produce sufficient food for domestic consumption

1 ▶ choose는 to-v를 목적어로 취하므로 to spend로 바꾸고, finish는 v-ing를 목적어로 취하므로 documenting으로 바꿔 쓴다.

2 ▶ hesitate는 to-v를 목적어로 취하므로 to clear로 바꾸고, consider는 v-ing를 목적어로 취하므로 asking으로 바꿔 쓴다. to gain ~ the issue는 목적(~하기 위해)을 나타내는 to부정사구이다.

3 ▶ determine은 to-v를 목적어로 취하므로 to forgive로 바꾸고, enjoy는 v-ing를 목적어로 취하므로 embracing으로 바꿔 쓴다.

4 ▶ deny는 v-ing를 목적어로 취하므로 encountering으로 바꾸고, attempt는 to-v를 목적어로 취하므로 to produce로 바꿔 쓴다.

어휘 unfiltered 여과되지 않은　hesitate 주저하다, 망설이다　sustain 유지하다; 지탱하다　yield 수확량; 총수익　attempt 시도하다　domestic 국내의; 가정의　consumption 소비(량)

01 × → suggest, ○
02 × → are known, ○
03 ○, × → is
04 × → is characterized, × → gains
05 ○, × → feel
06-07 ① protect → to protect, expect는 목적어와 목적격보어가 능동관계일 때 목적격보어로 to-v를 취하므로, protect를 to protect로 고쳐야 한다. / ④ are → is, 주어는 단수인 The life이므로 단수동사 is로 고쳐야 한다.
08 Interest in ideology in children's books arises from a belief
09 spend up to 60 percent of their time looking for information, responding to emails, and collaborating with others
10 often have eyes designed to face outward / allows the hunted to detect danger that may be approaching from any angle
11 Avoid studying all your subjects / only one subject is learned
12 not only requires you to understand the organizational status but also entails a constant reassessment
13 is often thought of as a male sport
14 (B) × → was　(C) ○
15 ② Set → Setting, 의미상의 주어는 you로, you가 목표를 '설정하는' 능동관계이므로 현재분사 Setting으로 고쳐야 한다.
16 decide to achieve something / beginning with small habits is more effective
17 (A) to count　(B) counting
18 considering themselves 'unlucky' tended to focus on / missing alternative possibilities

01 어수선한 환경이 창의력 향상을 야기한다는 생각에서부터 너무 많이 어질러진 상태가 집중을 방해할 수 있다는 생각에 이르기까지, 전 세계의 많은 연구가 당신의 책상 상태가 당신이 어떻게 일하는지에 영향을 끼칠지도 모른다는 것을 시사한다.
▶ <a number of(많은)+복수명사>가 주어일 때는 복수동사를 쓴다. / result는 자동사이므로 수동태로 표현할 수 없다. •**Rank 02** 주어·동사의 수일치 II, **Rank 04** 능동 vs. 수동_단순시제 II
어휘 disorderly 어수선한; 무질서한

02 템페라 물감에서 뛰어난 다목적성과 더 긴 건조 시간으로 알려진 유화 물감으로의 전이는 그들(화가들)이 필요한 만큼 오랫동안 작품을 수정할 수 있을 뿐만 아니라 훨씬 더 큰 작품을 빠르게 창작할 수 있게 함으로써 화가들을 자유롭게 해주었다.
▶ which가 이끄는 관계사절에서 선행사인 유화 물감이 '알려진' 수동관계이므로 동사는 수동태 are known으로 고쳐야 한다. / allowing의 목적격보어인 두 개의 to-v구가 상관접속사 <B as well as A>로 연결된 구조로, 반복되는 to가 생략된 modify는 적절하다. •**Rank 03** 능동 vs. 수동_단순시제 I, **Rank 07** 동사+목적어+보어 I, **Rank 10** 상관접속사의 병렬구조
어휘 transition 전이, 이행　versatility 다목적성; 다재, 다능　composition 작품; 구성　modify 수정하다; (다른 어구를) 수식하다

03 듣는 사람은 전적으로 공기 중에서 생성된 진동을 통해 소리 신호를 수신하는 반면, 말하는 사람의 경우에는 그들이 수신하는 청각 자극의 일부가 말하는 사람 자신의 뼈를 통해서 귀로 전해진다.
▶ 진동이 공기 중에서 '생성되는' 수동관계이므로 과거분사 generated는 알맞다. / <부분표현 of>는 뒤의 명사(the auditory stimulus)에 동사의 수를 일치시키므로 단수동사 is로 고쳐야 한다. •**Rank 01** 주어·동사의 수일치 I,

어휘 auditory 청각의 stimulus 자극《복수형 stimuli》 conduct (열, 전기, 소리 등을) 전하다, 전도하다; 행동하다

04 21세기는 정보와 지식의 시대이다. 그것은 기업들에 경쟁 우위를 얻게 해주는 중요한 자원으로서의 지식에 의해 특징지어지는 세기이다.
▶ 세기가 '특징지어지는' 것이므로 선행사 a century와 관계사절의 동사는 수동관계이다. / 중요한 자원이 경쟁 우위를 '얻게 해주는' 것으로 뒤에 목적어가 이어지므로, 두 번째 관계사절의 동사는 능동형이 되어야 한다. **• Rank 03 능동 vs. 수동_단순시제 I**
어휘 characterize 특징짓다 competitive advantage 경쟁 우위

05 혼자 일하는 것이 더 생산적일 수 있지만, 개인은 종종 사회적 환경에서 벗어나는 것을 꺼린다. 따라서 사람들이 혼자 일하는 것이나 팀으로 일하는 것 중에서 선택하고 그들의 선택에 상관없이 연결되어 있다고 느끼게 해주는 것이 리더의 일이다.
▶ mind는 목적어로 v-ing를 취하는 동사이므로 being은 알맞다. / let의 목적격보어 두 개가 and로 병렬 연결된 구조로 feeling을 feel로 고쳐야 한다. **• Rank 07 동사+목적어+보어 I, Rank 09 등위접속사의 병렬구조, Rank 11 동사의 목적어가 되는 to-v, v-ing**
어휘 regardless of ~에 상관없이

06-07

유리가 없는 현대 도시를 상상하기란 불가능하다. 한편으로, 우리는 우리의 건물들이 날씨로부터 우리를 보호하기를 기대한다. 그런데도, 장래의 새로운 집이나 일터가 될 곳을 마주하게 되면, 사람들이 묻는 첫 번째 질문 중 하나는 '자연광이 그곳에 얼마나 들어오는가?'이다. 현대 도시에서 유리 건물들은 바람, 추위, 비로부터 동시에 보호를 받는 것, 침입이나 도둑으로부터 안전한 것, 하지만 어둠 속에서 살지는 않는 것이라는 이러한 상충하는 욕구들에 대한 공학적 해답이다. 우리가 실내에서 보내는 삶은, 우리 중 대다수에게 대부분의 시간인데, 유리로 인해 밝고 유쾌해진다.
▶ ① **• Rank 07 동사+목적어+보어 I** / ④ 주어 The life와 동사 is 사이에 두 개의 관계사절이 삽입되어 있다. **• Rank 01 주어-동사의 수일치 I**
어휘 prospective 장래의; 유망한 conflicting 상충하는, 모순되는 intrusion 침입; 침해

08 ▶ 주어가 Interest이므로 단수동사를 써야 한다. 또한, arise는 자동사이므로 수동태로 표현할 수 없다. **• Rank 01 주어-동사의 수일치 I, Rank 04 능동 vs. 수동_단순시제 II**
어휘 ideology 이데올로기; 관념

09 ▶ spend 시간 v-ing: v하는 데 시간을 쓰다 **• Rank 09 등위접속사의 병렬구조**

10 ▶ 눈이 바깥으로 향하도록 '설계된' 수동관계이므로 designed로 변형하여 eyes를 수식하는 과거분사구를 영작한다. allow는 목적격보어로 to-v를 취하므로 to detect로 쓴다. **• Rank 05 현재분사 vs. 과거분사_명사 수식, Rank 07 동사+목적어+보어 I**
어휘 detect 감지하다, 발견하다

11 ▶ avoid는 v-ing를 목적어로 취하는 동사이다. if절의 주어인 one subject가 '학습되는' 수동관계이므로 수동태(is learned)로 영작한다. **• Rank 03 능동 vs. 수동_단순시제 I, Rank 11 동사의 목적어가 되는 to-v, v-ing**

12 ▶ 상관접속사 <not only A but also B>가 두 개의 동사구를 연결하는데, 동명사구 주어이므로 단수동사 requires와 entails로 변형한다. require는 목적격보어로 to-v를 취하므로 to understand로 쓴다. **• Rank 02 주어-동사의 수일치 II, Rank 07 동사+목적어+보어 I, Rank 10 상관접속사의 병렬구조**
어휘 exercise 발휘하다; 운동하다 status 상태; 지위 entail 수반하다

[13-14]

서핑은 종종 남성 스포츠로 간주된다. 하지만, 사실 1920년대 초반 이래로 캘리포니아에서는 여성들이 서핑을 해 오고 있고 오늘날 서핑을 하는 세계의 모든 나라에는 여성 서퍼들이 있다. 남성들과 마찬가지로, 그들(여성들)도 범위가 아마추어에서 프로 선수에까지 이른다. 비록 여성들은 서핑 대회에서 중요하게 여겨지지 않았을지도 모르지만, 요즘은 그들이 진정으로 그 권리를 획득했기 때문에 시합에 참가한다. 초창기 여성 서퍼 중 한 명은 Mary Hawkins인데, 그녀는 서핑에서 매우 우아한 동작을 보여주었다. 그녀는 1960년대 Marge Calhoun과 그녀의 딸들, 그리고 Linda Benson으로 이어진 긴 역사에서 첫 번째였으며, 오늘날 몇몇 최고의 프로 서퍼들이 그 뒤를 잇는다.
어휘 graceful 우아한

13 ▶ 서핑이 남성 스포츠로 '간주되는' 수동의 의미이므로, <동사+목적어+전명구(think of A as B)>를 수동태로 바꾸면 <A be thought of as B>의 형태가 된다. 빈도부사 often의 위치는 be동사인 is 뒤가 적절하다. **• Rank 04 능동 vs. 수동_단순시제 II**

14 ▶ (B) **• Rank 01 주어-동사의 수일치 I**
(C) 분사구문의 의미상의 주어인 She가 오늘날 최고의 프로 서퍼들에 의해 '뒤이어지는' 것이므로 의미상의 주어와 follow는 수동관계이다. 과거분사 followed를 쓴 것은 알맞다. **• Rank 06 분사구문**

[15-16]

여러분은 그것이 힘든 도전임이 틀림없다는 것을 알고 있더라도, 매일 체육관에서 한 시간을 보냄으로써 더 많이 운동할 계획을 세울 수도 있다. 그와 같이 목표를 설정하면, 여러분은 하루나 이틀 동안은 그것을 지킬 수도 있지만, 장기적으로 보면 그 약속을 지키는 것을 그냥 포기할 가능성이 있다. 하지만 만약 하루에 몇 분 동안 조깅을 하겠다거나 잠자리에 들기 전에 하루 일과의 일부로 몇 번의 윗몸일으키기를 하겠다는 약속을 한다면, 여러분은 자신의 결심을 지키고 장기적인 결과를 주는 습관을 만들 수 있게 될 것이다. 비결은 작게 시작하는 것이다. 이런 식으로 작은 습관들이 만들어지면서 장기적인 성공이 이뤄질 수 있다.
어휘 stick to ~을 지키다; ~을 계속하다 commitment 약속; 전념

15 ▶ 콤마 뒤에 접속사 없이 완전한 절이 이어지고 있으므로, 콤마 앞부분은 분사구문으로 써야 한다. **• Rank 06 분사구문**

16 [요지] 무언가를 이루기로 결심했을 때, 당장 야심 찬 목표를 세우는 것보다 작은 습관으로 시작하는 것이 장기적인 성공에 더 효과적이다.
▶ 부사절의 동사 decide는 to-v를 목적어로 취하므로 achieve는 to achieve로 쓰고, 주절의 주어가 동명사구이므로 be는 단수동사 is로 변형하여 영작한다. **• Rank 02 주어-동사의 수일치 II, Rank 11 동사의 목적어가 되는 to-v, v-ing**
어휘 ambitious 야심 찬

[17-18]

2000년대 초반에, 영국의 심리학자 Richard Wiseman은 자기 자신을 '운이 좋다'(그들은 성공했고 행복했으며, 그들의 삶 속 사건들은 그들에게 우호적인 것처럼 보였다) 혹은 '운이 나쁘다'(삶이 그들에게 잘못되고 있는 것처럼 보였다)고 여기는 사람들을 대상으로 일련의 실험을 했다. 한 실험에서 그는 두 집단 모두에게 신문에 있는 사진의 수를 세라고 말했다. '운이 나쁜' 집단은 열심히 자신의 과업을 해나갔다. '운이 좋은' 집단은 두 번째 페이지가 '수를 세는 것을 멈추세요. 이 신문에는 43개의 사진이 있습니다.'라는 안내를 포함하고 있다는 것을 대개 알아차렸다. 그 이후 페이지에서도, '운이 나쁜' 집단은 이미지의 개수를 세는 데에만 너무 분주한 나머지 '수를 세는 것을 멈추고, 실험자에게 당신이 이것(문구)을 봤다는 것을 말하고, 250달러를 받으세요.'라는 안내를 발견하지 못했다. Wiseman의 결론은, 도전 과제에 직면했을 때 '운이 나쁜' 사람들은 덜 유연했다는 것이었다. 그들은 특정 목표에 집중했고, 다른 선택 사항들이 그들을 지나쳐 가고 있다는 것을 알아차리지 못했다.

어휘 grind(ground-ground) (곡식 등을) 갈다; 힘써 일하다   spot 발견하다; 반점, 얼룩   flexible 유연한; 융통성 있는

17 ▶ (A) • **Rank 07 동사+목적어+보어 I**

(B) stop v-ing: v하는 것을 멈추다 • **Rank 11 동사의 목적어가 되는 to-v, v-ing**

18 [요약문] 자신이 '운이 좋다'고 인정하는 사람들은 기회를 발견하는 재능을 보여준 반면, 자신을 '운이 나쁘다'고 생각하는 사람들은 특정 목표에 집중하는 경향이 있어, 대안적인 가능성을 놓쳤다.

▶ 사람들이 자신을 운이 나쁘다고 '생각하는' 능동관계이므로 consider는 현재분사 considering으로 바꿔 딸린 어구와 함께 수식하는 명사 뒤에 쓴다. 동사 tend는 뒤에 to-v가 오는 동사이므로 focus는 to focus로 쓴다. <보기>에 접속사가 없고 의미상의 주어인 those가 가능성을 '놓치는' 능동관계이므로, 두 번째 빈칸에는 miss를 현재분사 missing으로 바꾸어 분사구문을 영작한다. • **Rank 05 현재분사 vs. 과거분사_명사 수식, Rank 06 분사구문, Rank 11 동사의 목적어가 되는 to-v, v-ing**

• 부분 점수

문항	배점	채점 기준
01-05	1	×는 올바르게 표시했지만 바르게 고치지 못한 경우
06-07	2	틀린 부분을 바르게 고쳤지만 틀린 이유를 쓰지 못한 경우
	1	틀린 부분을 찾았지만 바르게 고치지 못한 경우
08-12	3	어순은 올바르나 단어를 적절히 변형하거나 추가하지 못한 경우
13	5	어순은 올바르나 단어를 적절히 변형하지 못한 경우
14	1	×는 올바르게 표시했지만 바르게 고치지 못한 경우
15	2	틀린 부분을 바르게 고쳤지만 틀린 이유를 쓰지 못한 경우
	1	틀린 부분을 찾았지만 바르게 고치지 못한 경우
16	5	어순은 올바르나 단어를 적절히 변형하거나 추가하지 못한 경우
18	6	어순은 올바르나 단어를 적절히 변형하거나 추가하지 못한 경우

✦ 부정사 표현

형태	의미
be about to-v	막 v하려는 참이다
be due to-v	v할 예정이다
be supposed to-v	v하기로 되어 있다
be unable to-v	v할 수 없다
be willing to-v	기꺼이 v하다
be likely to-v	v할 가능성이 있다
be unlikely to-v	v할 가능성이 낮다[거의 없다]
be ready to-v	v할 준비가 되어 있다
be free to-v	자유롭게 v하다
be bound to-v	반드시 v하게 되다, 틀림없이 v하다
be inclined to-v	v하는 경향이 있다; v하고 싶어지다
be entitled to-v	v할 자격이 있다
be obliged to-v	v할 의무가 있다
be pleased to-v	v해서 기쁘다
be eager[anxious] to-v	v하기를 갈망하다
be difficult to-v	v하기 어렵다
be reluctant to-v	v하기를 꺼리다
be certain[sure] to-v	반드시 v하다
can't wait to-v	몹시 v하고 싶다
come[get] to-v	v하게 되다
happen to-v	우연히 v하다
It takes ~ to-v	v하는 데 ~의 시간이 들다
It's time to-v	v할 시간이다
do nothing but v	단지 v하기만 하다
do anything but v	v말고는 다 하다

✦ 동명사 표현

형태	의미
adjust to v-ing	v하는 것에 적응하다
be accustomed[used] to v-ing	v하는 것에 익숙하다
be busy v-ing	v하느라 바쁘다
be capable of v-ing	v할 수 있다
be committed to v-ing	v하는 데 헌신[전념]하다
be dedicated to v-ing	v하는 데 전념[헌신]하다
be devoted to v-ing	v하는 데 전념[몰두]하다
be good at v-ing	v하는 것을 잘하다
be worth v-ing (= It is worthwhile to-v)	v할 가치가 있다
contribute to v-ing	v하는 데 기여하다
far from v-ing	전혀 v하는 것이 아닌, v하기는커녕
feel like v-ing	v하고 싶은 생각이 들다
have difficulty[trouble, a hard time] (in) v-ing	v하는 데 어려움을 겪다
look forward to v-ing	v하기를 고대하다
object[oppose] to v-ing	v하는 것에 반대하다
on[upon] v-ing	v하자마자
spend[waste] A (on) v-ing	v하는 데 A(시간, 돈)를 쓰다[낭비하다]
There is no use v-ing	v해도 소용없다
There is no v-ing	v하는 것은 불가능하다
when it comes to v-ing	v하는 것에 관한 한

Test 1

1 ○　　　　　2 ○
3 × → be　　　4 × → hadn't[had not] spent

1 만약 DNA가 중요한 유일한 것이라면, 아이들에게 좋은 경험을 쏟아 부어 주고 그들을 나쁜 경험으로부터 보호할 이유가 없을 것이다.
　▶ If절에 과거시제가 쓰여 현재 사실의 반대 상황을 가정하고 있으므로 주절의 <조동사 과거형+v>는 적절하다.

2 과거의 역사 소설들이 엄격한 학문적 기준을 지켰다면, 많은 역사적 주제들은 오늘날에도 탐구되지 않은 채로 남아 있을 것이다.
　▶ If절은 과거(in the past) 사실의 반대를 가정하고 주절은 현재(today) 사실의 반대를 가정하는 혼합가정법이므로, If절의 <had p.p.>는 적절하다.

3 만약 우주 거인이 태양의 바깥층을 벗겨낸다면, 지구 전체는 몇 분 안에 기화될 것인데, 그러면 엄청나게 뜨거운 내부가 드러나게 될 것이기 때문이다.
　▶ 현재 일어날 가능성이 매우 희박하거나 불가능한 일을 가정하는 가정법 과거 문장이므로 주절은 <조동사 과거형+v>가 되어야 한다.

4 그녀가 기계적인 암기 반복에 너무 많은 시간을 쓰지 않고 읽기 과제의 의미를 분석하는 데 더 많은 시간을 썼다면, 그녀는 지난 학기 영어 시험에서 더 좋은 점수를 받았을 것이다.
　▶ 과거 사실의 반대를 가정하고 있으므로 if절에 <had p.p.>가 와야 한다.

어휘 matter 중요하다; 문제　fiction 소설; 허구　academic 학문적인; 학업의　cosmic 우주의; 어마어마한　giant 거인　peel (껍질을) 벗기다　vaporize 기화하다, 증발하다　tremendously 엄청나게　analyze 분석하다

Test 2

1 had not arrived at the scene of yesterday's forest fire / would be burning
2 had been entirely obsessed with perfection / could not have completed any of his books
3 did not categorize things and saw distinctive things as unique / would not even have
4 had not considered losses but instead (had) taken risks / would have been less likely to survive and become anyone's ancestors

1 ▶ If절은 과거(yesterday) 사실의 반대를 가정하고 주절은 현재(now) 사실의 반대를 가정하는 혼합가정법이므로, If절에는 <had p.p.>, 주절에는 <조동사 과거형+v>를 써서 혼합가정법 문장을 완성한다.

2 ▶ 과거 사실의 반대 상황을 가정하는 가정법 과거완료 문장이므로 if절에는 <had p.p.>, 주절에는 <조동사 과거형+have p.p.>를 쓴다.

3 ▶ 현재 일어날 가능성이 매우 희박하거나 불가능한 일을 가정하고 있으므로 If절에는 과거시제, 주절에는 <조동사 과거형+v>를 써서 가정법 과거 문장을 완성한다. if절의 동사 did not categorize와 saw는 접속사 and로 병렬 연결된다.

4 ▶ 과거 사실의 반대 상황을 가정하는 가정법 과거완료 문장이므로 If절에는 <had p.p.>, 주절에는 <조동사 과거형+have p.p.>를 쓴다. if절의 동사 had not considered와 (had) taken은 but으로 병렬 연결된다.

어휘 scene 현장; 장면　renowned 유명한, 명성 있는　be obsessed with ~에 집착하다, ~에 사로잡히다　perfection 완벽함　categorize 분류하다　distinctive (뚜렷이) 구별되는　in the pursuit of ~을 추구하여　be likely to-v v할 가능성이 있다

Test 1

1 × → accurately enough　　2 ○　　　3 ○

1 기상학자는 시기적절한 경보를 제공할 수 있을 만큼 정확하게 토네이도를 예측하기 위해 데이터 분석 기술을 이용한다.
　▶ 'v할 만큼 충분히 ~하게'라는 의미의 <부사 enough to-v> 구문이므로, accurately enough의 어순으로 고쳐야 한다.

2 도덕성에 대한 질문들은 입법 토론에서 종종 옆으로 밀려나는데, 답하기에는 너무 논쟁의 여지가 많아 보이거나, 최악의 경우 법률의 제정과 무관한 것으로 간주되기 때문이다.
　▶ 'v하기에는 너무 ~한'이라는 의미의 <too 형용사 to-v> 구문이 적절하게 쓰였다.

3 정치 스캔들이 존경받는 그 인물의 명성을 손상시켰을 때, 그것은 대중의 신뢰 하락으로 이어졌고, 결코 이전 수준을 회복하지 못했다.
　▶ '(그리고) 결코 v하지 못한'의 의미로 결과를 나타내는 부사적 역할의 <never to-v> 구문이 적절하게 쓰였다.

어휘 make use of ~을 이용하다　analysis 분석　tornado 토네이도, 회오리바람　timely 시기적절한; 적시에　morality 도덕(성)　legislative 입법의　controversial 논쟁의 여지가 많은, 논란이 많은　irrelevant 무관한　reputation 명성, 평판

Test 2

1 can be a great instructor to provide her friend with informative lectures
2 are ambiguous enough to cloud a product's actual features
3 In order to persuade the judge / the accused is so guilty as to get a punishment
4 cannot be fully appreciated because they are too minute for humans to perceive detailed structures

1 ▶ 'v하는 것을 보니'라는 판단의 근거를 나타내는 부사적 역할의 to부정사를 이용하여 영작한다. <provide A with B>는 'A에게 B를 제공하다'의 의미이다.

2 ▶ 'v할 만큼 충분히 ~한'이라는 의미의 <형용사 enough to-v> 구문을 활용하여 영작한다.

3 ▶ 주어진 어구에 in order가 있으므로 'v하기 위해'라는 의미의 <in order to-v> 구문을 활용한다. 또한 주어진 어구에 so와 as가 있으므로 'v할 만큼 ~한'이라는 의미의 <so 형용사 as to-v> 구문을 활용한다.

4 ▶ '너무 ~해서 v할 수 없는'이라는 의미의 <too 형용사 to-v> 구문을 활용하여 영작한다. 의미상의 주어 for humans는 to부정사 앞에 쓴다.

어휘 informative 유익한; 정보를 제공하는　promotional 홍보의　ambiguous 애매모호한　cloud 흐리게 하다　feature 특징, 특성; 특별히 포함하다　judge 판사; 심판　prosecutor 검사　construct 구성하다　the accused 피고(인)　attorney 변호사　organism 생물; 유기체　flea 벼룩　appreciate 식별하다; 진가를 알아보다　minute 미세한; 세심한　perceive 인식하다　unaided eye 육안(= naked eye)

Test 1

1 question → to question **2** this → it
3 them → for them **4** find → to find

1 인터넷에 존재하는 모든 것의 익명성의 수준을 고려하면, 당신이 받을 수 있는 모든 자료의 유효성에 의문을 제기하는 것은 합리적이다.
▶ 문맥상 '의문을 제기하는 것은 합리적이다'의 의미이므로, it은 가주어이고 to부정사구인 to question the validity ~가 진주어이다. 여기서 question은 명사가 아니라 동사로 사용되었음에 유의한다.

2 공중 보건과 주민의 전반적인 행복을 위해서는 소음공해 억제를 목표로 한 포괄적인 법률을 통과시키는 것이 시급하다.
▶ 문맥상 to부정사가 이끄는 부분이 진주어이므로 주어 자리에 가주어 it을 써야 한다.

3 고고학자들은 그들이 유형적인 측면보다 문화의 무형적인 측면에 대한 추론을 확인하고 끌어내는 것이 비교적 더 어렵다는 것을 안다.
▶ them은 to부정사의 의미상의 주어이므로 <for+목적격>의 형태로 고쳐 쓴다.

4 주장하건대, 시장이 이미 변형 제품들로 가득하다면 경쟁 업체들이 아직 손대지 않은 소비자 수요의 주머니를 찾는 것이 더 어려울지도 모른다.
▶ it은 가주어이고, 진주어가 필요하므로 find를 to find로 고쳐야 한다.

어휘 anonymity 익명(성) reside 존재하다; 거주하다 sensible 합리적인, 분별 있는 validity 유효성; 타당성 for the sake of ~을 위해서 overall 전체의, 전반적인 comprehensive 포괄적인; 종합적인 legislation (제정된) 법률; 법률의 제정 comparatively 비교적 inference 추론 intangible 무형의; 만질 수 없는 (↔ tangible 유형의; 만질 수 있는) arguably (충분한 근거를 갖고) 주장하건대, 거의 틀림없이 variant (다른 것과 약간 다른) 변형, 이형(異形) untapped 아직 손대지 않은; 미개발의

Test 2

1 it is a standard practice for game developers to wait until users have played
2 It would be very useful to know what would happen to your firm's total revenue
3 It was naive of him to overlook the intricacies of phone repair and (to) attempt to fix his broken device
4 is impossible for children to successfully find their way unless they know where their parents are

1 ▶ 의미상의 주어 for game developers를 to부정사 앞에 쓴다.
2 ▶ 진주어를 이끄는 to know 뒤에 목적어인 의문사절이 온다.
3 ▶ 사람에 대한 '비난'을 의미하는 형용사 naive가 쓰였으므로, 의미상의 주어 of him을 to부정사 앞에 쓴다. 두 개의 to부정사구(to overlook ~, to attempt ~)가 접속사 and로 병렬 연결되며, and 뒤의 반복되는 to는 대개 생략한다. attempt는 to부정사를 목적어로 취하므로 fix를 to fix로 쓴다.
4 ▶ 의미상의 주어 for children을 to부정사 앞에 쓴다.

어휘 prompt 유도하다; 촉발하다 revenue 수익; 세입 naive 순진해 빠진 overlook 간과하다; 눈감아주다 intricacy 복잡한 사항; 복잡함

Test 1

1 end → ends **2** treat → treating
3 returns → return **4** have → has

1 선택을 할 때 우리의 직감에 의존하는 것은 종종 우리가 차선의 선택을 하는 것으로 끝난다.
▶ 동명사구 주어는 단수 취급하므로 end는 ends로 고쳐 써야 한다.

2 평등은 동등한 자유 또는 (다른 사람과) 다를 수 있는 기회를 포함하며, 인간을 동등하게 대우하는 것은 우리가 그들의 유사점과 차이점을 모두 고려하도록 요구한다.
▶ 두 개의 절이 접속사 and로 병렬 연결된 형태이므로, 두 번째 절의 주어가 되도록 treat을 동명사 treating으로 바꾸어야 한다.

3 살아있는 것들은 생리적인 과정을 조절함으로써 자연스럽게 균형의 상태로 돌아가고, 그에 따라 체내의 평형상태를 유지한다.
▶ Living은 뒤에 오는 명사를 수식하는 현재분사이고, 주어가 복수명사(things)이므로 복수동사 return으로 고쳐 써야 한다.

4 환자의 치료에 있어서, 중요한 조치를 놓치지 않도록 확실히 하기 위해 체크리스트를 사용하는 것은 당면한 전염병을 예방하는 것에서부터 폐렴을 감소시키는 것에 이르기까지, 다양한 의학적 상황에서 현저하게 효과적인 것으로 판명되었다.
▶ 동명사구 주어는 단수 취급하므로 have는 has로 고쳐 써야 한다.

어휘 intuition 직감; 직관(력) end up with ~로 끝나다 equality 평등, 균등 take into account ~을 고려하다 physiological 생리적인 crucial 중요한 remarkably 현저하게 live 살아있는; (문제 등이) 당면한, 현재 관심 있는 infection 전염(병); 감염

Test 2

1 it was no use trying to concentrate on his work
2 Managing people in organizations requires being aware of their unique personalities and understanding what they are motivated by
3 Not wasting your listener's time is considered a fundamental principle / it will be worth listening to you
4 Controlling caloric intake / is the optimal approach for losing weight

1 ▶ 동명사 관용 표현 <it is no use v-ing(v해도 소용없다)>를 사용하여 영작한다.
2 ▶ requires의 목적어인 동명사구 being aware ~와 understanding ~이 접속사 and로 병렬 연결된다.
3 ▶ 주어는 동명사의 부정형이므로 <not+동명사>로 쓰고, '여겨진다'는 수동의 의미이므로 동사는 is considered로 쓴다. 'v하는 것이 가치 있다'는 동명사 관용 표현 <it is worth v-ing>를 사용하여 영작한다.
4 ▶ 문장의 주어가 되도록 control을 동명사 Controlling으로 변형한다. for 뒤에는 전치사의 목적어로 동명사 losing이 온다.

어휘 admit (병원에) 입원시키다; 인정하다 motivate 동기를 부여하다 fundamental 기본적인; 기초의 assess 가늠하다, 평가하다 caloric 칼로리의 strictly 엄격하게 restrict 제한하다 optimal 최적의

Test 1

1 × → been attracted　　**2** × → being ignored
3 ○　　　　　　　　　　**4** ○, × → being consumed

1 설문조사에 응한 대부분의 유권자들은 자신이 투표한 후보의 신체적 외모에 끌렸다는 것을 강하게 부인했지만, 증거는 당선 가능성에 대한 매력의 영향을 계속해서 확인해 주었다.
▶ 유권자가 후보의 신체적 외모에 '끌린' 수동관계이므로 과거완료 수동형인 had been attracted가 되어야 한다.

2 '방 안의 코끼리'는 무시되고 있거나 다뤄지지 않는 명백한 진실에 대한 영어 관용어이다.
▶ 명백한 진실이 '무시되고 있는' 수동관계이므로 현재진행 수동형인 is being ignored가 되어야 한다.

3 그의 딸이 지난 두 달 동안 학업을 게을리해 왔고 조류 연구에 과도하게 몰두했기 때문에, 그는 딸과 대화해 보기로 결정했다.
▶ 딸이 학업을 '게을리해 왔던' 능동관계이므로 과거완료 진행형인 <had been v-ing>의 형태로 쓴 것은 적절하다.

4 최근의 연구 결과 이전에, 곡물이 네안데르탈인 유적지에서 발견되었지만, 그것들이 음식으로 소비되고 있었는지 아니면 어떤 다른 이유로 재배되고 있었는지는 알려지지 않았다.
▶ 곡물이 '발견된' 수동관계이므로 과거완료 수동형인 had been found는 적절하다. 그것들(곡물)이 '소비되고 있었던' 수동관계이므로 were consuming은 과거진행 수동형인 were being consumed가 되어야 한다. were being consumed와 (were being) cultivated는 or로 병렬 연결된다.

어휘 voter 유권자, 투표자　attract 마음을 끌다　cf. attractiveness 매력　confirm 확인해 주다, 사실임을 보여주다　electability 당선[선출] 가능성　obvious 명백한　unaddressed 다뤄지지 않은　neglect 게을리하다; 방치하다　excessively 과도하게　be[become] absorbed in ~에 몰두하다　finding 연구[조사] 결과　cultivate 재배하다; 함양하다

Test 2

1 were being given / were holding various demonstration materials
2 have been replaced with artificial environments to feed the growing population / is threatening biodiversity

1 ▶ 첫 번째 빈칸은 안전 지시가 '주어지고 있던' 수동/진행의 의미이므로 <be being p.p.> 형태로 쓴다. 두 번째 빈칸은 승무원들이 '들고 있던' 능동/진행의 의미이므로 <be v-ing>의 형태로 쓴다.

2 ▶ 첫 번째 빈칸은 자연 서식지들이 인공 환경으로 '대체되어 온' 수동/현재완료의 의미이므로 <have been p.p.>의 형태로 쓴다. 두 번째 빈칸의 this는 앞 절 전체 내용을 지칭한다. 서식지의 변화가 생물 다양성을 '위협하고 있는' 능동/진행의 의미이므로 <be v-ing> 형태로 쓴다.

어휘 instruction 지시; 설명(서)　demonstration (사용법에 대한) 시범 설명; 입증; 시위　millennium 천 년《복수형 millennia》　diverse 다양한　habitat 서식지　replace A with B A를 B로 대체하다　artificial 인공의; 인위적인　feed 부양하다; 먹이를 주다　biodiversity 생물 다양성

Test 1

1 are Mondays → Mondays are
2 did the author write → the author wrote
3 ○　　　　　　　　　　**4** ○

1 특히 전통적인 월요일부터 금요일까지의 주 노동 시간을 따르는 사람들에게 월요일이 왜 그렇게 힘든지를 설명하는 데 도움이 되는, 신체의 자연적 순환을 수반하는 생리적 요인들이 있다.
▶ why 이하는 explain의 목적어인 명사절이므로 <의문사+주어+동사>의 어순으로 써야 한다.

2 '슈퍼맨'의 초기 성공 뒤에 숨겨진 비밀은 작가가 일상적인 사람들에게 영향을 미쳤던 실제 문제들에 대해 어떻게 썼는지, 그리고 그 등장인물이 어떻게 현실 도피의 느낌을 제공했는지에 있었다.
▶ how 이하는 동사 were의 보어인 명사절이므로 <의문사+주어+동사>의 어순으로 써야 한다.

3 우리는 뜻밖의 사고가 일어날 것은 알고 있지만 그 일이 무엇일지는 정확히 예측할 수 없으므로, 재난 대비는 재난 예행연습과 같은 것이 될 수 없다.
▶ what 이하는 predict의 목적어로 <의문사+주어+동사>의 어순이 적절하다.

4 우리의 정체성은 우리가 누구처럼 되기를 원하는지에 대한 우리의 선택의 결과이며, 많은 경우에 우리가 무엇을 사는지는 다른 사람들처럼 되기를 원하는 이 욕구에 기초하여 결정된다.
▶ 전치사 about의 목적어로 <의문사+주어+동사>의 어순이 적절하다. what we buy는 and 뒤의 절의 주어로 쓰인 의문사절로 마찬가지로 <의문사+주어+동사>의 어순이 적절하다.

어휘 precisely 정확히　disaster 재난, 재해　identity 정체성; 신원; 유사성

Test 2

1 is when the first galaxies formed after the Big Bang
2 Which programming language you specialize in can determine your niche
3 Which do you guess is more helpful in motivating your sales team / how achievable the sales goals are
4 shows what stimuli attract their attention / why these stimuli stand out among others / how they are integrated into a larger context

1 ▶ 동사 is의 보어로 <의문사+주어+동사> 어순의 의문사절을 쓴다.

2 ▶ 의문사 Which가 명사 programming language를 수식하므로, <의문사(Which)+명사(programming language)+주어(you)+동사(specialize in)>의 어순으로 주어인 의문사절을 영작한다.

3 ▶ <do you guess>에 의문사절이 이어지므로 의문사 Which가 문장 앞에 온다. Assess의 목적어 자리에는 의문사 how가 이끄는 의문사절이 오는데, how가 형용사 achievable과 의미상 강하게 연결되므로 <의문사(how)+형용사(achievable)+주어(the sales goals)+동사(are)>의 어순으로 쓴다.

4 ▶ shows의 목적어인 3개의 의문사절이 and로 병렬 연결되었다. what stimuli는 의문사가 명사를 수식하므로 의문사 자리에 한 덩어리로 쓴다.

어휘 galaxy 은하　specialize in ~을 전문으로 하다, ~을 전공하다　domain 영역, 범위　achievable 달성할 수 있는　psychological 심리학적인　stimulus 자극《복수형 stimuli》　stand out 눈에 띄다, 빼어나다　integrate 통합하다

Test 1

1 are → do
2 developing countries have → do developing countries have
3 is → are

1 농구나 야구 같은 스포츠 규칙 내에서만 점프 슛을 하거나 땅볼을 잡아서 처리하는 행위가 의미가 통하고 가치를 띤다.
  ▶ 주어인 the activities가 복수이고 동사로 일반동사 make와 take on이 쓰였으므로 are를 조동사 do로 고쳐야 한다.

2 개발 도상국은 선진국의 기후보다 더 따뜻한 기후를 가지고 있을 뿐만 아니라, 농업과 관광업 같은 기후에 민감한 부문에 더 많이 의존하기도 한다.
  ▶ 부정어구 Not only가 문두에 왔으므로 <조동사(do)+주어(developing countries)+동사(have)>의 어순으로 고쳐야 한다.

3 특정 지역의 토착 언어들은 전통적인 공동체 밖에서 거의 말해지지 않아서, 그것들의 보전은 지역 참여에 많이 의존한다.
  ▶ 주어인 languages가 복수이므로 is를 are로 고쳐야 한다.

어휘 take on (특정한 특질, 모습 등을) 띠다   sector 부문, 분야   agriculture 농업 native 토착의, 원주민의   preservation 보전, 유지; 보호   engagement 참여

Test 2

1 Little did they know that
2 Not only is it necessary to vote
3 Only when the devastating impact of cholera became widely acknowledged had public sanitation reforms been implemented

1 그들이 벽장에 보관했던 것이 사실은 20세기의 걸작 중 하나라는 것을 그들은 거의 알지 못했다.
  ▶ 부정어 Little을 문두에 쓰고, <조동사(did)+주어(they)+동사(know)> 어순으로 도치한다.

2 선거에서 투표하는 것은 필수적일 뿐만 아니라, 민주적인 절차를 강화하는 역할도 한다.
  ▶ 동사가 be동사인 경우, <be동사+주어>의 어순으로 도치한다.

3 콜레라의 파괴적인 영향이 널리 인정되었을 때에야 비로소 공중위생 관리 개선이 런던에서 시행되었다.
  ▶ 부정부사가 이끄는 부사절이 강조되어 앞으로 오면, 부사절은 정상어순이고 주절의 어순이 도치된다.

어휘 closet 벽장   masterpiece 걸작   election 선거; 당선   democratic 민주적인; 민주주의의   sanitation 위생 관리; 위생 시설   reform 개선, 개혁   implement 시행하다; 도구   devastating 대단히 파괴적인; 충격적인   acknowledge 인정하다

Test 3

1 Not until the Sun sets beyond the horizon do the stars begin
2 Under no circumstances could cookies damage your computer / nor could they access your personal data

1 ▶ 부정부사가 이끄는 부사절이 강조되어 앞으로 왔으므로 부사절은 정상 어순으로 쓰고, 주절을 <조동사(do)+주어(the stars)+동사(begin)>의 어순으로 도치시킨다.

2 ▶ 두 절 모두 부정어구가 문두에 오므로 <조동사+주어+동사> 어순으로 도치시킨다.

어휘 horizon 지평선, 수평선   reveal 드러내다; 폭로하다   under no circumstances 어떤 경우에도 (~ 않다)   access 접근하다; 이용하다   consent 동의, 허락

Test 1

1 it not for access to clean water
2 it had not been for the fall of the Berlin Wall

1 깨끗한 물을 이용할 수 없다면, 공동체는 그들의 주거지를 떠날 수밖에 없을 것이다.
  ▶ 가정법 과거 문장이므로, Without(~이 없다면)을 If를 생략한 Were it not for ~로 바꿔 쓴다.

2 베를린 장벽의 붕괴가 없었다면, 냉전의 종식은 무기한으로 지연되었을지도 모른다.
  ▶ 가정법 과거완료 문장이므로, But for(~이 없었다면)를 If it had not been for ~로 바꿔 쓴다.

어휘 indefinitely 무기한으로

Test 2

1 If it were not for the decomposing activity of microorganisms / would be covered with undecayed leaves
2 Had early humans not discovered the principles of the wheel / they could not have applied its advantage to other tools / would have altered
3 Were it not for our reliance on routines / our lives would be in chaos / we would struggle to maintain productivity
4 If it had not been for competition between political ideologies / we might not have experienced such diverse perspectives shaping our society

1 ▶ be covered with: ~로 덮여 있다

2 ▶ 주어진 어구에 if가 없으므로 조건절에서 if를 생략하고 주어(early humans)와 조동사(Had)를 도치한다.

3 ▶ 주어진 어구에 if가 없으므로 조건절에서 if를 생략하고 주어와 동사를 도치하여 영작한다.

4 ▶ such+(a(n))+(형)+명: 너무 ~한 …

어휘 decompose 분해하다; 부패하다   microorganism 미생물   reliance 의존 chaos 혼란, 무질서   productivity 생산성   ideology 이념, 이데올로기 perspective 관점; 원근법

Test 1

1 The charity event having finished successfully
2 Having been reminded of the importance of critical thinking skills

1 자선 행사가 성공적으로 끝났기 때문에 충분한 기금이 지역 병원으로 보내졌다.
▶ 부사절의 시제가 주절의 시제보다 앞서므로 having p.p.의 형태이고, 주어가 서로 다르므로 분사 앞에 주어를 써 준다. 빈칸 개수로 보아, 접속사는 생략한다.

2 그에게 비판적 사고 능력의 중요성이 상기되었기 때문에, Brown 선생님은 학생들이 수업 전반에 걸쳐 토론에 적극적으로 참여하게 만들기로 결심했다.
▶ 부사절의 시제가 주절의 시제보다 앞서고 수동태이므로 having been p.p.를 쓴다. 빈칸 개수로 보아, having been은 생략하지 않는다.

어휘 remind A of B A에게 B를 상기시키다　critical 비판적인; 대단히 중요한　be determined to-v v하기로 결심하다

Test 2

1 × → Having taken　　2 ○　　3 ○

1 10년 전 수중 고고학의 세계로 첫발을 내디딘 후에, 그는 이제 지중해 속 가라앉은 도시들을 탐험하는 새로운 모험을 시작하려고 한다.
▶ ten years ago로 보아 과거시제이므로 주절의 시제(is)보다 앞서고, 그가 '첫발을 내디딘' 능동관계이므로 Having taken이 적절하다.

2 원래 소유주들에 의해 버려지자마자 그 오래된 공장은 문화 예술 센터의 용도로 변경되었다.
▶ 공장이 소유주들에 의해 '버려진' 것이므로 (being) abandoned는 알맞다. 의미를 분명히 하기 위해 접속사 Once를 분사 앞에 그대로 둘 수 있다.

3 업무 참여의 추진 요인은 상황적인 것과 개인적인 것이라는 두 가지 주요 진영으로 나뉜다. 예를 들어, 상황적 원인은 직무 자원, 피드백, 그리고 리더십이며, 후자(리더십)는 직무 자원과 피드백에 대한 책임이 있다.
▶ and the latter is responsible ~의 의미로, 주어 the latter (= leadership)가 앞 절의 주어(the situational causes)와 달라서 주어를 생략하지 않았다.

어휘 archaeology 고고학　sunken 가라앉은　the Mediterranean 지중해　repurpose 다른 용도에 맞게 변경하다　driver 추진 요인, 동인　fall into ~로 나뉘다

Test 3

1 When overwhelmed by the inflow of information
2 Having caught the eye of the gallery owner in an amateur exhibition

1 ▶ When we are overwhelmed by ~를 분사구문으로 바꾸면 (Being) Overwhelmed by ~가 되며, 의미를 분명히 하기 위해 접속사 When을 분사 앞에 써 주어도 된다.
2 ▶ 분사구문이 주절보다 앞선 시제이므로 having p.p. 형태로 쓴다.

어휘 overwhelm 압도하다; 어쩔 줄 모르게 만들다　inflow 유입　screen out ~을 걸러내다[차단하다]　exhibition 전시(회)　prestigious 명망 있는; 일류의

Test 1

1 were → have been　　2 won't → don't
3 consider → considered　　4 will perceive → perceive

1 지금까지 여러 해 동안, 참치와 황새치는 세계적인 수요를 충족시키기 위한 통제되지 않은 남획으로 인해 꾸준히 감소해 왔다.
▶ 부사구 For many years now가 과거부터 현재까지 계속되었음을 나타내므로 현재완료시제 have been이 적절하다.

2 특정 제품의 판매를 늘리기 위해서, 왜 그것이 독특한지 그리고 고객이 그 제품을 빨리 구매하지 않으면 무엇을 놓치게 될 것인지를 언급해야 한다.
▶ 조건을 나타내는 접속사 if가 이끄는 부사절에서는 현재시제가 미래시제를 대신한다.

3 책이 거의 없었고 대부분의 사람들이 글을 읽을 수 없었을 때, 사람들은 노인의 지혜를 중요하게 여겼다.
▶ 부사절 When there were ~ read가 명백한 과거 시점이므로 주절의 동사도 과거시제 considered가 적절하다.

4 사람들이 금융위기를 큰 문제로 인식할 때까지는, 그들은 경고 신호들을 무시하고 해결책을 찾기 위한 모든 의미 있는 노력을 지연시킬 것이다.
▶ 시간을 나타내는 접속사 Until이 이끄는 부사절에서는 현재시제가 미래시제를 대신한다.

어휘 in decline 감소하는; 쇠퇴하는　overfishing (어류) 남획　miss out on ~을 놓치다　perceive 인식하다, 인지하다

Test 2

1 the elderly of the roles that have provided meaning in their lives
2 the local ecosystem faces a severe decline in its ability
3 began as a day focused on intense shopping and discounts / has been an unofficial U.S. holiday
4 traveled quite long distances / extended far beyond their own families

1 ▶ <deprive A of B(A에게서 B를 빼앗다)>에서 B에 해당하는 the roles는 관계대명사절의 수식을 받는다. that이 이끄는 관계대명사절 안에서는 부사구 so far가 과거부터 현재까지 계속되었음을 나타내므로 현재완료시제 have provided가 적절하다.
2 ▶ 시간을 나타내는 접속사 After가 이끄는 부사절에서는 현재시제가 미래시제를 대신한다.
3 ▶ 부사구 in the early 1980s는 명백한 과거 시점을 나타내므로 앞 절에는 과거시제 began이 적절하고, 부사구 since then은 과거부터 현재까지 계속되었음을 나타내므로 and 이하의 절에는 현재완료시제 has been이 적절하다.
4 ▶ 부사구 As far back as 130,000 years ago는 과거 시점을 나타내므로 두 절의 동사는 모두 과거시제가 적절하다.

어휘 involuntary 원치 않는, 본의 아닌　retirement 은퇴　isolation 고립　migrate 이동하다, 이주하다　in search of ~을 찾아서　sustenance 음식물, 생명을 유지시켜 주는 것

Test 1

1 × → began   2 × → had   3 ○
4 × → was   5 ○

1 우리가 지금 '고전 음악'이라고 부르는 것의 작곡과 연주는 처음에 왕실 후원자들의 특정한 오락 요구를 충족시키는 음악의 한 형태로 시작되었다.
▶ 고전 음악은 과거에 시작된 것이므로 과거시제 began으로 고쳐야 한다. what we now call의 시제와는 별개임에 유의하자.

2 농구 코트에 발을 디디자, 그는 자신이 지난 경기에서 팀을 패배로 이끌었던 것이 떠올라 갑자기 초조해졌다.
▶ 회상한(recalled) 순간보다 지난 경기에서 팀을 패배로 이끈 것이 더 과거의 일이므로 과거완료시제 had led가 알맞다.

3 아테네의 위대한 영웅 테세우스가 전쟁에서 돌아온 후, 그를 싣고 왔던 배는 너무나 소중히 여겨져서 마을 사람들은 오랫동안 그것을 보존했다.
▶ 테세우스가 전쟁에서 돌아왔던(returned) 것보다 그를 배로 실어 나른 것이 더 과거의 일이므로 과거완료시제가 알맞다.

4 저작권 보호 기간은 수년에 걸쳐 꾸준히 늘어났다. 이제 우리는 1998년의 저작권 기간 연장법에 의해 정해진 사후 70년의 표준을 따른다.
▶ 1998년에 정해진 것이므로 과거시제 was set이 알맞다.

5 전자 타이핑 기술이 발전했을 때까지 수동 타자기 시대에 개발된 QWERTY 키보드가 널리 쓰였으며, 그것의 배치는 현대에도 여전히 표준으로 쓰인다.
▶ 전자 타이핑 기술이 발전하기 이전에 QWERTY 키보드가 널리 사용된 것이므로 과거완료시제가 알맞다.

어휘 composition 작곡; 구성 initially 처음에 entertainment 오락(물); 접대 royal 왕실의 patron 후원자; 고객 treasure 대단히 소중히 여기다 preserve 보존하다 duration (지속되는) 기간 era 시대 manual 수동의; 손으로 하는 adopt 쓰다; 채택하다 layout 배치 contemporary 현대의; 동시대의

Test 2

① had → has, since then이 쓰여 the idea가 과거 영국인들에 의해 고안된 이후 지금까지 널리 퍼져 왔음을 의미하므로 현재완료시제가 적절하다.

나무를 심는 것이 사회적 또는 정치적 의의를 가질 수 있다는 생각은 이후에 그것이 널리 퍼지긴 했지만 영국인들에 의해 고안된 것으로 보인다. Keith Thomas의 역사서인 'Man and the Natural World'에 따르면, 17세기와 18세기 귀족들은 자신들의 소유지의 범위와 그것에 대한 자신들의 권리 주장의 영속성을 분명히 하기 위해 보통 줄지어 활엽수를 심기 시작했다. 나무를 심는 것은 애국적인 행위로 간주되는 추가적인 이점이 있었는데, 국왕이 영국 해군이 의존하는 활엽수의 심각한 부족을 공표했었기 때문이었다.
▶ ② seventeenth- and eighteenth-century라는 과거 시점의 일이므로 과거시제는 적절하다.
③ 국왕이 활엽수의 부족을 공표한 이후, 나무를 심는 것이 애국적인 행위로 여겨진 것이므로 더 앞선 과거를 나타내는 과거완료시제는 적절하다.

어휘 significance 의의, 중요성; 의미 declare 분명히 말하다; 공표하다 extent 범위; 정도 property 소유지; 부동산; 재산 permanence 영속성 patriotic 애국적인

---

01 × → competing, ○
02 × → too crucial, × → can they influence
03 × → applied, × → apply
04 × → reduced[been reducing], × → would
05 × → had, ○
06 ④ evolve → have evolved, 과거의 일을 반대로 가정하므로 주절의 시제는 <조동사 과거형+have p.p.>가 되어야 한다.
07 how they start their day not only impacts that day but impacts every aspect of their lives
08 one of them ordinarily making an offer and another accepting it
09 is often criticized as being thoughtless to speak loudly in quiet environments / there being a tacit expectation of silence / our society could not function smoothly
10 many researchers have made errors by leaping to the conclusion / you conduct a controlled experiment can you make a correct conclusion
11 have they recognized what effects it can cause to the body
12 Expanding the focus of attention has the potential to alleviate stress levels / allows individuals to perceive the situation / distance themselves from anxiety-inducing elements
13-14 ④ do → does, 주어는 he이므로 단수동사 does로 고쳐야 한다. / ⑤ enough hot → hot enough, 'v할 만큼 충분히 ~한'이라는 의미의 <형용사 enough to-v> 구문이므로 hot enough의 어순이 되어야 한다.
15 (A) fall into the trap of discouragement / won't achieve success (B) can you be guided to where you want to be
16 (A) × → to be (B) ○ (C) × → Respecting[To respect]
17 (A) should understand what is being offered
(B) is essential to provide content that is meaningful enough to convince them

01 형형색색의 나무들은 빨간색, 주황색이 노란색, 금색과 겨뤄서 불이 난 것처럼 보였다. 우리는 그런 아름다운 경치를 봐서 신이 났다.
▶ 두 문장을 연결하는 접속사가 없으므로 competed는 competing으로 고쳐 분사구문을 완성한다. 의미상의 주어 the reds and oranges가 앞 절의 주어(The colorful trees)와 달라서 주어를 생략하지 않았다. / 'v해서 ~, v하다니 ~'라는 의미의 감정의 원인을 나타내는 부사적 역할의 to부정사는 알맞게 쓰였다. •Rank 13 to부정사의 부사적 역할, Rank 20 주의해야 할 분사구문

02 오늘날의 세상에서, 광고 회사의 역할은 문화적 대화에 있어 너무 중요해서 무시될 수 없다. 그것들은 영향력 강한 캠페인을 통해 대중 담론에 영향을 미칠 수 있을 뿐만 아니라, 그것들은 또한 새로운 유행을 소개한다.
▶ '너무 ~해서 v할 수 없는'이라는 의미의 <too 형용사 to-v> 구문이므로 too crucial의 어순이 되어야 한다. / 부정어구 not only가 문두에 왔으므로 <조동사(can)+주어(they)+동사(influence)>의 어순으로 고친다. •Rank 13 to부정사의 부사적 역할, Rank 18 부정어구 강조+의문문 어순
어휘 discourse 담론; 담화 impactful 영향력이 강한

03 단단히 붙잡기 위해서는, 손가락들에 의해 가해지는 힘이 균형을 유지해야 한다. 만약 여러분이 한 손가락에 다른 손가락보다 더 적은 힘을 가하면, 물체는 위치를 유지하지 않을 것이고 여러분의 손가락들에서 미끄러져 나갈 것이다.
▶ 수식받는 명사 the forces가 손가락들에 의해 '가해지는' 수동관계이므로

과거분사 applied로 고쳐야 한다. / 조건을 나타내는 접속사 If가 이끄는 부사절에서는 현재시제가 미래시제를 대신한다. •Rank 05 현재분사 vs. 과거분사_명사 수식, Rank 21 주의해야 할 시제 I

어휘 apply 힘을 가하다, 누르다; 적용하다

04 계단의 도입 이래 줄곧 그것들은 인간이 주어진 높이를 올라가기 위해 필요한 힘을 줄여줘 왔다. 만약 우리가 모든 계단을 없애고 바로 그 아래에서부터 우리의 목적지로 곧바로 올라간다면, 필요한 힘은 훨씬 더 클 것이다.
▶ 주어 they는 stairs를 가리키며, 계단이 '줄여줘 온' 능동관계이므로 현재완료 have reduced 또는 현재완료 진행형 have been reducing으로 고쳐야 한다. / If가 이끄는 절에는 were to가 쓰여 현재 일어날 가능성이 매우 희박하거나 불가능한 일을 가정하고 있으므로 주절에 <조동사 과거형+v>가 와야 한다. •Rank 12 if+가정법, Rank 16 진행·완료시제의 능동 vs. 수동

어휘 ascend 올라가다, 오르다   eliminate 없애다

05 한 연구는 중간 수준의 역경에 직면했던 사람들이 역경이 거의 없었던 사람들보다 더 건강한 것으로 보였다고 보고했는데, 이는 적당한 양의 스트레스가 회복력을 높이는 측면에서 무엇을 제공할 수 있는지를 밝혀 준다.
▶ 건강한 것으로 보인(appeared) 것보다 역경에 직면했던 것이 더 과거의 일이므로 과거완료시제 had faced가 적절하다. / what 이하는 동사 reveals의 목적어인 명사절이고 명사절에서 의문사가 목적어 역할을 하므로 <의문사+주어+동사>의 어순은 알맞다. •Rank 17 의문사가 이끄는 명사절의 어순, Rank 22 주의해야 할 시제 II

어휘 intermediate 중간의; 중급의   adversity 역경   moderate 적당한; 보통의   resilience 회복력; 탄성

06 환경은 끊임없이 변하고 있으며 진화하는 개체군들에 새로운 문제들을 제공하고 있다. 더 고등한 생물들에게, 환경상의 가장 중요한 변화는 다른 생물들의 동시에 발생하는 진화에 의해 만들어지는 것들이다. 발가락이 다섯 개인 발에서 말발굽으로의 진화는 말이 펼쳐진 평원 위를 빠르게 질주할 수 있게 해 주었다. 하지만 그러한 질주는 포식자에게 쫓기고 있지 않는 한 말에게 이점이 없다. 육식 포식자가 그와 동시에 더 효율적인 공격 방법을 진화시키고 있었다는 사실이 없었다면 말의 효율적인 달리기 방법은 결코 진화하지 않았을 것이다.
▶ had it not been for A = if it had not been for A = without[but for] A •Rank 19 if절을 대신하는 여러 표현

어휘 contemporaneous 동시에 발생하는   plain 평원, 평지

07 ▶ that절의 주어 자리에 의문사 how가 이끄는 명사절을 <의문사+주어+동사+목적어>의 어순으로 영작한다. 이어서 상관접속사 <not only A but (also) B>로 두 개의 동사구를 연결하는데, 명사절은 단수 취급하므로 동사는 impacts로 바꿔 쓴다. •Rank 02 주어-동사의 수일치 II, Rank 10 상관접속사의 병렬구조, Rank 17 의문사가 이끄는 명사절의 어순

08 ▶ 그들 중 한쪽이 제안을 '하고' 다른 쪽이 '수락하는' 능동관계이므로 각각 making, accepting으로 바꾸고, 부사절과 주절의 주어가 서로 다르므로 분사 앞에 각각 주어 one of them, another를 쓴다. 두 개의 분사구문은 접속사 and로 병렬 연결한다. •Rank 09 등위접속사의 병렬구조, Rank 20 주의해야 할 분사구문

어휘 mutual 상호간의, 서로의   ordinarily 보통

09 ▶ 첫 번째 빈칸은 to speak ~를 진주어로 하는 <가주어-진주어(to부정사)> 구문으로 영작한다. 콤마 뒤에는 부사절에 <there+is[are]> 구문이 있는 문장을 분사구문으로 표현한 there being ~을 쓴다. 두 번째 문장에서 Without은 '~이 없다면'이라는 의미로 현재 사실을 반대로 가정하므로, 주절에는 <조동사 과거형+v>를 쓴다. •Rank 14 가주어-진주어(to부정사), Rank 19 if절을 대신하는 여러 표현, Rank 20 주의해야 할 분사구문

어휘 smoothly 순조롭게; 부드럽게

10 ▶ 부사구 So far가 과거부터 현재까지 계속되었음을 나타내므로 첫 번째 문장의 동사는 현재완료시제 have made로 쓴다. 부정부사 Not이 이끄는 부

사절이 강조되어 앞으로 왔으므로 부사절은 정상어순으로 쓰고, 주절을 <조동사(can)+주어(you)+동사(make)>의 어순으로 도치시킨다. •Rank 18 부정어구 강조+의문문 어순, Rank 21 주의해야 할 시제 I

어휘 leap 갑자기 ~에 도달하다, (서둘러) ~하다; 뛰다   variable 변수; 변동이 심한

11 과학자들은 외로움이 감정적으로 고통스럽고 우울증과 같은 정신 의학적 장애로 이어질 수 있다는 것을 오랫동안 알고 있었다. 하지만 최근에서야 그들은 그것이 신체에 어떤 영향을 미칠 수 있는지를 인식했다. UCLA의 연구자들은 사회적 고립이 만성적인 염증을 야기하는 세포 변화를 촉발하며, 외로운 사람들을 심장병, 뇌졸중, 알츠하이머병 같은 심각한 신체 질환에 취약하게 한다는 것을 발견했다. 한 분석 연구는 340만 명의 사람들을 추적한 70개 연구에서 데이터를 모았는데, 외로운 개인들이 사망할 위험이 26% 더 높은 것을 발견했다. 이 수치는 그들이 혼자 산다면 32%로 올랐다.
▶ 부정어 only가 이끄는 부사구가 문두에 왔으므로 <조동사(have)+주어(they)+동사(recognized)>의 어순으로 영작한다. recognized의 목적어 자리에는 의문사 what이 이끄는 명사절을 쓰는데, 명사절에서 의문사가 목적어 역할을 하는 명사를 수식하므로 <what+명사+주어+동사>의 어순으로 쓴다. •Rank 17 의문사가 이끄는 명사절의 어순, Rank 18 부정어구 강조+의문문 어순

어휘 disorder 장애, 이상   depression 우울증   trigger 촉발하다, 유발하다   cellular 세포의   chronic 만성적인   inflammation 염증   condition 질환; 상태   stroke 뇌졸중   pool (정보 등을) 모으다   figure 수치; 숫자

12 흩어진 주의는 스트레스를 놓아주는 능력을 해치는데, 여러분의 주의가 나뉘어 있더라도, 여러분의 경험에서 스트레스를 일으키는 부분에만 집착할 수 있어서 주의가 좁게 집중되기 때문이다. 여러분의 주의의 스포트라이트가 넓혀지면, 여러분은 더 쉽게 스트레스를 놓아줄 수 있다. 여러분은 어떤 상황에서든 더 많은 측면을 균형 있는 시각으로 볼 수 있고 여러분을 피상적이고 불안을 유발하는 수준의 주의에 얽매는 한 부분에 갇히지 않을 수 있다. 좁은 초점은 각 경험의 스트레스 수준을 고조시키지만, 넓어진 초점은 여러분이 각 상황을 더 넓은 시각에 더 잘 둘 수 있어서 스트레스 수준을 낮춘다. 불안을 유발하는 하나의 세부 사항은 더 큰 그림보다 덜 중요하다.
[요약문] 주의의 초점을 확장하는 것은 스트레스 수준을 완화할 가능성이 있는데, 그것이 개인들이 상황을 더 넓은 시각에서 인식하고 자기 자신을 불안을 유발하는 요소에서 멀리 떨어뜨리게 해주기 때문이다.
▶ 주절의 주어로는 동명사구 Expanding ~ attention을 쓰고 단수동사 has로 받는다. as가 이끄는 부사절은 동사 allows의 목적격보어 두 개가 접속사 and로 병렬 연결된 구조로 영작한다. allow는 목적격보어로 to-v를 가지므로 목적격보어로 to perceive, and 뒤에는 to가 생략된 distance를 쓴다. •Rank 02 주어-동사의 수일치 II, Rank 07 동사+목적어+보어 I, Rank 09 등위접속사의 병렬구조, Rank 15 주어로 쓰이는 동명사

어휘 scattered 흩어진   let go of ~을 놓아주다   fixate 집착하다; 고정시키다, 정착시키다   put A in perspective A를 올바른 균형으로 보다, A를 객관적으로 보다   tie down ~을 얽매다   provoke 유발하다   turn down 낮추다; 거절하다   alleviate 완화하다   distance A from B A를 B에서 멀리 떨어지게 하다   induce 유발하다

[13-15]
아무것도 즉시 일어나지 않으며, 그래서 처음에는 우리는 연습에서 어떤 결과도 볼 수가 없다. 이는 나뭇가지 두 개를 함께 문질러 불을 만들려고 애쓰는 남자의 예와 같다. 그는 "그들이 말하길 여기에 불이 있대."라고 혼잣말을 하고는 힘차게 문지르기 시작한다. 그는 문지르고 또 문지르지만, 매우 성급하다. 그는 불을 얻고 싶지만, 불은 나오지 않는다. 그래서 그는 낙담해서 잠시 쉬기 위해 멈춘다. 그다음 그는 다시 시작하지만 진행 속도는 느리고, 그래서 그는 다시 쉰다. 그때 열기는 사라진다. 그는 충분히 오래 그것을 계속하지 않았다. 그는 지칠 때까지 문지르고 또 문지르고 나서 완전히 그만둔다. 그는 지칠 뿐만 아니라, 또한 완전히 포기할 때까지 그는 점점 더 의욕이 꺾인다. "여기에는 불이 없어." 사실, 그는 그 일을 하고 있었지만, 나뭇가지들은 불이 붙을 만큼

충분히 뜨겁지 않았다. 불은 항상 그곳에 있었지만, 그는 끝까지 계속하지 않았다.

어휘 rub 문지르다　impatient 성급한　keep at (일을) 계속하다　carry on 계속하다

13-14

▶ ④ 부정어구 Not only가 강조되어 앞으로 와서 <조동사(does)+주어(he)+동사(grow)>의 어순이 되었다. **•Rank 18** 부정어구 강조+의문문 어순 / ⑤ **•Rank 13** to부정사의 부사적 역할

15 [요지] 여러분이 좌절의 덫에 빠져 포기한다면, 여러분은 성공을 이룰 수 없을 것이다. 여러분이 노력을 유지할 때만 여러분은 여러분이 있고 싶은 곳으로 이끌어질 수 있다.

▶ (A) 조건을 나타내는 접속사 If가 이끄는 부사절에서는 현재시제가 미래시제를 대신하므로 부사절의 동사는 fall로 쓰고, 주절의 동사는 미래시제 won't achieve로 쓴다. **•Rank 21** 주의해야 할 시제 I

(B) 부정부사 Only가 이끄는 부사절이 강조되어 앞으로 왔으므로 주절은 <조동사(can)+주어(you)+동사(be guided)>의 어순으로 도치시킨다. 전치사 to의 목적어로 <의문사(where)+주어(you)+동사(want)> 어순의 명사절을 쓴다. **•Rank 17** 의문사가 이끄는 명사절의 어순, **Rank 18** 부정어구 강조+의문문 어순

[16-17]

이야기는 이야기꾼만큼만 믿을 수 있다. 이야기가 효과적이기 위해서는 신뢰가 확립되어야만 한다. 누군가 여러분의 말을 들으려고 멈출 때는 언제든, 무언의 신뢰 요소가 존재한다. 듣는 사람은 여러분이 자신에게 가치 있는 무언가, 즉 자신의 시간을 낭비하지 않을 무언가를 말할 것이라고 무의식적으로 믿는다. 여러분이 받고 있는 그의 몇 분간의 주의는 희생적이다. 그는 자신의 시간을 다른 곳에 쓰는 것을 선택할 수 있었지만, 그는 대화에서 여러분의 부분을 존중하기 위해 멈췄다. 이것이 이야기가 들어오는 곳이다. 이야기는 요점을 명확하게 보여주고 종종 주제들을 쉽게 연결하기 때문에 신뢰가 '빠르게' 확립될 수 있으며, 이러한 이야기의 시간 요소를 인식하는 것은 신뢰에 필수적이다. 듣는 사람의 시간을 존중하는 것이 여러분의 문장 처음의 대문자(시작점)이다. 그것은 '만약' 신뢰가 얻어지고 당연시되지 않는다면 들을 가치가 있는 문장으로 대화를 이끈다.

어휘 worthwhile 가치 있는　sacrificial 희생적인　take A for granted A를 당연시하다

16 ▶ (A) 'v하기 위해, v하도록'이라는 의미의 목적을 나타내는 부사적 역할의 to부정사로 고쳐야 한다. For a story는 to부정사의 의미상의 주어이다. **•Rank 13** to부정사의 부사적 역할

(B) choose는 to-v를 목적어로 취하므로 to spend는 알맞다. **•Rank 11** 동사의 목적어가 되는 to-v, v-ing

(C) 동사 is의 주어가 되도록 동명사 Respecting 또는 to부정사 To respect로 고쳐야 한다. **•Rank 15** 주어로 쓰이는 동명사

17 [요지] 여러분은 다른 사람들이 여러분의 말을 듣는 동안 무엇이 주어지고 있는지를 이해해야 한다. 그것은 그들의 소중한 시간이며, 그러므로 그들에게 그들이 왜 여러분에게 자신의 시간을 계속 투자해야 하는지를 납득시키기에 충분히 의미 있는 내용을 제공하는 것이 필수적이다.

▶ (A) 동사 should understand의 목적어 자리에 의문사 what이 이끄는 명사절을 써서 영작한다. 의문사가 명사절에서 주어 역할을 하므로 <의문사+동사>의 어순으로 쓰고, 무엇이 '주어지고 있는' 수동관계이므로 명사절의 동사는 현재진행 수동형인 is being offered로 쓴다. **•Rank 16** 진행·완료시제의 능동 vs. 수동, **Rank 17** 의문사가 이끄는 명사절의 어순

(B) to provide ~를 진주어로 하는 <가주어-진주어(to부정사)> 구문을 영작한다. to provide의 목적어 content를 수식하는 that절에는 'v할 만큼 충분히 ~한'이라는 의미의 <형용사 enough to-v> 구문을 사용한다. **•Rank 13** to부정사의 부사적 역할, **Rank 14** 가주어-진주어(to부정사)

어휘 content 내용; 함유량　convince 납득시키다; 설득하다　invest 투자하다

• 부분 점수

문항	배점	채점 기준
01-05	1	×는 올바르게 표시했지만 바르게 고치지 못한 경우
06	2	틀린 부분을 바르게 고쳤지만 틀린 이유를 쓰지 못한 경우
	1	틀린 부분을 찾았지만 바르게 고치지 못한 경우
07-10	3	어순은 올바르나 단어를 적절히 변형하지 못한 경우
12	5	어순은 올바르나 단어를 적절히 변형하지 못한 경우
13-14	2	틀린 부분을 바르게 고쳤지만 틀린 이유를 쓰지 못한 경우
	1	틀린 부분을 찾았지만 바르게 고치지 못한 경우
16	1	×는 올바르게 표시했지만 바르게 고치지 못한 경우

+ 동명동형

형태	동사 의미	명사 의미	형태	동사 의미	명사 의미
access	접근하다	접근	lack	~이 없다[부족하다]	부족, 결핍
address	연설하다; 다루다	연설; 주소	market	시장에 내놓다	시장; 거래
advance	전진하다, 나아가다	전진; 진보, 발달	matter	중요하다, 문제가 되다	상황; 문제
attribute	(~의) 탓[덕]으로 보다	자질, 속성	move	움직이다; (일이) 진행되다; 감동시키다	움직임; 이사
benefit	득을 보다; 유익하다	이득, 이익	need	(~을) 필요로 하다	필요; 욕구
cause	일으키다, 초래하다	원인, 이유	neglect	무시하다; 방치하다	방치, 소홀
challenge	도전하다; 이의를 제기하다	도전	order	정돈하다; 명령하다; 주문하다	순서; 정돈; 명령; 주문
conduct	수행하다	행동, 행위, 품행	present	주다; 제시[제출]하다	선물; 현재
contact	접촉하다; 연락하다	접촉; 연락	produce	생산하다; 낳다	농작물; 생산물
contract	계약하다	계약(서), 약정	progress	전진하다; 발달하다	진행; 향상, 발달
control	통제[억제]하다; 지배하다	통제, 억제; 지배력	promise	약속하다	약속
damage	손상을 주다, 피해를 입히다	손상, 피해	raise	(들어) 올리다; 기르다; 제기하다	(임금) 인상
demand	요구하다	요구; 수요	reach	~에 이르다[닿다]	거리, 범위
experience	경험하다	경험	release	방출하다; 개봉하다	방출; 해방; 개봉
face	직면하다; 향하다	얼굴; 표면; 정면	rise	오르다, 증가하다	상승; 성공, 출세
function	기능하다; 작동하다	기능	sentence	선고[판결]하다	(형의) 선고; 문장
increase	늘어나다; 증가시키다	증가	spread	퍼지다, 확산되다	확산, 전파
influence	영향을 주다	영향(력)	thought	((think의 과거형)) 생각했다	생각; 사상; 사고(력)
interest	관심[흥미]을 끌다	관심, 흥미; 이익	use	쓰다, 사용하다	사용, 이용
judge	판단하다	판사; 심판	value	가치 있게 여기다	가치; 값

RANK 23 명사절을 이끄는 접속사 that

p.47

Test 1

1 ○　　　　2 ○　　　　3 which → that

1 우리는 끊임없는 소통의 시대에 살고 있지만, 우리 중 더 많은 사람들이 우리가 예전 그 어느 때보다 서로 더 단절되어 있다고 느낀다.
▶ feel 뒤에는 목적어인 명사절을 이끄는 접속사 that이 생략되었다.

2 학교는 수리가 이루어지는 동안 한 달가량 강당을 사용할 수 없을 것이라고 우리에게 통보했다.
▶ informed의 직접목적어 자리에 접속사 that이 이끄는 명사절이 쓰였다.

3 쇼핑 카트의 창안자인 Sylvan Goldman은 상점에서 그의 반복된 설명에도 불구하고 쇼핑객들이 바퀴 달린 카트 사용을 꺼리는 것을 보았다.
▶ observed의 목적어 자리이므로 which를 명사절 접속사 that으로 고쳐 써야 한다.

어휘 disconnected 단절된　auditorium 강당; 객석　take place 이루어지다, 일어나다　be reluctant to-v v하기를 꺼리다

Test 2

1 that stress levels decreased for people who brought their dogs to the office
2 is that it ignores the unique characteristics of your child
3 Claiming that youth engagement in politics is diminishing does not fully account for
4 The irony of early democracy in Europe is that it thrived and prospered
5 will tell us that they prefer having more alternatives / that too many alternatives can cause confusion

1 ▶ 접속사 that이 이끄는 명사절이 목적어 역할을 한다.
2 ▶ 접속사 that이 이끄는 명사절이 보어 역할을 한다.
3 ▶ 접속사 that이 이끄는 명사절이 동명사 주어 Claiming의 목적어 역할을 한다.
4 ▶ 접속사 that이 이끄는 명사절이 보어 역할을 한다.
5 ▶ 첫 번째 빈칸에서는 접속사 that이 이끄는 명사절이 will tell의 직접목적어 역할을 하고, 두 번째 빈칸에서는 접속사 that이 이끄는 명사절이 보어 역할을 한다.

어휘 demonstrate (실례를 들어가며) 보여주다; 입증하다　adopt 채택하다; 입양하다　engagement 참여　diminish 줄어들다, 감소하다　account for ~을 설명하다　emergence 출현, 발생　irony 아이러니, 역설적인 점　thrive 번창하다; 잘 자라다　prosper 번성하다, 번영하다　remarkably 현저하게　alternative 대안; 대체의　confusion 혼란; 혼동

RANK 24 동사 자리 vs. 준동사 자리

p.48

Test 1

1 × → impacted　　　　2 ○, × → planning
3 × → Make, ○　　　　4 × → functioned, × → playing

1 마하트마 간디가 평생 동안 가졌던 비폭력 저항의 철학은 마틴 루터 킹 주니어가 미국에서 시민권을 위해 투쟁한 방식에 영향을 미쳤다.

▶ 문장의 동사가 필요하므로 impacted로 고쳐 써야 한다. 주어는 관계대명사절(that ~ had for life)의 수식을 받는다. 관계사절 안의 동사 had를 문장의 동사로 착각하지 말자.

2 공장을 자동화하는 데 사용되는 로봇은 기업이 경쟁력을 유지할 수 있도록 제조비용을 줄이기 위해 필요하지만, 그것(로봇)의 도입을 계획하는 것은 노사 공동으로 이뤄져야 한다.

▶ 로봇이 공장을 자동화하는 데 '사용되는' 수동관계이므로 과거분사 used는 적절하다. 두 절이 등위접속사 but으로 병렬 연결된 형태로, 두 번째 절의 주어가 필요하므로 planned는 동명사 planning으로 고쳐 써야 한다.

3 어떤 위대한 생각이라도 다른 사람들에게 이해되지 않는다면 가치가 거의 없다. 모든 사람이 그것을 이해할 때까지 당신의 생각을 설명하기 위해 끊임없이 노력하라.

▶ Making ~을 주어로 쓴다면 문장의 동사가 없으므로 문장이 성립하지 않는다. 문맥상 '노력하라'는 의미의 명령문이므로 Making을 Make로 고쳐 쓴다. understands는 until이 이끄는 부사절의 동사로 올바르게 쓰였다.

4 수메르의 경제 체제 내에서, 처음에는 단지 종교 중심지로 설립된 성전이 이후에는 생산에서 재분배에 이르기까지 상품의 순환을 통제하는 중요한 중심지로서의 기능을 했으며, 사회 구조와 복지를 지속시키는 데 있어서 중심축의 역할을 했다.

▶ 문장의 동사가 필요하므로 functioning은 functioned로 고쳐 써야 한다. 한 문장에서 접속사 없이 동사 두 개가 나올 수 없으므로 play는 playing으로 고쳐 분사구문으로 써야 한다.

어휘 resistance 저항, 반대　for life 평생　automate 자동화하다　jointly 공동으로　hub 중심지, 중추　regulate 통제하다　commodity 물품, 상품　redistribution 재분배　pivotal 중심(축)이 되는　sustain 지속시키다; 뒷받침하다

Test 2

1 living in the Italian Alps now avoid the heat by spending more time resting
2 the highly practiced skills they possess require relatively few cognitive resources / lowering the overall cognitive load
3 Adjusting the way you position your head can help alleviate snoring and improve breathing patterns

1 ▶ chamois goats 뒤에 주어를 수식하는 현재분사구(living ~ Alps)를 이어 쓴다. 전치사 by의 목적어로 spending을 쓴다.

2 ▶ 수식받는 명사 skills가 '연습된' 것이므로 practice를 과거분사 practiced로 고쳐 쓴다. they possess는 skills를 수식하는 관계사절로 목적격 관계대명사가 생략된 형태이다. because절의 동사는 require이므로 두 번째 빈칸에는 분사구문이 와야 한다. thereby는 '그렇게 함으로써'라는 의미의 부사로, 접속사가 아니므로 두 동사를 연결할 수 없음에 유의한다.

3 ▶ 우리말의 주어가 '~ 조절하는 것은'이므로 adjust를 동명사 Adjusting으로 고쳐 쓴다. help는 목적어로 v와 to-v를 모두 쓸 수 있지만, 문제의 조건상 to를 추가할 수 없으므로 등위접속사 and로 병렬 연결된 alleviate와 improve는 변형 없이 그대로 쓴다.

어휘 cognitive 인지의, 인식의　thereby 그렇게 함으로써, 그것 때문에　snore 코를 골다

Test 1

1 they → who[that]　　　2 which → who[that]
3 they → which[that]　　4 who → which[that]

1　인간이 확실성을 좋아하는 것은 위험한 동식물과 함께 생존해야 했던 우리의 고대 조상들로부터 기인한다.
　▶they 이하의 절은 문맥상 our ancient ancestors를 수식하는 내용이므로 they는 주격 관계대명사 who나 that으로 바꿔 쓴다.

2　우리가 어떻게 문제에 접근할지를 모를 때 발생하는 위험을 피하는 한 가지 방법은 어떻게 그것(문제)을 다룰지를 아는 그 분야의 전문가와 상담하는 것이다.
　▶선행사는 사람인 an expert이므로 which는 who나 that으로 바꿔 쓴다.

3　형식주의자의 관점에서 문학에 관해 쓰고자 하는 비평가는 글을 구성하는 그것의 요소들을 개별적으로 검토해야 한다.
　▶it 이하의 절은 문맥상 its elements를 수식하는 내용이므로 they는 주격 관계대명사 which 또는 that으로 바꿔 쓴다.

4　어떤 사람들이 저녁 식사와 함께 에스프레소를 즐기고 밤에 쉽게 잠드는 것을 가능하게 해주는 것은 카페인을 분해하는, 그들의 체내에 있는 더 효율적인 형태의 효소이다.
　▶선행사는 an enzyme이므로 who는 which나 that으로 바꿔 쓴다.

어휘 stem from ~에서 기인하다[생겨나다]　alongside ~와 함께; ~옆에　consult 상담하다; 상의하다　critic 비평가　formalist 형식주의자　perspective 관점; 원근법　element 요소, 성분　constitute 구성하다; (단체를) 설립하다　degrade 분해하다

Test 2

1 combined resources produce output which exceeds the sum of the individual output
2 discussions with people who express different opinions should lead to more moderate attitudes
3 the only species that can cultivate crops that are specifically tailored to their nutritional needs
4 one type of intelligence which puzzles AI / who have high emotional intelligence will be highly valued

1　▶when절의 목적어인 output을 수식하는 주격 관계대명사절을 이어 쓴다. 선행사 output이 단수이므로 관계사절의 동사는 exceeds로 수일치한다.

2　▶선행사가 people이므로 who가 이끄는 주격 관계대명사절을 쓴다.

3　▶the only species를 수식하는 주격 관계대명사절과 관계사절의 목적어인 crops를 수식하는 주격 관계대명사절을 이어서 쓴다.

4　▶intelligence와 people을 수식하는 각각의 주격 관계대명사절을 이어 쓴다. intelligence는 단수이므로 관계사절의 동사는 puzzles로 수일치한다.

어휘 output 산출(량); 출력　exceed 초과하다, 넘다　moderate 온건한; 중간의　cultivate 재배하다; 함양하다　tailor (특정한 목적, 사람 등에) 맞추다; 재단사　nutritional 영양상의　puzzle 당황하게 하다

Test 1

1 ○　　　　　　　　　　2 ○, × → which[that]
3 × → what　　　　　　4 ○, × → what

1　당신의 이야기 자체가 당신을 특별하게 만드는 것일 수 있지만, 효과적인 개인 브랜딩은 단지 당신 자신에 대해 말하는 것 이상이다.
　▶선행사가 없고, 주어가 없는 불완전한 절이 이어지므로 what은 적절하다.

2　중세 시대에, 기계로 작동되는 시계의 발명에 영감을 준 것은 수도사가 기도를 위한 일곱 번의 특정 시간을 알리기 위해서 규칙적인 간격으로 울리던 수도원 종소리였다.
　▶첫 번째 what은 선행사가 없고, 주어가 없는 불완전한 절이 이어지므로 적절하다. 두 번째 what 앞에는 선행사(a monastery bell)가 있고, 목적어가 없는 불완전한 절이 이어지므로 목적격 관계대명사 which[that]로 고쳐야 한다. 목적격 관계대명사는 생략할 수 있으나, 주어진 조건에서 한 단어로 고치라고 했으므로 생략하지 않고 which[that]를 답으로 쓴다.

3　한 동물 행동 심리학자에 따르면, 블러드하운드 개는 최고의 인공 냄새 (감지) 도구가 (냄새의) 근원지에서 감지할 수 없는 것을 멀리서 감지할 수 있다.
　▶can detect의 목적어절이 필요한데, 선행사가 없고, 뒤에 cannot detect의 목적어가 없는 불완전한 절이 이어지므로 what으로 고쳐야 한다.

4　마케터가 주류 의견에 대한 우리의 반항을 이용할지도 모른다는 것에 주의하라. 우리는 대중적인 선택으로 널리 홍보되는 것에 대한 대안을 찾을 수 있는데, 이것이 바로 마케터가 우리가 할 것이라고 기대하는 것일 수 있다.
　▶선행사가 없고, 불완전한 절이 이어지므로 what은 적절하다. 두 번째 밑줄 뒤에는 to do의 목적어가 없는 불완전한 절이 이어지고, 선행사 없이 보어 역할을 하는 명사절을 이끌므로 what으로 고쳐야 한다.

어휘 medieval 중세의　inspire 영감을 주다; 격려하다　mechanical 기계로 작동하는; 기계적인　monastery 수도원　monk 수도사　interval 간격; (연극 등의) 중간 휴식 시간　behaviorist 행동 심리학자　detect 감지하다; 알아내다　mainstream 주류의　promote 홍보하다; 촉진하다

Test 2

1 Words name and label what you experience every day
2 What people need to do / to accept that some things are beyond their control
3 What compounds leaders' difficulty in making a decision / what experts call information overload
4 they socially learn that they should repay what others have done for them

1　▶동사 name과 label은 and로 병렬 연결되고 목적어로 what이 이끄는 명사절이 이어진다.

2　▶문장의 주어는 관계대명사 what이 이끄는 절로, 보어인 to accept의 목적어는 접속사 that이 이끄는 절로 영작한다.

3　▶주어절과 보어절 각각을 관계대명사 what이 이끄는 절로 영작한다.

4　▶learn의 목적어로 접속사 that이 이끄는 절이 오고, that절 내의 동사 should repay는 what이 이끄는 명사절을 목적어로 취한다.

어휘 label 꼬리표를 붙이다　perception 인식; 지각　compound 악화시키다; 혼합하다　overload 과부하; 과적하다　overwhelmed 어쩔 줄 모르는; 압도된　distracting 정신을 산만하게 하는　repay 보답하다; 갚다

Test 1

1 ○　　　　　　2 ×
3 ×　　　　　　4 ○

1 무리를 지어 사는 사회적 동물들은 한 개체로서는 이룰 수 없는 일들을 이뤄 낼 수 있다.
▶ 목적격 관계대명사 which가 이끄는 절이 선행사 things를 수식한다.

2 소리는 단순히 귀가 포착하여 전기 신호로 전환시키는 진동하는 공기이다.
▶ which는 선행사 vibrating air를 수식하는 목적격 관계대명사로, picks up과 converts의 목적어 역할을 한다. picks up의 목적어 자리가 비어 있어야 하므로 it을 삭제한다.

3 프로 스포츠계에서 비시즌이 다가오면, 팀은 자기 팀과 재계약할 것으로 기대되지 않는, 계약이 만료된 베테랑 선수들에 대해 트레이드 방안을 고려할 가능성이 있다.
▶ 목적격 관계대명사가 이끄는 절이 veterans를 수식하므로 which를 who(m) 또는 that으로 고치거나 생략해야 한다.

4 성공적인 패러다임조차도 종종 쉽게 수용할 수 없는 특정 현상을 맞닥뜨리거나 이론의 예측과 실험에 의한 사실 사이의 불일치를 경험한다.
▶ 목적격 관계대명사가 생략된 it ~ accommodate는 선행사 certain phenomena를 수식한다. 문장의 동사인 encounters와 experiences는 or로 병렬 연결되었다.

어휘 vibrate 진동하다　convert 전환시키다; 개종하다　off-season 비시즌《(중요 경기가 열리지 않는 시기)》; 비수기　veteran 베테랑, 전문가　expire 만료되다, 만기가 되다　paradigm 패러다임《(사물에 대한 이론적인 틀이나 체계)》; 전형적인 예　phenomenon 현상《(복수형 phenomena)》　accommodate 수용하다; 공간을 제공하다　mismatch 불일치; 부조화　prediction 예측　experimental 실험에 의한; 실험적인

Test 2

1 the cultures and communication conventions of those whom you plan to meet
2 Focusing on one thing is all that you should do to achieve your goals
3 The quality of health human populations enjoy is / which control the pollution of the air or drinking water
4 becomes an issue which everyone finds problematic but hesitates to openly discuss

1 ▶ 목적격 관계대명사 whom이 이끄는 절이 선행사 those를 수식하는 형태로 영작한다.

2 ▶ 목적격 관계대명사 that이 이끄는 절이 선행사 all을 수식하는 형태로 영작한다.

3 ▶ 주어진 어구에 관계대명사가 하나 주어졌다. 첫 번째 빈칸에는 관계대명사가 생략된 목적격 관계대명사절을 써서 영작하고, 두 번째 빈칸에는 관계대명사 which가 이끄는 주격 관계대명사절을 영작한다.

4 ▶ which가 이끄는 목적격 관계대명사절의 동사 finds와 hesitates는 but으로 병렬 연결한다.

어휘 convention 관습, 관례　attributable to ~에 기인하는, ~가 원인인　problematic 문제의, 문제가 있는　hesitate 주저하다　attach 붙이다; 첨부하다

Test 1

1 were → was, 12 cargo containers
2 leave → leaves, the previously gained knowledge is retained within your brain in simplified forms
3 who → which, outsourcing a task
4 he → who, an anthropologist named Clyde Kluckhohn

1 거친 바다를 항해 중이던 배가 12개의 화물 컨테이너를 잃어버렸는데, 그중 하나에는 28,800개의 떠다니는 목욕용 장난감이 있었다.
▶ which의 선행사가 복수(12 cargo containers)이더라도, <one of>는 단수 취급하므로 were를 was로 고쳐야 한다.

2 주제를 차례로 탐구할 때, 이전에 얻은 지식은 단순화된 형태로 뇌 안에 유지되며, 이는 새로운 학습을 위한 공간을 남긴다.
▶ which의 선행사가 앞 절(the previously ~ forms) 전체이므로 leave는 단수동사 leaves로 고쳐야 한다.

3 생산 작업 흐름에서, 제조업체는 업무를 외부에 위탁하는 것에 대해 주의해야 하는데, 이는 품질 관리, 일정 관리 및 최종 제품의 성능과 관련된 위험을 높일 수 있다.
▶ 문맥상 동명사구 outsourcing a task를 보충 설명하는 관계사절이므로 who를 which로 고쳐야 한다.

4 문화가 우리의 생물학적 과정에 어떻게 영향을 미칠 수 있는지에 대한 극적인 예는 Clyde Kluckhohn이라는 인류학자에 의해 제공되었는데, 그는 자신의 경력 중 많은 시간을 미국 남서부에서 나바호 문화를 연구하면서 보냈다.
▶ 접속사 없이 두 문장이 이어지고 선행사는 사람이므로 대명사 he는 관계대명사 who로 고쳐야 한다.

어휘 cargo (선박, 비행기의) 화물　container (화물 수송용) 컨테이너; 그릇　retain (계속) 유지하다, 보유하다　simplify 단순화하다　room 공간; 여지; 방　outsource (회사가 작업, 생산을) 외부에 위탁하다　elevate (정도를) 높이다; 승진시키다　anthropologist 인류학자

Test 2

1 the release of the neurochemicals dopamine and serotonin, both of which generate positive emotions
2 Nanostructured filters, which can get rid of impurities
3 is mobilized to produce special cells, which are carried by the blood
4 ways to negotiate with others and overcome the anger arising from conflicts, none of which can be taught

1 ▶ both of 뒤에 관계대명사 which가 오며, 이는 한 덩어리로 관계대명사 자리에 나온다.

2 ▶ 선행사 Nanostructured filters를 보충 설명하는 which를 사용하여 영작한다.

3 ▶ 선행사가 special cells이므로 관계사절의 동사를 복수동사 are로 바꿔 쓴다.

4 ▶ 선행사가 ways이고 '그것들 중 무엇도 ~않다'의 의미이므로 none of which를 사용하여 영작한다.

어휘 neurochemical 신경 화학 물질　get rid of ~을 제거하다　ultimately 궁극적으로　immune system 면역 체계　parasite 기생균, 기생충　mobilize 동원하다, 집결시키다

RANK 29 전치사+관계대명사 p.53

Test 1

1 in which they will examine participants' preferences for music genres
2 dedicated a chapter to the president for whom she worked

1 그 연구원들은 참가자들의 음악 장르에 대한 선호도를 조사할 설문조사를 계획 중이다.
▶ in the survey의 전치사 in을 which 앞에 쓴다.

2 그녀의 회고록에서, 그녀는 그의 지도와 지혜를 되돌아보며 자신이 밑에서 일했던 대통령에게 한 챕터를 헌정했다.
▶ him = the president

어휘 preference 선호(도) memoir 회고록 dedicate 헌정하다, 바치다 reflect on ~을 되돌아보다

Test 2

1 ○ **2** × **3** ○

1 잘 관리된다면, 필요한 자금을 창출하는 것과 같이, 관광업이 유적지 보존에 기여하는 많은 방법들이 있다.
▶ There are many methods. + Tourism contributes ~ sites **by** many methods. 여기서 by는 '수단, 방법'을 나타내는 전치사로 쓰였다.

2 종종, 사람들이 자신을 소개할 때 초점을 두는 것은 그들의 직업이나 그들이 시간을 보내는 활동들이다.
▶ Often, what people ~ is their work or the activities. + They spend time **on** their work or the activities. 전치사 on을 관계대명사 which 앞 또는 관계대명사절 안(which they spend time on)에 써야 알맞은 문장이다. 전치사를 관계대명사절 안으로 이동한 경우에는 목적격 관계대명사 which를 생략할 수도 있다.

3 게임이 다른 형태의 오락물과 다른 한 가지 본질적인 측면은 그것(게임)은 플레이어에게 결과에 영향을 줄 기회를 준다는 것이다.
▶ One fundamental aspect is that ~. + Games differ from other forms of entertainment **in** one fundamental aspect.

어휘 contribute to ~에 기여하다 preservation 보존, 유지 heritage site 유적지 funding 자금 (제공) fundamental 본질적인; 핵심적인 aspect 측면; 양상 entertainment 오락(물); 접대

Test 3

1 some common ground upon which the involved parties can coordinate their behavior[some common ground which the involved parties can coordinate their behavior upon]
2 the rubber from which they were made[the rubber which they were made from]
3 people with whom they have a relationship[people whom they have a relationship with] / which is actually far from mandatory

1 ▶ All social interactions require some common ground. + The involved parties can coordinate their behavior **upon** it.

2 ▶ The rubber was ~ tan. + They(= Tires) were made **from** the rubber.

3 ▶ They should share ~ with people. + They have a relationship **with** people. 두 번째 빈칸은 they should share ~ relationship을 선행사로 받는 계속적 용법의 관계대명사 which를 사용하여 영작한다.

어휘 common ground 공통된 기반, 공통점 involved 관련된; 몰두하는 party 당사자; 관계자 coordinate 조정하다 rubber 고무 tan 황갈색의; 선탠 far from 전혀 ~이 아닌 mandatory 의무적인

RANK 30 관계부사 when, where, why, how p.54

Test 1

1 how we think about or deal with other people
2 when priority was given to an observance of tradition

1 소문에 근거한 편견은 절대 우리가 다른 사람들에 대해 생각하거나 (그들을) 대하는 방식에 영향을 미쳐서는 안 된다.
▶ 관계부사 how는 선행사와 함께 쓸 수 없으므로 지시문에 맞춰 the way를 생략하고 how만 쓴다.

2 오늘날 우리는 예술가들의 개성을 강조하지만, 전통의 준수가 우선이었던 시기가 있었다.
▶ 지시문이 없다면 여기서 관계부사 when은 on which로 바꾸어 쓸 수 있다.

어휘 prejudice 편견 individuality 개성 priority 우선(권) observance (법률, 규칙 등의) 준수

Test 2

1 which → when[in which] **2** ○

1 한 분야에만 의존하는 것은 위험하다. 큰 밭 하나에만 의존하는 농부는 그 밭이 적은 수확량을 내는, 부득이한 해에 굶주리게 될 것이다.
▶ 뒤에 완전한 절이 오고 선행사가 때를 나타내므로 which를 when이나 in which로 고쳐 쓴다.

2 그 회사가 약속한 높은 임금은 그녀가 일자리 제안을 받아들이고 그 회사가 있는 나라로 이동하기로 결정한 이유였다.
▶ the reason why ~에서 선행사가 생략된 형태이다. 장소 선행사 뒤 where는 알맞게 쓰였다.

어휘 starve 굶주리다 inevitable 부득이한, 필연적인 yield (농작물 등의) 수확량; 총수익 relocate 이동하다, 이전하다

Test 3

1 follow the time of the region where we left / the one where we arrived
2 which is the reason why those experiencing depression lack the motivation
3 has radically changed how intelligence is understood and caused considerable controversy surrounding the notion

1 ▶ <B, not A(A가 아니라 B)>의 구조로 the time of 뒤에 the region where we left와 the region where we arrived가 연결된다. the region이 반복되므로 두 번째 빈칸에서는 the one으로 대신한다.

2 ▶ 콤마 다음에 계속적 용법으로 사용된 관계대명사절을 영작한다.

3 ▶ 관계부사 how는 선행사와 함께 쓸 수 없다.

어휘 internal clock 체내 시계, 생체 시계(= biological clock) motivation 동기 (부여) radically 근본적으로 considerable 많은, 상당한 controversy 논쟁, 논란

RANK 31 the+비교급~, the+비교급...

p.55

Test 1

1 The better graphics card you have / the more smoothly games will run
2 The more introspectively we reflect on our actions / the richer insight we gain
3 the scarcer a product is / the more appealing it becomes to consumers
4 The more meaning we can pack into a single word / the fewer words we require

1 ▶ The better는 명사 graphics card를 수식하므로 한 덩어리로 연결하여 쓴다.
2 ▶ the richer는 명사 insight를 수식하므로 한 덩어리로 연결하여 쓴다.
3 ▶ 분사형 형용사는 앞에 more를 붙여 비교급을 만든다.
4 ▶ The more와 the fewer는 각각 명사 meaning과 words를 수식하므로 한 덩어리로 연결하여 쓴다.

어휘 introspectively 자기 성찰적으로 insight 통찰력 capitalize on ~을 이용하다 scarce 희귀한; 부족한 appealing 매력적인; 호소하는 get across 이해시키다; 건너가다

Test 2

1 The earlier people start using a certain brand / the more likely they are to keep using it
2 The deeper the depth of water (is) / the more difficult it is to move your arm
3 The stronger and (the) more captivating the imagery of an advertisement (is) / the more intensely it embeds itself

1 ▶ <be likely to-v> 구문에서 likely를 <the+비교급>으로 쓰고 뒤에 나머지 <주어+be to-v>를 이어서 쓴다.
2 ▶ 첫 번째 빈칸의 동사인 is는 간략한 표현을 위해 생략할 수 있다. 두 번째 빈칸은 <the+비교급> 뒤에 <가주어(it)-진주어(to move ~)> 구문을 써서 영작한다.
3 ▶ 첫 번째 빈칸은 the stronger와 the more captivating을 접속사 and로 병렬 연결하여 영작한다. and 뒤의 반복되는 the는 생략 가능하고, 동사인 is는 간략한 표현을 위해 생략할 수 있다.

어휘 resistance 저항(력) captivating 매혹적인 imagery 이미지; 형상화 embed (단단히) 끼워 넣다; ~을 깊이 새겨 두다

RANK 32 가목적어-진목적어

p.56

Test 1

1 difficult
2 it evident
3 that 또는 삭제
4 to reject

1 미래의 재정적 안정성에 대해 자신감을 갖는 것이 어렵다고 생각하는 사람들은 신용 카드 사용에 관한 한 주의를 기울이라고 권고받는다.
▶ 목적격보어 자리에 부사는 올 수 없으므로 형용사 difficult로 고친다.

2 어떤 사람들은 외로운 아이들만 상상의 친구들과 논다고 추정하지만, 연구는 이러한 창조물을 만들어 내는 것은 바로 대개 상상력이 풍부한 아이들이라는 것을 명백하게 해준다.
▶ <동사(makes)+가목적어 it+목적격보어(evident)> 어순으로 써야 한다.

3 시의회가 우리 지역에서 이용할 수 있는 유일한 대중교통 서비스를 중단할 계획이었다는 것을 받아들일 수 없다고 생각하여, 나는 그 계획에 반대하는 편지를 썼다.
▶ Finding ~ area는 분사구문이다. the city council was ~ our area라는 완전한 문장이 진목적어이므로 명사절을 이끄는 접속사 that으로 고치거나 접속사 that을 생략한다.

4 동료가 거의 없다고 해도, 단지 당신이 저항하는 유일한 사람이 아니라는 것을 아는 것만으로도 당신이 사회 규범을 거부하는 것을 상당히 더 쉽게 해줄 것이다.
▶ <동사(will make)+가목적어 it+목적격보어(substantially easier)+의미상의 주어(for you)+진목적어>의 구조로 진목적어 자리에는 to-v가 적절하다.

어휘 stability 안정(성) exercise caution 주의를 기울이다 assume 추정하다 imaginary 상상의 cf. imaginative 상상력이 풍부한 unacceptable 받아들일 수 없는 oppose 반대하다 resist 저항하다, 반대하다 companion 동료 substantially 상당히; 사실상 societal 사회의

Test 2

1 make it quite profitable for us to recycle them
2 may consider it strange that a dentist can warn you about a stroke
3 that encourage communication tend to find it comfortable to express their emotions
4 thought it remarkable that the Hubble Space Telescope allowed us to see such a tiny object

1 ▶ to recycle them 앞에 의미상의 주어 for us를 써준다.
2 ▶ 진목적어가 절의 형태이면 접속사 that을 사용하여 명사절을 만든다.
3 ▶ to find 뒤에 <가목적어 it+목적격보어(comfortable)+진목적어(to express ~)>의 구조가 이어진다.
4 ▶ <동사(thought)+가목적어 it+목적격보어(remarkable)+진목적어(that절)>의 구조이다. that절의 동사 allowed는 목적격보어로 to-v를 취한다.

어휘 profitable 이득이 되는, 수익성이 있는 oral cavity 구강 cf. cavity (치아에 생긴) 구멍 astronomer 천문학자 orbit (다른 천체의) 궤도를 돌다; 궤도 located ~에 위치한

Test 1

1 × → that　　　　　　　　2 ○
3 × → their　　　　　　　　4 × → them, ○

1 요즘, 온라인 플랫폼과 스트리밍 서비스에 의해 제공되는 쉬운 접근성과 편의성 때문에 책의 영향력이 영상 매체의 그것에 의해 크게 빛을 잃는다.
▶ 문맥상 the influence를 대신하므로 단수형 대명사 that으로 고쳐야 한다.

2 당신이 그들을 지원하는 것이 가치가 있는지 알아내기 위해 당신의 돈을 가져가는 기업들을 면밀하게 조사함으로써 모든 구매에 주의를 기울여라.
▶ 문맥상 the corporations를 지칭하므로 복수형 대명사 them을 쓴 것은 올바르다.

3 대부분의 야생 쥐는 그들의 2년의 수명이 다하기 전에, 노화보다는 오히려 포식자, 질병, 또는 굶주림과 같은 외부 원인으로 죽는다.
▶ 문맥상 Most mice를 대신하므로 복수형 소유격인 their로 고쳐야 한다.

4 심해의 많은 포식성 물고기들은 거대한 입과 날카로운 이빨을 갖추고 있는데, 이는 그것들이 먹이를 잡고 그것을 제압할 수 있게 해준다.
▶ 첫 번째 it은 Many predatory fish를 지칭하므로 복수대명사 them으로 고쳐야 한다. 두 번째 it은 prey를 지칭하므로 단수대명사 it을 쓴 것이 올바르다.

여휘 overshadow 빛을 잃게 만들다; 그늘을 드리우다　mindful 주의하는, 마음에 새겨두는　corporation 기업, 회사　external 외부의　predator 포식자 *cf.* predatory 포식성의　starvation 굶주림, 기아　life span 수명　be equipped with ~을 갖추고 있다　hold on to ~을 계속 잡고 있다　overpower 제압하다; 압도하다

Test 2

1 are now being found and used to influence the creation of new ones
2 A crucial factor in the success of any social movement is whether its supporters are consistent in their views
3 differ in their composition and extent / ranging from the interactions of organisms in your mouth to those in Earth's oceans
4 how the policy will fix particular problems / its other potential effects on them when it is implemented

1 ▶ 문맥상 previously forgotten tracks가 new tracks의 창작에 영향을 미치는 데 사용되는 것이므로, one을 ones로 바꾸어 영작한다.

2 ▶ its supporters는 any social movement의 지지자들을 의미하므로 its는 변형 없이 그대로 쓴다. its views는 supporters의 견해를 의미하므로 its를 복수형 소유격 대명사인 their로 바꾸어 영작한다.

3 ▶ 첫 번째 문장에서는 문맥상 ecosystems' composition을 의미하므로 its를 their로 바꾼다. 두 번째 문장에서는 the interactions of organisms를 대신하므로 that을 those로 바꾸어 영작한다.

4 ▶ the policy's other potential effects를 의미하므로 its는 변형 없이 그대로 쓴다. 영향을 받는 대상은 people이므로 on it은 on them으로 바꾸고, 시행되는 것은 a policy이므로 when절의 주어는 it을 그대로 쓴다.

여휘 digitize 디지털화하다　consistent 일관된 *cf.* consistency 일관성　persuasion 설득; 신념　composition 구성; 작곡　extent 규모, 정도　range from A to B (범위가) A에서 B에 이르다　implement 시행하다; 도구

01 ○, × → what
02 × → known, × → connecting
03 ○, × → what, × → what
04 × → who[that], × → difficult
05 × → that, × → their, × → which[that]
06-07 ① them → which, 접속사 없이 두 문장이 이어지므로, 대명사 them은 관계대명사 which로 고쳐야 한다. / ④ what → which[that], 선행사 the thing이 있고, 뒤에 주어가 없는 문장이 이어지므로 주격 관계대명사 which 또는 that으로 고쳐야 한다.
08 that we experience is facilitated by the contributions of numerous people / most of whom we will never meet
09 with which the lines are drawn on the map / with which symbols are used make it represent the world
10 Engaging in acts that might be considered insignificant / making it possible to generate a protected space where we can discover our potential
11 our perception of how we experience art / the more cohesive the categorization is / the deeper our understanding of what is conveyed becomes
12 Reactions that are Defensive while Remaining Reflective
13 The way[How] we emphasize words plays a crucial role in communicating our intended meaning
14 ① containing → contain / ⑤ derive → derives
15 which traditional professionals who can work autonomously and earn income directly from clients or patients do not struggle with
16 (A) the way how → the way[how/the way in which/the way that] (B) that → what[the thing which[that]]
17 The more our daily activities blend into a routine / the harder it is to remember any one particular instance

01 정서적으로 성숙한 사람들은 다른 사람들의 감정을 존중하는 것이 친구가 해야 하는 것인 경우가 있다는 것을 이해한다.
▶ 뒤에 완전한 구조가 오고 선행사가 때를 나타내므로 관계부사 when은 알맞다. / 선행사가 없고 뒤에 목적어가 없는 불완전한 절이 이어지므로 that은 관계대명사 what으로 고쳐야 한다. ●Rank 26 관계대명사 what, Rank 30 관계부사 when, where, why, how
여휘 mature 성숙한; 다 자란

02 우리가 읽는 것을 배울 때, 우리는 시각 단어 형태 영역으로 알려진 우리 시각 체계의 특정 영역을 재사용하며, 그렇게 함으로써 우리가 인식하는 일련의 글자들을 언어 영역에 연결한다.
▶ 문장의 동사 recycle이 있으므로 know는 a specific region을 수식하는 분사로 고치는데, 영역이 '알려진' 수동관계이므로 과거분사 known으로 고친다. / 두 문장을 연결하는 접속사가 없으므로 connect를 connecting으로 고쳐 분사구문을 만든다. ●Rank 05 현재분사 vs. 과거분사_명사 수식, Rank 06 분사구문, Rank 24 동사 자리 vs. 준동사 자리
여휘 a string of 일련의, 연이은

03 우리가 문맥과 내용이 서로 잘 맞지 않는 형편없게 쓰인 글을 발견할 때, 그것을 이해하기는 어렵다. 결과적으로, 우리가 이해하는 것은 아마도 글쓴이가 정말로 말하고자 했던 것과 매우 다를 것이다.
▶ We find a poorly written piece. + Context and content don't fit together well in the poorly written piece. 두 문장을 잇는 in which는 알맞게 쓰였다. / 두 번째와 세 번째 밑줄 친 부분은 모두 선행사가 없고 뒤에 불완전한 절이 이어지므로 관계대명사 what으로 고쳐야 한다.

• **Rank 26** 관계대명사 what, **Rank 29** 전치사+관계대명사
어휘 comprehend 이해하다

04 카페인의 효과에 매우 민감한 사람들에게 아침의 차나 커피 한 잔은 그날의 많은 부분에 지속될 것이며, 만약 그들이 이른 오후에라도 두 번째 잔을 마시면, 그들은 밤에 잠들기 어렵다는 것을 발견할 것이다.
▶ 선행사는 사람인 the people이고 뒤에 주어가 없는 불완전한 절이 이어지므로 주격 관계대명사 who[that]로 고쳐야 한다. / 목적격보어 자리에 부사는 올 수 없으므로 형용사 difficult로 고친다. • **Rank 25** 주격 관계대명사 who, which, that, **Rank 32** 가목적어-진목적어

05 책을 읽는 것의 한 가지 이점은 독자들이 그들의 당면한 환경을 훨씬 넘어서는 다양한 문화와 생각에 그들 자신을 몰두하게 만드는 특별한 기회를 가질 수 있고 그들이 물리적으로는 절대로 발을 들이지 않을지도 모르는 세상을 들여다볼 창을 부여받을 수 있다는 것이다.
▶ 뒤에 완전한 구조의 절이 이어지므로 what은 명사절 접속사 that으로 고쳐야 한다. / 복수명사 readers를 가리키는 소유격 대명사의 자리이므로 their로 고친다. / 뒤에 step into의 목적어가 없는 불완전한 절이 이어지므로 where는 which[that]로 고친다. 조건이 없다면 목적격 관계대명사를 생략한 형태가 되도록 삭제해도 알맞은 문장이다. • **Rank 23** 명사절을 이끄는 접속사 that, **Rank 27** 목적격 관계대명사 who(m), which, that, **Rank 33** 대명사의 수일치
어휘 immerse 몰두하게 만들다

06-07
유능한 코치는 동시에 여러 가지 일을 하려고 하는 대신에 하나의 과제에 초점을 맞춘다. 그들은 동시에 여러 가지 일을 하는 것이 몇 가지 과제를 완수하려고 하지만, 그중 어느 것도 아주 잘되지는 않을 것이라고 말하는 또 다른 방식이라는 것을 이해한다. 한 심리학 교수는 뇌가 한꺼번에 두 가지에 집중하도록 만들어지지 않았다고 지적한다. 그렇게 하려고 하면 뇌는 더 느리게 작동한다. 유능한 코치는 해야 할 것에 초점을 맞추고 다른 모든 것은 분리한다. 중요하지 않은 것으로부터 중요한 것을 분리하는 것이 우선 사항을 결정하는 것이다. 무능한 코치는 중대한 과제를 첫 순위로 두는 데 실패한다. 그들은 무언가를 할 시간이 내일 더 있을 거라고 생각하면서 자신들에게 무한한 시간이 있다고 믿거나, 또는 자신들에게 실제로 얼마나 많은 시간이 있는지를 과소평가한다.
▶ ① 선행사 several tasks를 보충 설명하는 관계대명사절이다. • **Rank 28** 콤마(,)+관계대명사_계속적 용법 / ④ • **Rank 25** 주격 관계대명사 who, which, that
어휘 effective 유능한; 효과적인(↔ ineffective 무능한; 효과 없는) multitask 동시에 여러 가지 일을 하다 separate out 분리하다, 구분하다 underestimate 과소평가하다

08 ▶ that이 이끄는 목적격 관계대명사절이 주어를 수식하도록 쓴다. 향유가 '촉진되는' 수동관계이므로 문장의 동사는 is facilitated로 쓴다. 콤마 뒤에는 선행사 numerous people을 보충 설명하는 관계대명사절을 영작하는데, most of 뒤에는 who가 올 수 없으며 whom으로 바꿔 써야 한다. • **Rank 03** 능동 vs. 수동_단순시제 I, **Rank 27** 목적격 관계대명사 who(m), which, that, **Rank 28** 콤마(,)+관계대명사_계속적 용법
어휘 enjoyment 향유, 누림; 즐거움 facilitate 촉진하다 contribution 기여

09 ▶ 접속사 and로 연결된 두 개의 주어를 각각 with which가 이끄는 관계사절이 수식하는 형태로 영작한다. 선이 '그려지고' 기호가 '사용되는' 수동관계이므로 관계사절의 동사는 각각 are drawn, are used로 쓴다. 문장의 동사가 필요하므로 make를 그대로 쓰고, make의 목적격보어로 원형부정사 represent를 쓴다. • **Rank 03** 능동 vs. 수동_단순시제 I, **Rank 07** 동사+목적어+보어 I, **Rank 29** 전치사+관계대명사
어휘 precision 정밀(성), 정확(성)

10 ▶ Engaging이 이끄는 동명사구를 주어로 쓰는데, 동명사구 안의 명사 acts를 that이 이끄는 주격 관계대명사절이 수식하는 형태로 영작한다. 콤마 뒤에 접속사가 없으므로 make를 현재분사 making으로 바꾸고, 목적격보어 자리에 부사는 올 수 없으므로 possibly를 possible로 바꿔 <동사(making)+가목적어 it+목적격보어(possible)+진목적어(to generate ~)> 구조의 분사구문을 영작한다. 이때 to generate의 목적어는 관계부사 where가 이끄는 절의 수식을 받는다. • **Rank 06** 분사구문, **Rank 15** 주어로 쓰이는 동명사, **Rank 24** 동사 자리 vs. 준동사 자리, **Rank 25** 주격 관계대명사 who, which, that, **Rank 30** 관계부사 when, where, why, how, **Rank 32** 가목적어-진목적어
어휘 liberation 해방

11 ▶ 첫 번째 빈칸에는 of 뒤에 관계부사 how가 이끄는 절을 쓴다. 그 뒤는 <the+비교급~, the+비교급...> 구문을 사용해서 영작한다. 두 번째 <the+비교급> 절의 of 뒤에는 관계대명사 what이 이끄는 절을 쓰는데, '전달되는 것'이라는 의미이므로 what이 이끄는 절의 동사는 is conveyed로 쓴다. • **Rank 03** 능동 vs. 수동_단순시제 I, **Rank 26** 관계대명사 what, **Rank 30** 관계부사 when, where, why, how, **Rank 31** the+비교급~, the+비교급...
어휘 category 범주 cf. categorization 범주화, 분류 organize 체계화하다, (특정한 순서, 구조로) 정리하다 cohesive 응집력이 있는

12 자신이 말로 공격받았다고 느끼고 자아가 상처를 입은 사람은 방어적으로 되기 쉽다. 그런 상황에서 자연스러운 반응은 (자신의) 입지를 세우기 위해 반격하는 것이다. 여러분이 듣고 있는 것이 여러분을 불쾌하게 한다면, 평정을 유지하고 계속 들어라. 그러고 나서 이해한 것에 대해 깊이 생각해보고 정확도를 위해 그것을 확인하라. 너무 자주, 우리는 말하는 사람이 건설적인 비판을 제공하고 있음에도 불구하고 방어적이 되고 반격한다. 여러분이 방어적으로 반응하고 있다고 느낄 때, 자신을 억누르고 계속 들어라. 일단 말하는 사람의 말을 끝까지 들으면, 여러분은 (그에 대하여) 반응하기에 더 나은 입지에 있게 될 것이다.
[제목] 깊이 생각하는 상태에 있으며 방어적인 반응을 피하기
▶ 주격 관계대명사 that이 이끄는 절이 선행사 Reactions를 수식하는 형태로 영작한다. 그 뒤에는 접속사 while이 생략되지 않은 분사구문을 쓴다. • **Rank 20** 주의해야 할 분사구문, **Rank 25** 주격 관계대명사 who, which, that
어휘 verbally 말로, 구두로 bruise 타박상을 입히다, 멍이 생기게 하다 defensive 방어적인 cf. defensively 방어적으로 strike back 반격하다 constructive 건설적인 restrain (감정 등을) 억누르다; 저지하다 hear out ~의 말을 끝까지 듣다 reflective 깊이 생각하는, 사색적인

13 말과 언어는 우리가 어떻게 느끼는지를 표현하거나 메시지를 전달하는 데 중요한 역할을 한다. 하지만 더 중요한 것은 우리가 그 말을 사용하는 방식이 의미를 완전히 다르게 만들 수 있다는 것이다. 예를 들어, '있잖아, 나는 그가 정말 좋아'와 같은 간단한 문장은 목소리의 강세와 억양에 따라 몇 가지 다른 의미를 지닐 수 있다. 대명사 '나'에 강조를 둔다면, 그것은 비록 여러분이 이야기하고 있는 다른 사람은 그렇지 않을지라도 여러분은 '그를 좋아한다'는 것을 의미할 것이다. 여러분은 '너는 내가 그를 좋아한다는 걸 이미 알고 있을 거야'를 의미할 '내가 그를 정말 좋아한다는 걸 알잖아'를 말할 수도 있다. 그리고 만약 여러분이 빈정대고 있다면 그 구절은 '나는 그가 정말 싫어'라는 반대 의미를 지닐 수 있다. 그러니 다음에 말할 때는, 여러분이 강세를 두고 강조하는 것에 대해 두 번 생각하라.
[요지] 우리가 말을 강조하는 방식은 우리의 의도한 의미를 전하는 데 중요한 역할을 한다.
▶ 문장의 주어는 The way 또는 관계부사 How가 이끄는 절로 영작한다. 문장의 동사는 단수동사 plays로 쓴다. 전치사 in의 목적어로 동명사 communicating을 쓴다. • **Rank 01** 주어-동사의 수일치 I, **Rank 24** 동사 자리 vs. 준동사 자리, **Rank 30** 관계부사 when, where, why, how
어휘 vital 중요한, 필수적인 put emphasis on ~에 강조를 두다 sarcastic 빈정대는, 비꼬는

[14-15]

이론상, 의학이나 성직자와 같은 고전적인 전문직에 종사하는 사람들은 그들의 머리와 손에 생산 수단을 가지고 있으며, 그러므로 회사나 고용주를 위해 일할 필요가 없다. 그들은 고객이나 환자로부터 직접 수입을 끌어낼 수 있다. 전문직 종사자들은 지식을 보유하고 있기 때문에, 그들의 고객들은 그들에게 의존한다. 언론인들은 지식을 보유하고 있지만, 그것은 본질적으로 이론적이지 않다. 누군가는 환자들이 의사들에게 의존하는 것과 같은 방식으로 대중이 언론인들에게 의존한다고 주장할지도 모른다. 하지만 실제로 언론인은 일반적으로 뉴스 기관을 위해 일함으로써만 대중들에게 기여할 수 있는데, 그곳은 그나 그녀(그 언론인)를 마음대로 해고할 수 있다. 언론인들의 수입은 대중이 아니라 (그들을) 고용한 뉴스 기관에 의존하는데, 그 기관은 대개 수익의 대부분을 광고주들로부터 얻는다.

어휘 practitioner 전문직 종사자(= professional)　clergy 성직자　theoretical 이론적인　at will 마음대로　derive A from B B에서 A를 얻다　revenue 수익, 수입

14 ▶ ① 문장의 동사가 필요하고 주어가 practitioners이므로 복수동사 contain으로 바꾼다. and 뒤의 동사 do not have to work와 등위접속사 and로 병렬 연결되어 있다. **• Rank 24 동사 자리 vs. 준동사 자리** / ⑤ which의 선행사가 the employing news organization이므로 단수동사 derives로 고쳐야 한다. **• Rank 28 콤마(,)+관계대명사_계속적 용법**

15 [요약문] 언론인들은 자신들의 수입과 고용 상태를 통제하는 조직에 의존하는 분명한 문제에 부딪히는데, 이는 독자적으로 일하고 고객이나 환자들에게서 직접 수입을 얻을 수 있는 전통적인 전문직 종사자들은 고투하지 않는 것이다.

▶ 선행사 the distinct challenge를 보충 설명하는 관계대명사 which가 이끄는 절을 영작한다. 절의 주어 traditional professionals는 주격 관계대명사 who가 이끄는 절에 의해 수식받으며, who가 이끄는 절 안에는 두 개의 동사구가 병렬 연결된다. **• Rank 09 등위접속사의 병렬구조, Rank 25 주격 관계대명사 who, which, that, Rank 28 콤마(,)+관계대명사_계속적 용법**

어휘 autonomously 독자적으로

[16-17]

여러분의 기억은 유사한 사건들을 병합하는데 그렇게 하는 것이 더 효율적이기 때문일 뿐만 아니라, 이것이 우리가 무언가를 배우는 방식에 필수적이기 때문이기도 하다. 즉, 우리의 뇌는 경험을 함께 묶는 추상적인 규칙들을 추출한다. 이것은 일상인 것들에 특히 해당한다. 예를 들어 우유를 곁들인 시리얼, 오렌지 주스 한 잔, 그리고 커피 한 잔과 같이, 만약 여러분의 아침 식사가 항상 같다면, 여러분의 뇌가 특정한 한 아침 식사에서 세부 사항들을 추출하는 것은 쉽지 않다. 아이러니하게도, 일상화된 행동의 경우, (여러분이 여러 날에 항상 같은 것을 먹기 때문에, 여러분이 먹었던 것과 같은) 그 행동의 일반적인 내용을 기억하는 것은 여러분의 뇌가 보통 할 수 있는 일이지만, (지나가던 쓰레기 트럭이나 여러분의 창문을 지나쳤던 새의 소리와 같은) 그 한 가지 예의 자세한 사항들을 상기시키는 것은 그것들이 유난히 독특하지 '않았던' 한 매우 어려울 수 있다. 반면에, 만약 여러분이 여러분의 일상을 깨뜨리는 독특한 무언가를 했다면, 어쩌면 여러분이 아침 식사로 남은 피자를 먹고 드레스 셔츠에 토마토소스를 쏟았다면, 여러분은 그것을 기억할 가능성이 더 크다.

어휘 merge 병합하다, 합치다　extract 추출하다　abstract 추상적인; 관념적인　routinize 일상화하다; 규칙화하다　generic 일반적인, 포괄적인

16 ▶ (A) 관계부사 how는 선행사와 함께 쓸 수 없으므로 둘 중 하나를 생략하거나, the way in which 또는 the way that으로 고쳐야 한다. **• Rank 30 관계부사 when, where, why, how**
(B) 선행사가 없고 뒤에 전치사 of의 목적어가 없는 불완전한 절이 이어지므로 that을 관계대명사 what 또는 the thing which[that]로 고쳐야 한다. **• Rank 26 관계대명사 what**

17 [요지] 우리의 매일의 활동이 일상에 더 뒤섞일수록, 독특한 요소 없이는 어떤 특정한 한 경우를 기억하기가 더 어렵다.

▶ 조건에 따라 <the+비교급~, the+비교급...> 구문을 사용해서 영작한다. 두 번째 빈칸은 <the+비교급> 뒤에 <가주어(it)-진주어(to remember ~)> 구문을 써서 영작한다. **• Rank 14 가주어-진주어(to부정사), Rank 31 the+비교급~, the+비교급...**

어휘 blend into (구별이 어렵게) ~와 뒤섞이다

• 부분 점수

문항	배점	채점 기준
01-05	1	×는 올바르게 표시했지만 바르게 고치지 못한 경우
06-07	2	틀린 부분을 바르게 고쳤지만 틀린 이유를 쓰지 못한 경우
	1	틀린 부분을 찾았지만 바르게 고치지 못한 경우
08-11	3	어순은 올바르나 단어를 적절히 변형하지 못한 경우
13	4	어순은 올바르나 단어를 적절히 변형하지 못한 경우
14	1	틀린 부분을 찾았지만 바르게 고치지 못한 경우
16	2	틀린 부분을 찾았지만 바르게 고치지 못한 경우
17	5	어순은 올바르나 단어를 적절히 변형하지 못한 경우

+ 형명동형

형태	형용사 의미	명사 의미	형태	형용사 의미	명사 의미
alternative	대안이 되는; 대체의	대안; 양자택일	plain	간결한; 분명한; 솔직한; 무늬 없는	평지
concrete	구체적인; 실체적인	응고물; 구체적 관념	potential	잠재적인; 가능성 있는	잠재력; 가능성
content	만족하는	내용(물); 만족	present	현재의; 참석[출석]한	현재, 지금; 선물
core	핵심적인, 가장 중요한	핵심; 중심부	relative	상대적인, 비교상의	친척; 동족
fake	가짜의, 위조의	모조품, 위조품	representative	대표하는	대표(자)
fundamental	근본적인, 필수적인	기본 원칙, 핵심	resolve	해결하다; 다짐하다	결심, 결의, 의지
good	좋은, 훌륭한	도움; 이익; 선; 《복수형 goods》 상품	standard	기준의, 표준의	일반적인 기준, 표준
individual	각각의; 개인의; 개성 있는, 독특한	개인	subject	영향을 받는; 지배를 받는; 겪는, 당하는	주제, 문제; 과목; 피실험자
intent	몰두하는, 열중하는	의도, 목적	total	전체의; 완전한	합계; 전체
moral	도덕(상)의; 도덕적인	교훈	valuable	소중한	귀중품
objective	객관적인	목표, 목적	variable	변동이 심한; 가변적인	변수

+ 형동동형

형태	형용사 의미	동사 의미	형태	형용사 의미	동사 의미
alert	경계하는	경보하다, 경보를 발하다	last	마지막의; 지난	계속되다, 지속되다
close	가까운	닫다	long	긴; 오랜	간절히 바라다
complete	완전한, 완벽한	완료하다, 끝마치다	mean	못된; 보통의	의미하다; 의도하다
duplicate	사본의; 똑같은	사본을 만들다; 되풀이하다	open	열린	열다
elaborate	정성들인, 공들인	공들여 만들다; 자세히 말하다	own	자기 소유의, 자기 자신의	소유하다
exempt	면제되는	면제하다, 면제받다	present	현재의; 참석[출석]한	주다; 제시[제출]하다
faint	희미한; 현기증이 나는	기절하다	secure	안전한; 단단한	안전하게 지키다; 확보하다
hurt	다친; 기분이 상한	다치게 하다, 아프다	separate	분리된, 별개의	분리하다, 나누다

Test 1

1 ○　　2 ○
3 × → that　　4 × → such

1 인간의 반응은 아주 복잡해서 그것들은 해독하기 힘들 수 있다.
  ▶ 문맥상 '아주 ~해서 …하다'의 의미이므로 <so 형용사 (that)>은 적절하다.

2 저작권은 창작물의 권리에 합당한 시간제한을 두어서, 작가들의 권리는 보호받을 수 있고 기한이 지난 작품들은 새로운 창작 활동에 자유롭게 사용될 수 있다.
  ▶ so (that): 그래서, ~하여 《결과》

3 모든 학부모님들께서 자녀가 어떻게 새 학년 학급에 적응하였는지 볼 기회를 가질 수 있도록 저희는 앞으로 3주 동안 학생 발표수업을 합니다.
  ▶ in order that+S′+V′ ~: ~하도록, ~하기 위하여

4 '세 명의 음악가'에서 피카소가 음악가들을 형상화하기 위해 아주 예상치 못한 방식으로 추상적인 형태를 사용해서, 이 작품을 처음 볼 때, 여러분은 어떤 것도 이치에 맞지 않는다고 생각한다.
  ▶ such (a/an) (형용사) 명사 ~ that …: 아주 ~해서 …하다; …할 정도로 ~하다

어휘 complicated 복잡한　decode 해독하다　reasonable 합당한; 합리적인　outdated 기한이 지난; 구식의　effort 활동; 노력　settle 자리 잡다; 정착하다　abstract 추상적인　assume (사실일 것으로) 생각하다; 가정하다

Test 2

1 its practical requirements are so demanding that they are possible
2 in order that enemies aren't able to distinguish them from real leaves
3 such a longstanding assumption that it could be called a conventional wisdom
4 so that all subsequent infections by the same parasite are repelled so quickly that we don't even notice it

1 ▶ so 형용사[부사] ((a/an) 명사) ~ (that) …: 아주 ~해서 …하다
2 ▶ in order that+S′+V′ ~: ~하도록, ~하기 위하여
3 ▶ such (a/an) (형용사) 명사 ~ that …: …할 정도로 ~하다; 아주 ~해서 …하다
4 ▶ 결과를 나타내는 <so that …> 구문 안에 '…할 정도로 ~하다; 아주 ~해서 …하다'의 의미인 <so 형용사[부사] that …> 구문을 포함하여 영작한다.

어휘 requirement 요구되는 것; 필요　demanding 부담이 큰, 힘든; 요구가 많은　extraordinary 특별한, 비범한; 놀라운　select 엄선된; 고급의　moth 나방　remarkable 놀라운, 주목할 만한　camouflage 위장(술)　distinguish 구별하다; 식별하다　longstanding 오래 계속되는; 예전부터의　assumption 가정, 추정　conventional 관습적인 cf. conventional wisdom (사회적, 일반적) 통념　retain (계속) 보유하다, 유지하다　molecular 분자의　subsequent 그 다음의, 차후의　infection 감염; 전염병　parasite 기생균; 기생충　repel 격퇴하다; 몰아내다

Test 1

1 ○　　2 × → soon　　3 ○

1 일단 어떤 물품이 판매 유효 기한이 지나면, 그것은 폐기물 흐름으로 들어가 탄소 발자국을 증가시킨다.
  ▶ once: 일단 ~하면

2 내가 발표자의 질문에 답하려고 입을 열자마자, 다른 누군가가 답을 외쳤다.
  ▶ 문맥상 '~하자마자'의 의미가 되어야 하므로 As soon as가 알맞다.

3 우리는 평판이 좋은 과학 자료에서 명백한 증거를 볼 때까지 외계인이 지구를 방문했을 가능성을 고려해서는 안 된다.
  ▶ not A until B: B할 때까지 A하지 않다, B하고 나서야 비로소 A하다

어휘 possibility 가능성　alien 외계인; 외국인　undeniable 명백한, 부인할 수 없는　reputable 평판이 좋은

Test 2

1 Since the concept of doing multiple things at a time began to receive attention in the 1920s / have been studying its effects
2 Given that the quality of attachment between children and their caregivers can influence / it is crucial for caregivers to foster
3 had he noticed the creature with sharp teeth moving towards him than he rapidly climbed the nearest tree
4 are faced with two choices whenever trouble surfaces / can remain calm in the moment until it passes

1 ▶ 종속절에 since(~한 이래로)가 쓰이면 주절에는 주로 현재완료시제가 쓰인다. 여기서는 진행의 의미가 더해져 현재완료진행형(have been v-ing)이 쓰였다.
2 ▶ 주절은 <가주어(it)+의미상의 주어(for+목적격)+진주어(to부정사)> 구문을 이용하여 영작한다.
3 ▶ <no sooner ~ than …(~하자마자 …하다)> 구문은 부정어가 문두에 오므로 No sooner 뒤에서 주어와 조동사(had)가 도치된다. than 이후는 일반 어순으로 쓴다.
4 ▶ whenever: ~할 때마다 / until: ~할 때까지

어휘 concept 개념　cognitive 인지의, 인식의　efficiency 효율성　attachment 애착; 부착　caregiver 보호자; 돌보는 사람　foster 발전시키다; 조성하다　secure 안정감 있는; 안전한　hesitation 주저함, 망설임　surface 수면 위로 떠오르다; 표면

RANK 36 양보·대조의 부사절 p.67

Test 1

1 In spite of   **2** as they are

1 인구가 급속하게 고령화되고 있음에도[인구의 급속한 고령화에도] 불구하고, 청년들은 여전히 사회의 경향을 형성하는 데 중요한 역할을 한다.
▶ in spite of[despite]+명사(구): ~에도 불구하고

2 비록 그것들은 사람의 눈에 보이지 않지만, 태양에서 오는 자외선은 해로울 수 있다.
▶ 형용사+as+S′+V′: 비록 ~이지만

어휘 population 인구   societal 사회의   invisible 눈에 보이지 않는

Test 2

1 whereas capitalism prioritizes individual success and free market competition
2 No matter how well you conceal your feelings
3 whether they lead a sing-along activity or teach a rhythm for the audience to clap
4 are capable of collaboratively generating effective solutions even though they are not highly educated or individually logical
5 Intuitive as some decisions feel / they are often supported by complex cognitive processes
6 whichever environmental changes they face / however rapid the pace of changes may be

1 ▶ whereas[while]: ~인 반면에

2 ▶ <no matter how: 아무리 ~하더라도>를 활용해 영작한다. how와 의미상 긴밀하게 연결되는 형용사나 부사는 how와 붙여 쓴다.

3 ▶ whether A or B: A이든 B이든

4 ▶ although, (even) though: 비록 ~이지만

5 ▶ 형용사+as+S′+V′: 비록 ~이지만

6 ▶ whichever+명사+S′+V′: 어떤 ~이 …하더라도 / however+형용사[부사]+S′+V′: 아무리 ~하더라도

어휘 socialism 사회주의   collective 집단적인   equality 평등   capitalism 자본주의   prioritize 우선시하다   conceal 숨기다   subtle 미묘한   boost (끌어) 올리다, 신장시키다; 북돋우다   engagement 참여   collaboratively 협력해서   intuitive 직관적인

RANK 37 형용사 자리 vs. 부사 자리 p.68

Test 1

1 ○, × → personally   **2** ○, × → hard
3 × → exclusively, ○   **4** × → generally, ○

1 유리, 종이, 플라스틱과 같은 재사용 가능한 품목을 분류하는 것은 우리가 탄소 발자국을 줄이기 위해 개인적으로 할 수 있는 간단하지만 영향력이 강한 활동이다.
▶ simple은 activity를 수식하는 형용사이므로 올바르다. personal은 동사 can do를 수식하는 부사 personally로 고쳐야 한다.

2 안정적인 패턴들은 혼돈을 피하기 위해 필요하다. 하지만 그것들(오래된 습관들)이 더 이상 유용하거나 건설적이지 않은 경우에도 그것들(안정적인 패턴들)은 오래된 습관들을 깨뜨리는 것을 매우 어렵게 만든다.
▶ 형용사 necessary는 보어 자리에 알맞게 쓰였다. hardly는 가목적어 it의 목적격보어 자리이므로 형용사 hard로 고쳐야 한다.

3 우리가 더 전적으로 우리와 같고, 같은 견해를 가지고 있고, 같은 가치를 공유하는 사람들로 둘러싸일수록, 우리는 인간으로서 성장하기보다는 정체될 가능성이 더 크다.
▶ exclusive는 동사 surround를 수식하는 부사 exclusively로 바꿔야 한다. likely는 '~할 가능성이 있는'이란 뜻의 형용사로, 동사 are의 보어로 알맞게 쓰였다. -ly로 끝나지만 부사가 아니라는 점에 주의한다.

4 비행기 추락으로 이어질 수 있는 돌풍은 일반적으로 뇌우의 난기류에서의 고속 하강 기류로 인해 생기지만, 비가 증발해서 지상 높이 상승할 때 맑은 대기에서 발생할 수 있다.
▶ general은 동사 result를 수식하는 부사 generally로 고쳐야 한다. high는 '높이'라는 의미의 부사로 쓰여 동사 rises를 수식한다.

어휘 sort 분류하다   impactful 영향력이 강한   chaos 혼돈, 혼란   constructive 건설적인   exclusively 전적으로; 배타적으로   burst 돌발, 폭발   evaporate 증발하다

Test 2

1 The more actively parents demonstrate confidence / the more independent their children become
2 The use of broadly effective pesticides has been observed to have a negative impact
3 excessively consumes your time / may find it advantageous to hire someone else
4 acknowledge it as promptly as possible / immediately take steps to correct it

1 ▶ <the+비교급~, the+비교급…> 구문으로 영작한다. 첫 번째 절에서 active는 demonstrate를 수식하는 부사 actively로 바꾼다. 두 번째 절에서 independent는 become의 보어이다.

2 ▶ broad는 형용사 effective를 수식하는 부사 broadly로 고쳐 쓴다.

3 ▶ 주절은 <find+가목적어+목적격보어+진목적어(to부정사구)>의 어순으로 영작한다. 목적격보어 자리에는 형용사가 적절하므로 advantageous를 그대로 쓴다.

4 ▶ <as ~ as possible: 가능한 ~한[하게]> 구문을 사용하여 영작한다. 밑줄 친 형용사는 모두 동사를 수식하므로 부사로 바꿔 쓴다.

어휘 demonstrate 보여주다; 입증하다   pesticide 살충제, 농약   disrupt 방해하다, 지장을 주다   reproductive 번식의, 생식의   advantageous 이로운, 유리한   acknowledge 인정하다   promptly 지체 없이; 즉시

RANK 38 — 주어+동사+보어(2문형) p.69

Test 1

1 ○　　　　　**2** × → relaxed, ○

1 그녀는 구독료가 너무 비싸져서 유지할 수 없다는 것을 알게 되었고, 그래서 구독을 취소하기로 결정했다.
▶ <명사+-ly> 형태의 형용사를 부사로 착각하지 않도록 주의하자.

2 나는 우리가 긴장이 풀린 채로 있으면서, 실제로 무슨 일이 일어났는지 보고, 또한 모든 사람이 살아있다는 것에 감사해야 한다고 생각해.
▶ 우리가 '긴장이 풀린' 것이므로 relaxed로 고쳐야 한다. relaxing은 '긴장을 풀어주는'의 의미이다.

어휘 subscription (정기 간행물의) 구독(료)　costly 값비싼　appreciate 감사하다

Test 2

1 the scenes look like reality / the movie has grown more famous and beloved than his previous work
2 is transforming values that you have into behaviors
3 the sky appears green / can be an indicator / stay informed about weather updates
4 has remained crucial for food security and economic stability / numerous challenges are becoming pressing threats

1 ▶ 첫 번째 빈칸은 감각동사 look의 보어로 <like+명사> 형태를 쓴다. 두 번째 빈칸은 has grown 뒤에 보어인 more famous와 (more) beloved를 and로 연결하여 영작한다. and 뒤에 반복되는 어구는 생략할 수 있으므로 beloved 앞의 more는 생략한다.

2 ▶ 주어가 단수 One important step이므로 동사는 is로 쓰고, 이어서 transforming이 이끄는 동명사구를 보어로 쓴다.

3 ▶ appear, be, stay는 보어를 취하는 2문형의 동사로 쓰일 수 있다.

4 ▶ remain은 '~인 상태로 남아 있다'는 뜻으로 보어를 취하므로 crucially를 형용사 crucial로 변형한다.

어휘 rework 재작업하다, 고치다　indicator 지표　informed 잘[많이] 아는　ensure 보장하다　pressing 긴급한, 눈앞에 닥친　sustainability 지속 가능성

RANK 39 — to부정사와 동명사의 태 p.70

Test 1

1 × → being excluded　　**2** ○, × → being given
3 × → being deceived　　**4** × → to be observed

1 정책 변경은 그의 가족이 이전에 의존했던 보조금 혜택에서 배제되게 하였다.
▶ 의미상의 주어인 '그의 가족(his family)'이 '배제되는' 수동관계이므로 동명사의 수동형 being excluded로 고쳐야 한다.

2 다른 사람들에게 자신이 누구인지 보여줄 기회를 받지 못한 채 명단에서 지워지는 것을 좋아하는 사람은 아무도 없다.
▶ 문장의 주어 Nobody가 밑줄 친 to부정사의 의미상의 주어이다. 명단에서 '지워지는' 수동의 의미이므로 to be crossed off는 알맞다. 밑줄 친 동명사의 의미상의 주어 Nobody가 기회를 '받는' 수동관계이므로 giving은 being given으로 고쳐야 한다. 뒤의 목적어 a chance는 4문형에서의 직접목적어가 수동태로 바뀌며 남은 것이다.

3 속지 않기 위해서, 여러분은 합법적인 조직이 암호나 개인 식별 번호 같은 민감한 정보를 절대 전화로 요청하지 않을 것이라는 것을 알아야 합니다.
▶ 의미상의 주어인 '여러분(you)'이 '속임을 당하는' 수동관계이므로 동명사 수동형 being deceived로 고쳐야 한다.

4 비록 감시 카메라는 무해하도록 의도되지만, 모든 개인이 관찰되지 않을 권리는 사적인 경계가 반드시 존중되도록 보호되어야 한다.
▶ 의미상의 주어인 '모든 개인(all individuals)'이 '관찰되지' 않는 수동관계이므로 to be observed로 고쳐야 한다.

어휘 subsidy 보조금, 장려금　cross off (위에 줄을 그어) 지우다　legitimate 합법적인; 정당한　boundary 경계(선)

Test 2

1 the demand for decreasing tuition fees kept being raised by students
2 An analogy is an efficient way for new meanings to be created
3 the true pleasure in science comes from being challenged by the mysteries of the universe and pushing the boundaries of our understanding
4 Every sensation our body feels has to wait for the information to be carried to the brain

1 ▶ 의미상의 주어인 '요구(the demand)'가 '제기되는' 수동관계이므로 동명사의 수동형인 being raised로 변형하여 영작한다.

2 ▶ to부정사구의 의미상의 주어인 '새로운 의미'를 for new meanings의 형태로 to부정사구 앞에 위치시킨다. 새로운 의미가 '만들어지는' 수동관계이므로 to be created로 쓴다.

3 ▶ 의미상의 주어가 일반인(we)으로, 우리가 '도전받는' 것은 수동관계이므로 from의 목적어는 동명사 being challenged로 변형한다. and 뒤에 from의 목적어가 병렬 연결되므로 push의 동명사형이 와야 하는데, 우리가 이해의 경계를 '넓히는' 것은 능동관계이므로 pushing으로 변형하여 영작한다.

4 ▶ 의미상의 주어인 '모든 감각(Every sensation)'이 정보가 전달되기를 '기다리는' 능동의 의미이므로 has to wait가 되어야 한다. 이때 '정보(the information)'가 '전달되는' 것은 수동관계이므로 to be carried로 쓴다.

어휘 analogy 비유　sensation 감각, 느낌　integrate 통합하다　sensory 감각의

Test 1

1 × → have been destroyed   2 × → having devoted
3 ○
4 × → been helped

1 약 3,500채의 주택이 2020년에 산불로 인해 소실되었던 것으로 추정되는 데, 이 산불은 호주 전역을 불태웠다.
▶ 추정되는 것(현재)보다 산불로 소실된 것(과거)이 먼저 일어난 일이고, 주택이 '소실되는' 수동관계이므로 to부정사의 완료 수동형으로 고쳐야 한다.

2 침묵을 소중히 여기는 문화권에서는, 말하는 이가 자신의 차례를 마친 후 너무 빨리 응답하는 것이 그들의 말에 충분하지 못한 관심을 기울였던 것으로 해석된다.
▶ 해석되는 것(현재)보다 말에 관심을 기울이는 것(과거)이 먼저 일어난 일이고, 관심을 '기울이는' 능동관계이므로 동명사의 완료 능동형으로 바꾸어야 한다.

3 1957년에 소비에트 연방이 보낸, 지구의 궤도에 오른 최초의 개 라이카는 지금까지 가장 유명한 살았던 개들 중 하나로 남아 있으며, 우주 탐사의 초기 시절을 상징한다.
▶ 남아 있는 것(현재)보다 살았던 것(과거)이 먼저 일어난 일이므로 to부정사의 완료형을 쓴 것은 올바르다.

4 전 세계적인 유행병의 기간 동안 상당히 낮아진 금리의 도움을 받았음에도 불구하고, 중소기업들은 여전히 그들의 재정적 침체에서 다시 회복하기 위해 고투한다.
▶ 고투하는 것(현재)보다 도움을 받은 것(과거)이 먼저 일어난 일이고, 중소기업들이 '도움을 받은' 수동관계이므로 동명사의 완료 수동형으로 바꾸어야 한다.

어휘 residential 주택의, 거주의   property 건물; 재산; 소유지   prize 소중히 여기다; 상, 상품   orbit 궤도에 오르다; 궤도   pandemic 전 세계[전국]적인 유행병의   bounce back 다시 회복하다   downturn (경기) 침체, 하강

Test 2

1 seems to have contributed to the prevalence of literacy
2 looks so worn out because of having spent the whole day preparing dinner
3 having been used as vehicle batteries / can be recycled at commercial facilities
4 The idea that planting trees could have a social or political significance appears to have been invented by English aristocrats

1 ▶ to부정사의 시제가 문장의 동사보다 이전의 일을 나타내므로 to부정사의 완료형을 써서 영작한다.

2 ▶ because of 뒤의 동명사구가 문장의 동사보다 이전의 일을 나타내므로 동명사의 완료형을 써서 영작한다.

3 ▶ Subsequent to 뒤의 동명사구가 문장의 동사보다 이전의 일을 나타내고, 배터리들이 '사용된' 수동관계이므로 동명사의 완료 수동형을 써서 영작한다.

4 ▶ to부정사의 시제가 문장의 동사보다 이전의 일을 나타내고, 생각이 '고안된' 수동관계이므로 to부정사의 완료 수동형을 써서 영작한다.

어휘 prevalence 보급, 널리 퍼짐   literacy 읽고 쓰는 능력   worn out 매우 지친; 닳아 해진   subsequent to ~ 뒤에, ~ 다음에   aristocrat 귀족   declare 선언하다; (세관에) 신고하다   extent 범위; 규모

Test 1

1 × → to   2 ○   3 × → that

1 부러움은 우리가 가치 있게 여기는 어떤 것에서 우리가 다른 사람보다 열등하다는 느낌이나 인식을 수반한다.
▶ inferior는 than 대신 to를 써서 비교급을 만든다.

2 심리학 용어인 '손실 회피 성향'은 사람들이 동등한 가치의 무언가를 얻는 것보다 무언가를 잃는 것에 훨씬 더 많이 신경을 쓰는 경향을 나타낸다.
▶ '훨씬'이란 의미의 비교급 수식 어구: much, even, still, (by) far, a lot

3 열린 공간은 음파가 장애물 없이 더 먼 거리를 이동할 수 있게 해주기 때문에, 빈 강당의 소리는 작은 방의 그것(소리)보다 훨씬 더 널리 퍼진다.
▶ 비교 대상에서 반복되는 sound를 대신하므로 단수형 대명사 that이 알맞다.

어휘 envy 부러움, 선망   entail 수반하다   perception 인식   refer to 나타내다; 언급하다   tendency 경향, 성향   obstruction 장애물; 방해

Test 2

1 is far easier than coordinating all the plans
2 Electric cars offer a smoother and quieter driving experience than gasoline cars
3 Drinking sugar-free soda is not more beneficial than drinking water
4 they often respond more hesitantly / the brain needs more time to invent a story than to recall stored facts
5 tends to be weaker than that of places where generations live together

1 ▶ 두 개의 동명사구를 비교하는 문장이다. 비교급 easier 앞에 수식 어구 far를 위치시킨다.

2 ▶ driving experience를 수식하는 형용사 smooth와 quiet의 비교급을 and로 연결하여 쓴다.

3 ▶ A not more ~ than B: (A, B 모두 ~하나) A가 B보다 덜 ~하다(A≤B)

4 ▶ 동사 respond를 수식하므로 hesitant를 부사 hesitantly로 고치고 앞에 more를 붙여서 비교급을 만든다. because절은 두 개의 to부정사구를 비교하는 문장으로 영작한다.

5 ▶ the community spirit은 than 뒤에서 단수형 대명사 that으로 대신하고, places는 where가 이끄는 관계부사절의 수식을 받는 구조로 영작한다.

어휘 coordinate 조정하다; 편성하다   appetite 식욕, 입맛   artificial 인공의, 인위적인   hesitantly 머뭇거리며, 주저하며

RANK 42 원급을 이용한 비교 표현　　p.73

Test 1

1 Wind energy is three times as productive as solar energy
2 the way people walk is as distinctive as their face
3 that change constantly without any consistent rationale will fail just as easily as those that resist change
4 realize that they are not as physically strong as they were in youth
5 Athletes eat high-calorie meals to recharge as much energy as they spent
6 were expected to work as long as possible / considering work-life balance almost as crucial as the work itself

1 ▶ A 배수/분수 as ~ as B: A는 B의 …배만큼 ~한

2 ▶ A as 원급 as B: A는 B만큼 ~한[하게]

3 ▶ A just[exactly] as ~ as B: A는 꼭[정확히] B만큼 ~한 (A=B)

4 ▶ <A not as[so] 원급 as B: A는 B만큼 ~하지는 않은 (A<B)>을 활용해 영작한다. 현재와 과거(청년 시절)를 비교하므로 앞에는 are, as 이하에는 were를 쓴다. 여기서 were는 were physically strong을 대신한다.

5 ▶ much가 명사인 energy를 수식하므로 <as 형용사 원급+명사 as>의 어순으로 영작한다.

6 ▶ as ~ as possible: 가능한 한 ~한[하게] / A almost[nearly] as ~ as B: A는 거의 B만큼 ~한 (A≦B)

어휘 fraction 일부, 부분; 분수　distinctive 독특한　criminal 범죄의; 범죄자　investigation 수사, 조사　constantly 끊임없이　consistent 일관된　rationale (근본적, 이론적) 이유, 근거　involve 수반하다, 포함하다　collision 충돌　recognition 인식, 인지

RANK 43 최상급을 나타내는 여러 표현　　p.74

Test 1

1 thing → things　　　2 ○

1 식습관을 바꾸는 것은 우리가 할 수 있는 가장 어려운 일들 중 하나인데, 우리의 선호를 통제하는 충동은 종종 잠재의식적이기 때문이다.
▶ one of the+최상급+복수명사: 가장 ~한 것들 중 하나

2 영상은 대중의 관심을 사로잡기 위한 현대 마케팅의 단연코 가장 강력한 도구라고 널리 여겨진다.
▶ 최상급 강조 어구: much, by far, quite, the very 등

어휘 impulse 충동; 자극　govern 통제하다; 다스리다　subconscious 잠재의식적인; 잠재의식　capture 사로잡다; 포획하다

Test 2

1 is regularly featured on lists of the most influential people in Indian culture
2 One of the best ways to write an essay is to write it as quickly as possible

1 ▶ influential의 최상급은 most influential이다.

2 ▶ <one of the+최상급+복수명사>에서 One이 주어이고 내용상 일반적인 사실이므로 be는 is로 고친다.

어휘 feature (특별히) 포함하다; 특징을 이루다　without regard to ~에 상관없이, ~을 고려하지 않고

Test 3

1 No other influence / more crucial than our responsiveness / No other influence / as[so] crucial as our responsiveness
2 no other food / more favored than honey / was the most favored food

1 아이들이 하고 말하는 것에 대한 우리의 반응성은 그들의 인지 발달에 영향을 주는 가장 중요한 것이다.
= 아이들이 하고 말하는 것에 대한 우리의 반응성보다 그들의 인지 발달에 영향을 주는 더 중요한 것은 없다.
= 아이들이 하고 말하는 것에 대한 우리의 반응성만큼 그들의 인지 발달에 영향을 주는 중요한 것은 없다.
▶ 최상급의 의미를 나타내는 원급, 비교급 표현 중 <No (other) … as[so] 원급 as ~>와 <No (other) … 비교급 than ~>을 활용한다.

2 한 연구는 탄자니아의 하드자 수렵채집인들 사이에서 꿀이 다른 어떤 식품보다 더 인기 있다는 것을 보여주었다.
= 한 연구는 탄자니아의 하드자 수렵채집인들 사이에서 다른 어떤 식품도 꿀보다 더 인기 있지 않다는 것을 보여주었다.
= 한 연구는 탄자니아의 하드자 수렵채집인들 사이에서 꿀이 가장 인기 있는 식품이라는 것을 보여주었다.
▶ 첫 번째 문장은 최상급의 의미를 나타내는 비교급 표현인 <No (other) … 비교급 than ~>을 활용해 완성하고, 두 번째 문장은 최상급의 기본 형태를 활용해 완성한다.

어휘 responsiveness 반응성　favored 인기 있는, 호의를 사고 있는

RANK 44 4문형·5문형의 수동태　　p.75

Test 1

1 ○　　　　　　　　　2 ○, × → abolished
3 × → were sent, ○　4 × → to support

1 세련된 검은 정장을 차려입은 두 남성이 위엄 있는 입장을 하자 모임의 참석자들이 열광적으로 환호하는 소리가 들렸다.
▶ 지각동사는 5문형에서 v-ing를 목적격보어로 취할 수 있고, 수동태로 전환되어도 v-ing 형태의 목적격보어는 형태를 그대로 유지하므로 밑줄 친 부분은 알맞다.

2 흑인 역사의 달 동안, 수백만 명의 학생들은 어떻게 미국이 150년 전에 수정헌법 13조의 비준으로 노예제도를 폐지했는지에 대한 이야기를 듣게 될 것이다.
▶ 학생들이 '듣게 되는' 것이므로 수동형 be told를 쓴 것은 알맞다. 미국이 노예제도를 '폐지한' 능동의 의미이므로 was abolished는 abolished로 고쳐 써야 한다.

3 당신에게 저희인 체를 하는 가짜 문자메시지가 전송되었다고 생각한다면, 조사를 위해 문자의 스크린샷을 찍어 그것을 저희 공식 신고 이메일이나 연락 페이지로 보내세요.
▶ 문맥상 당신에게 가짜 문자메시지가 '전송되는' 수동의 의미이므로 sent는 were sent로 고쳐 써야 한다. 명령문의 생략된 주어인 you가 스크린샷을 '보내는' 능동의 의미이므로 send를 쓴 것은 알맞다. take와 send는 and로

병렬 연결되었다.

4 16세기 후반에, 처음에는 신중했던 엘리자베스 1세는 새로운 무역로의 잠재력을 본 후 결국 탐사 항해를 지원하도록 설득되었다.
▶ persuade는 5문형에서 to-v를 목적격보어로 취하는 동사이고, 수동태로 전환되어도 to-v 형태의 목적격보어는 형태를 그대로 유지한다. 따라서 support는 to support로 고친다.

어휘 gathering 모임; 수집 enthusiasm 열광; 열정 sleek (옷차림 따위가) 세련된 abolish 폐지하다 slavery 노예(제도) pose as ~인 체하다 voyage (긴) 항해, 여행

Test 2

1 The same event can be made to look very different
2 students are advised to take notes on what is asked to be done
3 all jurors are shown the same evidence and hear identical legal arguments
4 people were left alone and (were) encouraged to simply sit in their home

1 ▶ 사건이 '~하게 보이도록 만들어지는' 수동의 의미이므로 동사는 can be made로 쓴다. 사역동사 make의 목적격보어는 능동태에서 v(원형부정사)이지만 수동태에서는 to-v로 바뀐다.

2 ▶ 학생들이 '충고받는' 것과 무엇인가(문맥상 과제 등)가 완료되도록 '요청되는' 것은 모두 수동의 의미이므로 밑줄 친 동사는 are advised와 is asked로 쓴다. 또한 advise와 ask는 5문형에서 목적격보어로 to-v를 쓰므로 수동태로 쓰인 문장에서도 take와 be done 앞에 모두 to를 추가해야 한다.

3 ▶ 증거를 '제시받는' 것은 수동의 의미이므로 show는 are shown으로 쓰고, 법적 주장을 '듣는' 것은 능동의 의미이므로 hear를 그대로 쓴다.

4 ▶ 사람들이 '남겨지는' 것과 '권유받는' 것은 수동의 의미이므로 밑줄 친 동사는 were left와 were encouraged로 쓴다. 단, 두 개의 동사구가 and로 병렬 연결되므로 encouraged 앞의 반복되는 were는 생략할 수 있다. encourage는 5문형에서 목적격보어로 to-v를 쓰므로 수동태로 쓰인 문장에서도 simply sit 앞에 to를 추가해야 한다.

어휘 precede ~에 선행하다[앞서다] identical 동일한 legal 법률의, 합법적인 impartial 편파적이지 않은; 공정한 distract 산만하게 하다

서술형 대비 **실전 모의고사 4회** p.76

01 × → rapidly, ○
02 × → get, × → that
03 ○, × → have been built
04 ○, × → which[that] 또는 삭제, × → such
05 × → sending, × → as much energy as, ○
06-07 ③ haven't taught → haven't been taught, 그들(여러분 주변의 사람들)이 (피드백을 주는) 방법을 '배우는' 수동관계이므로 haven't been taught가 되어야 한다. / ⑥ very → much[even, still, (by) far], very는 비교급을 수식할 수 없으므로 '훨씬'을 뜻하는 비교급 수식어구 much[even, still, (by) far]로 고쳐야 한다.
08 challenging enough to keep students motivated / so difficult as to become discouraging
09 that asked participants to identify / was found to have chosen all true responses / the most overlooked symptom was
10 include evidence of having been revised / which is so detailed that it allows scholars to trace the development
11 (A) While known for many benefits (B) One of the most frequent criticisms is / are much lower than those of traditional farms so that they cannot feed the world's population
12 comes from being involved in a community where individuals can share some common interests
13 (A) providing (C) understanding[to understand] (D) naturally
14 when the same terms are employed / start to grasp how different subjects and classes connect
15 (A) generated only a bit more shock to the legs than running on soft surfaces (B) runners may shift their leg stiffness depending on how solid the surface is
16-17 ③ they discover → do they discover, 부정어구가 이끄는 부사절이 문두로 나갔으므로 주절은 <조동사(do)+주어(they)+동사(discover)>의 어순으로 도치시킨다. / ⑤ made → were made to, 참가자들이 실험자들에 의해 각각의 관점에서 '보게 만들어진' 것이므로 were made로 바꿔 쓰고, 5문형에서 사역동사 make의 목적격보어인 v(원형부정사)는 수동태에서 to-v로 바꿔 쓰므로 to를 이어 쓴다.
18 (A) to believe that all negotiations are competitive situations with limited resources (B) makes it very hard for an agreement good for both sides to be made

01 양식업이 빠르게 확장되고 있던 초기 단계 동안, 고밀도 사육이 우리에 갇힌 물고기만큼이나 지역 야생어 개체군에도 문제가 많은 전염병의 발생으로 이어졌다.
▶ 동사 was expanding을 수식하는 부사 rapidly로 고쳐야 한다. / that절의 보어 자리이므로 형용사 problematic은 알맞게 쓰였다. • **Rank 37** 형용사 자리 vs. 부사 자리, **Rank 38** 주어+동사+보어(2문형), **Rank 42** 원급을 이용한 비교 표현
어휘 rearing 사육 outbreak 발생 infectious 전염(성)의 problematic 문제가 많은 caged (우리에) 갇힌

02 보통의 과학자들이 패러다임과 상충하는 실험 결과를 얻는다면, 그들은 대개 패러다임이 틀린 것이 아니라, 그들의 실험 기법에 결함이 있다고 가정할 것이다.
▶ 시간·조건의 부사절에서는 현재시제가 미래를 대신하므로 will get은 get으로 고쳐야 한다. / assume의 목적어절을 이끌면서 뒤에 완전한 절이 오므

로 what은 접속사 that으로 고쳐야 한다. •Rank 21 주의해야 할 시제 Ⅰ, Rank 23 명사절을 이끄는 접속사 that, Rank 35 시간·조건의 부사절

어휘 faulty 결함이 있는, 흠이 있는

03 카를로보에 있는, 알려진 바가 거의 없는 교회 'Sveta Bogoroditsa'는 마을의 설립 당시인 15세기 말에 이미 지어졌다고 몇몇 사람들에 의해 여겨진다.
▶ Little is known about the church. The church is believed by some ~. 두 문장을 잇는 about which는 알맞게 쓰였다. / 교회가 '지어진' 수동관계이며 문장의 동사(is believed)보다 이전의 일을 나타내므로 to부정사의 완료 수동형 to have been built가 되어야 한다. •Rank 29 전치사+관계대명사, Rank 39 to부정사와 동명사의 태, Rank 40 to부정사와 동명사의 완료형

04 볼테르는 그의 단편 철학 소설 '캉디드'에서, 동시대의 다른 사상가들이 표명했던 인류와 우주에 대한 일종의 종교적 낙관주의를 완전히 약화시켰고, 그가 그것을 아주 재미있는 방식으로 해서 그 책은 즉각 베스트셀러가 되었다.
▶ 동사 undermined를 수식하는 부사 completely는 알맞게 쓰였다. / 앞에 선행사(the kind of religious optimism)가 있고 뒤에 목적어가 없는 불완전한 절이 이어지므로 목적격 관계대명사 which[that]로 고치거나, 목적격 관계대명사를 생략한 형태가 되도록 삭제해야 한다. / such로 바꿔 <such (a/an) (형용사) 명사 ~ that ...: 아주 ~해서 …하다> 구문을 완성한다. •Rank 27 목적격 관계대명사 who(m), which, that, Rank 34 목적·결과의 부사절, Rank 37 형용사 자리 vs. 부사 자리

어휘 undermine (자신감, 권위 등을) 약화시키다, 훼손하다 optimism 낙관주의 contemporary 동시대의; 현대의 instant 즉각의, 즉시의; 즉석의, 인스턴트의

05 뇌에서 신호를 보내는 개개의 뉴런은 마라톤을 하는 다리 근육 세포만큼 많은 에너지를 사용한다. 물론, 우리가 달리고 있을 때 전체적으로 더 많은 에너지를 사용하지만, 우리가 항상 움직이고 있는 것은 아닌 반면에 우리의 뇌는 절대 꺼지지 않는다.
▶ 문장의 동사(uses)가 있으므로 An individual neuron을 수식하는 분사로 고치는데, 뉴런이 '보내는' 능동관계이므로 현재분사 sending으로 고친다. / much가 명사인 energy를 수식하므로 <as 형용사 원급+명사 as>의 어순으로 고친다. / '반면에'를 의미하는 대조의 접속사 whereas는 알맞게 쓰였다. •Rank 05 현재분사 vs. 과거분사_명사 수식, Rank 24 동사 자리 vs. 준동사 자리, Rank 36 양보·대조의 부사절, Rank 42 원급을 이용한 비교 표현

06-07
당신의 회사에서 피드백을 어떻게 주고받을지에 대한 수업을 제공하지 않는 한, 당신 주변 사람들이 부정적인 피드백을 어떻게 줘야 하는지 알고 있다고 가정하지 마라. 그들은 너무 공격적이거나 직설적이어서 근본적인 메시지를 듣는 것이 어려울 수 있다. 그들은 방법을 배우지 않았기 때문에 피드백을 주는 데 아마도 서툴다. 다음번에 당신이 더 잘할 수 있는 것이 무엇이라고 그들이 말하는지 들으려고 노력하기 위해 당신을 불쾌하게 하는 것들은 무시하려 노력하라. 그리고 만약 그들이 단지 "다시는 그런 일이 일어나지 않도록 하시오."와 같은 말을 한다면, 그런 일이 실제로 다시는 일어나지 않도록 다음번에 당신이 무엇을 더 잘할 수 있을지 알아내도록 노력하라. 문제를 해결할 준비를 하는 것이 이번에 해결하지 못한 것에 대해 속상해하는 것보다 기분이 훨씬 더 좋다.
▶ ③ •Rank 16 진행·완료시제의 능동 vs. 수동, Rank 44 4문형·5문형의 수동태 / ⑥ •Rank 41 비교급+than~

어휘 aggressive 공격적인 underlying 근본적인; 밑에 있는 brush aside 무시하다 offend 불쾌하게 하다

08 ▶ 첫 번째 절의 should be의 보어 자리에 challenging을 쓰고 <형용사 enough to-v: v할 만큼 충분히 ~한> 구문을 활용한다. to keep의 목적어인 students가 '동기가 부여되는' 것이므로 목적격보어는 motivated로 변형하여 쓴다. 두 번째 절에는 <so 형용사[부사] as to-v: v할 만큼 ~한[하게]> 구문을 활용하여 영작하는데, but으로 병렬 연결되었으므로 should be의 보어가 되도록 형용사 difficult 그대로 쓴다. •Rank 08 동사+목적어+보어 Ⅱ, Rank 13 to부정사의 부사적 역할, Rank 37 형용사 자리 vs. 부사 자리, Rank 38 주어+동사+보어(2문형)

어휘 discouraging 의욕을 꺾는

09 ▶ a questionnaire를 선행사로 하는 주격 관계대명사절을 쓰고, 관계사절의 동사 asked의 목적격보어로 to identify ~를 쓴다. 두 번째 빈칸의 동사는 참가자가 '밝혀진' 수동의 의미이므로 was found로 써야 한다. 문맥상 to부정사의 시제가 문장의 동사(was found)보다 이전의 일을 나타내고, 참가자가 '고른' 능동관계이므로 to부정사의 완료형을 써서 영작한다. •Rank 07 동사+목적어+보어 Ⅰ, Rank 25 주격 관계대명사 who, which, that, Rank 40 to부정사와 동명사의 완료형, Rank 43 최상급을 나타내는 여러 표현, Rank 44 4문형·5문형의 수동태

10 ▶ 문맥상 동명사의 시제가 문장의 동사(include)보다 이전의 일을 나타내고 초기 인쇄판이 '수정된' 것이므로 동명사의 완료 수동형 having been revised를 써서 영작한다. 보충 설명하는 관계대명사 which가 이끄는 절에 <so 형용사 that ...: …할 정도로 ~하다> 구문을 포함하여 영작한다. 이때 that절의 동사 allows의 목적격보어로는 to trace ~를 쓴다. •Rank 07 동사+목적어+보어 Ⅰ, Rank 34 목적·결과의 부사절, Rank 39 to부정사와 동명사의 태, Rank 40 to부정사와 동명사의 완료형

어휘 revise 수정하다; 개정하다 theatrical 연극적인, 연극의

11 ▶ (A) 접속사 While이 생략되지 않은 분사 구문을 영작한다. •Rank 20 주의해야 할 분사구문
(B) 주어는 <one of the+최상급+복수명사> 구문을 활용하는데, One이 주어이고 문맥상 일반적인 사실이므로 be는 is로 고쳐 쓴다. 문장의 보어인 that절에는 <비교급+than~> 구문을 쓰는데, 형용사 low는 lower로 변형하고 비교급 수식 어구 much를 앞에 쓴다. 비교 대상에서 반복되는 the crop yields는 복수형 대명사 those로 대신한다. 결과를 나타내는 부사절 접속사 <so that ...>을 뒤에 써서 문장을 완성한다. •Rank 33 대명사의 수일치, Rank 34 목적·결과의 부사절, Rank 41 비교급+than~, Rank 43 최상급을 나타내는 여러 표현

어휘 drawback 문제점, 결점 yield (농작물 등의) 수확량

12 팬들은 적극적으로 의미를 창조한다. 그들은 정체성과 경험을 쌓고, 심지어 다른 사람들과 공유하기 위해 자신만의 예술적인 창작물을 만든다. 더 자주, 개인의 경험은 공유된 애착을 가진 다른 사람들이 그들의 애정의 대상 주위에서 어울리는 사회적 맥락에 끼워 넣어져 있다. 팬덤의 즐거움의 많은 부분은 개인들이 일부 공통 관심사를 공유할 수 있는 공동체에 포함되는 것으로부터 온다. 1800년대의 보스턴 사람들은 그들의 일기에서, 연주회에 모인 관중의 일부가 되는 것을 참석의 즐거움의 일부라고 묘사했다. 팬들이 사랑하는 것은 팬덤의 대상이라기보다 그 애정이 제공하는 서로에 대한 애착이라는 설득력 있는 주장이 제기될 수 있다.
▶ 의미상의 주어는 일반인인데, 문맥상 사람들이 공동체에 '포함되는' 것에서 오는 것이므로 comes from 뒤에 동명사의 수동형 being involved를 쓰고, 추상적인 장소 선행사 a community를 수식하는 관계부사 where가 이끄는 절을 영작한다. •Rank 30 관계부사 when, where, why, how, Rank 39 to부정사와 동명사의 태

어휘 embed 끼워 넣다, 박다 socialize 어울리다, 사귀다; 사회화시키다 compelling 설득력 있는, 강력한 afford 제공하다; (시간적, 금전적) 여유가 되다

[13-14]
교육은 나뭇가지, 잔가지, 잎이 모두 공통의 핵심에서 나오는 방식을 밝히면서, 지식의 나무줄기에 초점을 맞춰야 한다. 사고를 위한 도구는 이 핵심에서 유래하며, 다양한 분야의 실무자들이 혁신 과정에 대한 경험을 공유하고 그들의 창의적 활동 사이의 연결 고리를 발견할 수도 있는 공통 언어를 제공한다. 특히, 교육과정 전반에 걸쳐 동일한 용어들이 사용될 때, 학생들은 서로 다른

과목들과 수업들이 어떻게 연결되는지 이해하기 시작한다. 글쓰기 수업에서 추상을 연습하고, 회화나 그림그리기 수업에서 추상을 연습하고, 그리고 모든 경우에 그들이 그것을 추상이라고 일컫는다면, 그들은 학문의 경계를 넘어 사고하는 방법을 이해하기 시작한다. 그들은 그들의 생각을 하나의 개념과 표현 방식에서 다른 것으로 바꾸는 방법을 알게 된다. 용어들과 도구들이 보편적인 상상력의 일부로 제시될 때 학문들을 연결하는 것은 자연스럽게 이루어진다.

어휘 trunk (나무의) 줄기   stem from ~에서 생겨나다   employ 사용하다; 고용하다   disciplinary 학문의; 훈련의 *cf.* discipline 학문; 훈육; 훈련   universal 보편적인

13 ▶ (A) 콤마 뒤 두 문장을 연결하는 접속사가 없고, 의미상의 주어 Tools가 '제공하는' 능동관계이므로 현재분사 providing으로 고친다. •Rank 06 분사구문
(C) begin은 목적어로 v-ing와 to-v를 모두 취할 수 있다. •Rank 11 동사의 목적어가 되는 to-v, v-ing
(D) 동사 comes를 수식하는 부사 자리이다. •Rank 37 형용사 자리 vs. 부사 자리

14 ▶ 시간의 접속사 when을 써서 부사절을 완성하는데, 동일한 용어들이 '사용되는' 수동관계이므로 동사는 are employed로 쓴다. 주절의 동사 start는 목적어로 to-v와 v-ing를 모두 취할 수 있지만 주어진 어구에 따라 to grasp를 쓴다. grasp의 목적어 자리에는 의문사 how가 이끄는 의문사절이 온다. •Rank 03 능동 vs. 수동_단순시제 I, Rank 11 동사의 목적어가 되는 to-v, v-ing, Rank 17 의문사가 이끄는 명사절의 어순, Rank 35 시간·조건의 부사절

15 달리는 사람에 관한 연구는 발에 작용하는 지면 반발력과 지면과의 충돌 후에 다리로, 그리고 몸을 통해 전달되는 충격은 달리는 사람이 매우 말랑말랑한 지표면에서 매우 단단한 지표면으로 옮겨 갔을 때 거의 달라지지 않았다는 것을 알아냈다. 결과적으로, 연구자들은 달리는 사람이 자신이 달리고 있는 지표면의 경직도에 대한 자신의 인식을 바탕으로 발이 땅에 부딪치기 전에 다리의 경직도를 잠재의식적으로 조정할 수 있다고 믿기 시작했다. 이 견해는 달리는 사람이 매우 단단한 지표면에서 달리고 있을 때는 충격력을 흡수하는 푹신한 다리를 만들고 유연한 지형에서 움직일 때는 단단한 다리를 만든다는 것을 시사한다. 그 결과, 다리를 통해 전해지는 충격력은 다양한 경주 지표면 유형에 걸쳐서 놀라울 만큼 유사하다.
[요약문] 딱딱한 지면 위를 달리는 것이 부드러운 지면 위를 달리는 것보다 다리에 겨우 약간 더 큰 충격만을 발생시키는 것을 보고, 연구자들은 달리는 사람이 지면이 얼마나 단단한지에 따라 자신의 다리의 경직도를 바꿀지도 모른다고 결론 내렸다.
▶ (A) 두 개의 동명사구를 비교하는 <비교급+than~> 구문을 영작한다. 비교급 more가 명사 shock를 수식하며, 비교급 수식 어구 a bit이 비교급 앞에 오는 형태로 쓴다. •Rank 41 비교급+than~
(B) depending on 뒤에 how가 이끄는 의문사절이 오는데, solidly는 의문사절의 동사 is의 보어가 될 수 있도록 형용사 solid로 변형하여 <의문사+형용사+주어+동사>의 어순으로 쓴다. •Rank 17 의문사가 이끄는 명사절의 어순, Rank 37 형용사 자리 vs. 부사 자리, Rank 38 주어+동사+보어(2문형)

어휘 transmit 전달하다; 전송하다   subconsciously 잠재의식적으로   stiffness 단단함   yielding 유연한, 잘 구부러지는; 수확이 많은

[16-18]
많은 협상가들은 모든 협상이 고정된 파이를 수반한다고 가정한다. 사실이 아닌 고정된 파이를 믿는 사람들은 당사자들의 이해관계가 통합적인 합의와 상호 간에 이익이 되는 거래의 가능성이 없는 반대 입장에 있다고 가정하여, 그것들을 찾으려는 노력을 억누른다. 고용 협상에서, 고용주가 7만 달러를 제시할 때, 급여가 유일한 문제라고 가정하는 지원자는 7만 5천 달러를 요구할 수 있다. 두 당사자가 그 가능성에 대해 더 논의할 때에야 비로소 그들은 이사 비용과 업무 시작일 또한 협상할 수 있다는 것을 발견하게 되는데, 이는 급여 문제의 해결을 촉진할 수 있을 것이다.
협상을 고정된 파이의 측면에서 보는 경향은 사람들이 주어진 갈등 상황의 본질을 어떻게 보는지에 따라 달라진다. 이는 징역형에 대한 검사와 피고 측

변호인 간의 모의 협상을 포함하는 한 기발한 실험에서 밝혀졌다. 일부 참가자들은 세 그룹으로 나뉘어, 그들의 목표를 개인적 이익의 측면에서(예를 들어 특정 징역형을 정하는 것이 당신의 경력에 도움이 될 것이다), 효과성의 측면에서(특정 징역형이 재범을 방지할 가능성이 가장 크다), 또는 가치의 측면에서(특정 징역형이 공정하고 정의롭다) 보게 되었다. 개인적 이익에 초점을 맞춘 협상가들은 고정된 파이 신념의 영향을 받아 상황에 경쟁적으로 접근할 가능성이 가장 컸다. 가치에 초점을 맞춘 협상가들은 고정된 파이의 측면에서 문제를 볼 가능성이 가장 낮았다. 시간 제약과 같은 스트레스가 많은 조건 역시 그것이 어떤 방식으로 나타나든 이러한 일반적인 오해의 원인이 되고, 덜 통합적인 합의로 이어질 수 있다.

어휘 negotiator 협상가 *cf.* negotiation 협상   integrative 통합적인   settlement 합의   mutually 상호 간에   beneficial 이익이 되는   trade-off (타협을 위한) 거래   suppress 억누르다; 진압하다   insist on ~을 (강력히) 요구하다   facilitate 촉진하다   simulated 모의의, 가장된   in terms of ~의 측면에서   misperception 오해, 오인   manifest 나타나다, 드러내 보이다

16-17
▶ ③ •Rank 18 부정어구 강조+의문문 어순 / ⑤ •Rank 44 4문형·5문형의 수동태

18 [요지] 어떤 관점이나 상황에서, 모든 협상이 자원이 한정된 경쟁적인 상황이라고 믿기 쉬운데, 이는 양측 모두에게 좋은 합의가 이루어지는 것을 매우 어렵게 만든다.
▶ (A) <가주어-진주어(to부정사구)> 구문을 쓴다. to believe의 목적어로는 that이 이끄는 명사절이 온다. •Rank 14 가주어-진주어(to부정사), Rank 23 명사절을 이끄는 접속사 that
(B) 앞 절을 보충 설명하는 관계대명사 which가 이끄는 절을 <동사(makes)+가목적어 it+목적격보어(very hard)+의미상의 주어(for an agreement ~ sides)+진목적어>의 어순으로 쓴다. 합의가 '이루어지는' 수동관계이므로 진목적어는 to be made로 쓴다. •Rank 32 가목적어-진목적어, Rank 37 형용사 자리 vs. 부사 자리, Rank 39 to부정사와 동명사의 태

• 부분 점수

문항	배점	채점 기준
01-05	1	×는 올바르게 표시했지만 바르게 고치지 못한 경우
06-07	2	틀린 부분을 바르게 고쳤지만 틀린 이유를 쓰지 못한 경우
06-07	1	틀린 부분을 찾았지만 바르게 고치지 못한 경우
08-11	3	어순은 올바르나 단어를 적절히 변형하지 못한 경우
14	4	어순은 올바르나 단어를 적절히 변형하지 못한 경우
15	4	어순은 올바르나 단어를 적절히 변형하지 못한 경우
16-17	2	틀린 부분을 바르게 고쳤지만 틀린 이유를 쓰지 못한 경우
16-17	1	틀린 부분을 찾았지만 바르게 고치지 못한 경우
18	5	어순은 올바르나 단어를 적절히 변형하거나 추가하지 못한 경우

✚ 감정을 나타내는 표현

감정을 나타내는 동사	v-ing(감정을 불러일으킴)	p.p.(감정을 느낌)
amaze (깜짝) 놀라게 하다	amazing (깜짝) 놀라게 하는	amazed (깜짝) 놀란
amuse 즐겁게 하다	amusing 즐겁게 해주는, 재미있는	amused 즐거워하는
annoy 짜증나게 하다	annoying 짜증나게 하는	annoyed 짜증이 난
bore 지루하게 하다	boring 지루하게 하는	bored 지루함을 느끼는
confuse 혼란스럽게 하다	confusing 혼란스럽게 하는	confused 혼란스러워하는
delight 기쁘게 하다	delighting 기쁜, 즐거운	delighted 아주 기뻐하는
depress 우울하게 만들다	depressing 우울하게 만드는	depressed 우울한
disappoint 실망스럽게 하다	disappointing 실망스러운	disappointed 실망한, 낙담한
embarrass 당혹하게 하다	embarrassing 당혹하게 하는	embarrassed 당혹스러운
excite 들뜨게 만들다, 흥분시키다	exciting 신나는, 흥분하게 하는	excited 신이 난, 흥분한
exhaust 지치게 하다	exhausting 기진맥진하게 만드는	exhausted 기진맥진한
fascinate 매혹시키다	fascinating 매력적인	fascinated 매료된
frighten 무서워하게 하다	frightening 무섭게 하는	frightened 무서워하는, 겁먹은
frustrate 좌절시키다	frustrating 좌절시키는	frustrated 좌절된, 좌절한
impress 감동을 주다	impressing 감동을 주는	impressed 감동을 받은
interest 흥미를 끌다	interesting 흥미를 끄는	interested 흥미[관심]를 갖는
please 즐겁게 하다	pleasing 즐겁게 하는	pleased 기쁜, 만족해하는
puzzle 어리둥절하게 만들다	puzzling 어리둥절하게 하는	puzzled 어리둥절해 하는
relieve 안도하게 하다	relieving 안도하게 하는	relieved 안도한
satisfy 만족시키다	satisfying 만족시키는	satisfied 만족한
shock 충격을 주다	shocking 충격적인	shocked 충격을 받은
surprise 놀라게 하다	surprising 놀라게 하는	surprised 놀란
terrify 겁나게 하다	terrifying 겁나게 하는	terrified 겁이 난, 무서워하는
thrill 신나게 만들다, 열광시키다	thrilling 아주 신나는	thrilled 아주 신이 난
touch 감동시키다, 마음을 움직이다	touching 감동적인	touched 감동한

Test 1

1 is through social relationships that our selves are developed and maintained
2 the pressure to perform that creates your stress / is the self-doubt that bothers you
3 was not until Rosa Parks refused to give up her seat to a White passenger that the civil rights movement gained national attention
4 was the authenticity of the dialogue that viewers found compelling in the TV series

1 우리의 자아는 평생 동안 사회적 관계를 통해 개발되고 유지된다. → 우리의 자아가 평생 동안 개발되고 유지되는 것은 바로 사회적 관계를 통해서이다.
▶ 부사구 through social relationships가 강조되었다.

2 수행에 대한 압박이 여러분의 스트레스를 만들지 않는다. 오히려, 자기 회의가 여러분을 괴롭힌다. → 여러분의 스트레스를 만드는 것은 수행에 대한 압박이 아니다. 오히려, 여러분을 괴롭히는 것은 바로 자기 회의이다.
▶ 첫 번째 문장은 주어 the pressure to perform이, 두 번째 문장은 주어 the self-doubt가 강조되었다.

3 시민 평등권 운동은 Rosa Parks가 백인 승객에게 그녀의 자리를 내주는 것을 거부하기 전까지는 국가적 관심을 얻지 못했다. → Rosa Parks가 백인 승객에게 그녀의 자리를 내주는 것을 거부하고 나서야 비로소 시민 평등권 운동이 국가적 관심을 얻게 되었다.
▶ <not A until B> 구문의 강조구문은 not을 until 앞에 써주는 것에 유의한다.

4 시청자들은 참전 용사들과의 실제 인터뷰를 기반으로 한 TV 시리즈에서 대화의 진정성이 설득력 있다고 여겼다. → 시청자들이 참전 용사들과의 실제 인터뷰를 기반으로 한 TV 시리즈에서 설득력 있다고 여긴 것은 바로 대화의 진정성이었다.
▶ 목적어 the authenticity of the dialogue가 강조되었다.

어휘 authenticity 진정성, 진짜임   compelling 설득력 있는; 강력한

Test 2

1 the focus on economic diplomacy that the president emphasized to strengthen trade relations
2 from discarded safety belts and old banners that he received inspiration
3 only after primates developed opposable thumbs that they could effectively grasp
4 increasing prices which encourage providers to find[seek] new sources and consumers to seek[find] alternatives

1 ▶ emphasized의 목적어인 the focus on economic diplomacy를 강조하는 문장으로 완성한다.

2 ▶ 부사구인 from discarded ~ banners를 강조하는 문장으로 완성한다.

3 ▶ it be only after A that B: A하고 나서야 (비로소) B하다. 부사절인 only after ~ thumbs를 강조하는 문장으로 완성한다.

4 ▶ 강조되는 어구가 사람 이외의 것이면 that 대신 which를 쓸 수 있다.

어휘 diplomacy 외교; 외교술   discard 버리다, 폐기하다   primate 영장류 grasp 쥐다, 잡다   manipulate 다루다; 조작하다; 조종하다   alternative 대안

Test 1

1 × → to adhere to   2 ○
3 × → to work   4 ○

1 그 회사는 조직의 평판을 보장하기 위해 직원들이 비즈니스 활동 중에 지켜야 할 일련의 원칙을 명시하여, 새로운 윤리 규정을 발표했다.
▶ to-v의 수식을 받는 a series of principles는 구동사 adhere to의 목적어이다.

2 에너지에 관한 비용 효율성을 계산하는 것에 관한 한, 고려해야 할 중요한 외부 효과들이 있다.
▶ significant externalities를 수식하는 to부정사구가 적절히 쓰였다.

3 학생이 더 적극적이 되도록 격려하기 위해서, 그 교사는 학생에게 수업을 위한 일을 맡기고 그녀(학생)가 스스로 함께 일할 짝을 선택하도록 요청했다.
▶ a partner를 수식하는 to부정사구가 필요하다.

4 이야기할 신뢰할 만한 사람이 있는 것은 청소년에게 스트레스를 효과적으로 관리할 힘을 준다.
▶ to talk의 수식을 받는 a trustworthy person은 talk에 이어지는 전치사 to의 목적어이다.

어휘 code (조직, 국가의) 규정, 법규   adhere to ~을 충실히 지키다, ~을 고수하다 reputation 평판; 명성   take into account ~을 고려하다   assign 맡기다; 배정하다   trustworthy 신뢰할 수 있는

Test 2

1 is often viewed as a perfect time to spend with loved ones
2 employed public opinion to object to the rise in utility prices
3 come up with some possible things to say in that moment and consider the options
4 In an attempt to revitalize rural areas / a plan to introduce organic farming practices and training

1 ▶ <view A as B: A를 B로 여기다>를 수동태로 바꾸면 <A be viewed as B>의 구조가 된다.

2 ▶ 수식받는 명사 public opinion과 to object ~ prices는 동격 관계이다.

3 ▶ '그 순간에 말할 몇몇 가능한 것들'이므로 to say ~ moment가 some possible things를 뒤에서 수식한다.

4 ▶ 수식받는 명사 an attempt, a plan은 각각 to revitalize ~ areas, to introduce ~ farmers와 동격 관계이다.

어휘 object to ~에 반대하다   utility (수도, 전기, 가스 같은) 공익사업 disproportionately 불균형적으로   come up with ~을 생각해 내다   briefly 잠시; 간단하게   revitalize 재활성화시키다   rural 농업의; 시골의   cooperative 협동조합; 협력하는

Test 1

1 × → married	**2** ○
3 × → discuss	**4** ○

1 그 유명한 작가는 수년 전에 아이다호주의 모스코에서 만났던 젊은 수학 교수와 결혼했다.
▶ marry는 전치사 없이 목적어를 바로 취하는 타동사이다.

2 영국의 발달 심리학자 John Bowlby의 애착 이론은 초기 사회적 발달에 대한 가장 유력한 접근법으로 설명되어 왔다.
▶ 여기서 approach는 '접근법'을 뜻하는 명사로 뒤에 <전치사+목적어> 형태가 올 수 있다.

3 문제가 발생하면, 여러분과 여러분의 친구는 신속하게 주제를 전환하여 그것에 대해 논의하지 않는 것을 선택할지도 모르지만, 이러한 선택은 그것(문제)의 해결을 미룰 뿐이다.
▶ discuss는 전치사 없이 목적어를 바로 취하는 타동사이다.

4 사회적 규범에 의해 형성된 의사소통 패턴들이 있다. 예를 들어, 여러분이 누군가를 칭찬할 때, 여러분은 보통 '감사합니다'와 같은 대답으로 응답받을 것이다.
▶ answer는 타동사이므로 능동태 문장에서는 뒤에 전치사가 오지 않지만, 수동태에서는 전치사가 오는 것에 주의한다.

어휘 renowned 유명한, 명성 있는　attachment 애착; 부착　dominant 가장 유력한; 지배적인　arise 발생하다　postpone 미루다, 연기하다　resolution (문제, 불화 등의) 해결; 결심　compliment 칭찬하다; 칭찬

Test 2

1 comfortably change our perceptions of the physical world to suit our needs
2 approach their prey with quiet steps and then suddenly attack it
3 it explains the ideas and principles behind the creation of Hangeul
4 challenging goals that are outside the reach of the average person / overly considering their limitations

1 ▶ suit는 전치사 없이 목적어를 바로 취하는 타동사이므로 to suit our needs로 영작한다.
2 ▶ approach 뒤에 전치사 없이 목적어가 바로 이어지도록 영작한다.
3 ▶ explains 뒤에 전치사 없이 목적어가 바로 이어지도록 영작한다.
4 ▶ 여기에서 reach는 '범위'를 뜻하는 명사이므로 전치사 of 뒤에 목적어를 쓴다.

어휘 perception 인지, 인식; 지각　roughly 대략　principle 원리　overly 과도하게, 너무

Test 1

1 had arrived	**2** laughed at
3 had completed	**4** could turn back

1 우리가 이 식당에 더 일찍 도착했다면 좋을 텐데. 우리는 30분 넘게 줄을 서서 기다리고 있어.
▶ 주절보다 이전의 때의 소망을 나타내므로 가정법 과거완료 형태인 had arrived를 쓴다.

2 집에 오는 길에 넘어졌을 때, 그녀는 너무 창피해서 마치 그녀 주위를 날아다니는 나비들조차도 자신을 비웃는 것처럼 느꼈다.
▶ 주절의 시제와 동일한 때의 일을 가정하므로 가정법 과거 형태인 laughed at을 쓴다.

3 마라톤 전에 불안감을 해소하기 위해, 나는 마치 내가 이미 기쁘게 마라톤을 성공적으로 완주해 낸 것처럼 굴었다.
▶ 주절보다 이전의 때를 가정하므로 가정법 과거완료 형태인 had completed를 쓴다.

4 그는 현대 과학 기술의 편리함을 알고 있었지만, 당장 시간을 되돌려 스마트폰이나 다른 전자 기기가 출현하기 전 삶의 소박함을 경험할 수 있기를 바랐다.
▶ 주절의 시제와 동일한 때의 소망을 나타내므로 가정법 과거 형태인 could turn back을 쓴다.

어휘 pretend ~인 것처럼 굴다, ~인 척하다　convenience 편리함, 편의　turn back ~을 되돌리다　simplicity 소박함; 간단함　advent 출현, 도래

Test 2

1 always greets the old man as if he were a child
2 was faced with a pile of incomplete tasks and wished he had finished them
3 many people wish they had the ability to move anywhere
4 captivates viewers with its vivid colors / so they feel as if they had been at the place

1 ▶ 우리말의 시제가 현재이므로 Since가 이끄는 절의 동사를 현재시제로 쓰고, as if절은 Since가 이끄는 절과 동일한 때를 가정하므로 <as if+S′+were>의 형태로 영작한다.
2 ▶ 우리말의 시제가 과거이므로 주절의 동사 be와 wish를 과거시제로 바꿔 쓰고, wished에 이어지는 종속절은 주절보다 이전의 때의 소망을 나타내므로 가정법 과거완료 형태인 had finished를 써서 영작한다.
3 ▶ 우리말에서 that절에 해당하는 '많은 사람들이 ~ 바란다'를 영작해야 하므로, wish는 현재시제로 쓰고 종속절은 주절과 동일한 때의 소망을 나타내므로 가정법 과거 형태인 had를 써서 영작한다.
4 ▶ 우리말의 시제가 현재이므로 captivate와 feel은 모두 현재시제로 쓰고, 종속절은 주절보다 이전의 때를 가정하므로 as if 뒤에는 가정법 과거완료 형태인 had been을 써서 영작한다.

어휘 relive (특히 상상 속에서) 다시 체험하다　beforehand 미리, 사전에　captivate (마음을) 사로잡다, 매혹하다　vivid 생생한; 선명한

used to / be used to-v / be used to v-ing p.87

with+명사+v-ing/p.p. p.88

Test 1

1 × → being
2 × → used to
3 × → reach
4 ○, × → catch

1 유명한 성우로서, 그녀는 얼굴보다는 목소리로 인식되는 데 익숙한데, 팬들은 종종 그녀가 말할 때 (그녀임을 알아채고) 잠깐 있다가 다시 반응한다.
▶ 문맥상 <be used to v-ing: v하는 것에 익숙하다>를 사용해야 한다. 그녀가 '인식되는' 것이므로 to 뒤에는 동명사의 수동형 being recognized가 쓰였다.

2 과학자들은 동물들이 공통 유전자를 공유하는 친족에게만 목숨을 걸고 이타적인 행동을 할 것이라고 생각했지만, 새로운 증거는 예외가 있음을 시사한다.
▶ used to-v: 예전에는 v했다; v하곤 했다

3 큰 식탁 위 공동 요리에 닿는 데 사용되는 젓가락은 매우 길며 무게를 줄이기 위해 나무로 만들어지는 경향이 있다.
▶ used to ~ tables는 Chopsticks를 수식하는 과거분사구로 앞에 which are가 생략되어 있는 것으로도 볼 수 있다. 문맥상 'v하는 데 사용되다'라는 의미인 <be used to-v>가 적절하므로 reach로 고쳐 쓴다.

4 나는 집에서 학교까지 긴 거리를 통학하는 데 익숙해졌다. 나는 이 시간이 (부족한) 독서를 보충하거나 하루를 계획하는 데 사용될 수 있다는 것을 깨달았다.
▶ 첫 번째 문장에는 문맥상 <get used to v-ing: v하는 것에 익숙해지다>가 적절히 사용되었다. 두 번째 문장은 문맥상 '~하는 데 사용되다'의 의미이므로 <be used to-v>가 되어야 한다. to catch up on과 (to) plan은 and로 병렬 연결된다.

어휘 double-take (너무 놀라서 같은 반응을 잠깐 있다가) 다시 함 kin 친족, 친척 exception 예외 communal 공동의, 공용의 commute 통학하다, 통근하다 catch up on (뒤처진 일을) 보충하다, 만회하다

Test 2

1 was used to observe the Sun's movements and mark the changing of seasons
2 our brains are used to thinking in a specific manner
3 used to let customers transfer or use mileage from a dormant account
4 is used to refer to the process of introducing machinery to perform tasks that used to be done by hand

1 ▶ that절의 시제는 과거이므로 was를 추가하여 <be used to-v> 구문으로 영작한다. to observe와 (to) mark가 접속사 and로 병렬 연결된다.

2 ▶ When절의 주어가 our brains이고 우리말이 현재형이므로 are를 추가하여 <be used to v-ing>를 이용하여 영작한다.

3 ▶ '예전에는 v했다(현재는 아니다)'의 의미이므로 <used to-v>를 이용하여 영작한다.

4 ▶ 우리말의 '~하는 데 사용된다'는 <be used to-v>를, '~하곤 했던'은 <used to-v>를 이용하여 영작한다.

어휘 discontinue 중단하다 mechanization 기계화 refer to ~을 나타내다; (정보를 알아내기 위해) ~을 보다

Test 1

1 × → drifting
2 ○
3 × → presented
4 × → consuming

1 그날 밤에는 불길해 보이는 많은 구름이 그 위에 떠다니는 채로 보름달이 떠 있었다.
▶ 구름이 '떠다니는' 것이므로 drifting으로 고친다.

2 그 여행용 가방은 여행 짐을 쌀 준비가 되어, 짐칸이 비어 있는 채로 침대 위에 열려 있었다.
▶ <with+명사+형용사/부사/전명구>의 형태로도 부대상황을 나타낼 수 있다.

3 그 연구에서, 성인 및 아동 그룹들은 글자들이 그들 앞에 제시된 채 3초 간격으로 간단한 질문들에 대답하도록 요청받았다.
▶ 글자들이 '제시되는' 수동관계이므로 presented로 고친다.

4 해충이 보통 미국에서 재배되는 작물의 약 40%를 먹어버려서, 대부분의 유기농 농민들은 그들의 작업 과정에 있어서 필수적인 보충제로 화학 제품에 의존할 수밖에 없다.
▶ 해충이 작물을 '먹는' 능동관계이므로 consuming으로 고친다.

어휘 drift 떠다니다 compartment (물건 보관용) 칸 interval 간격 have no choice but to-v v할 수밖에 없다 rely on ~에 의존하다 supplement 보충(물) operation 작업 과정

Test 2

1 with thousands of ants collaborating
2 With all these ideas and efforts made together
3 with your knees pulled up to your upper body
4 spent online by individuals have surged / with slim digital devices like cell phones surpassing personal computers

1 ▶ 개미들이 '함께 일하는' 것이므로 collaborating으로 바꾸어 영작한다.

2 ▶ 이러한 모든 생각과 노력이 '만들어지는' 수동관계이므로 made로 바꾸어 영작한다.

3 ▶ 무릎이 '당겨지는' 수동관계이므로 pulled로 바꿔서 영작한다. 우리말이 능동으로 해석되어도, 명사와 분사의 관계에 따라 능동/수동을 결정해야 한다.

4 ▶ 첫 번째 빈칸은 spent가 이끄는 과거분사구가 The total hours를 수식하는 문장으로 영작한다. 두 번째 빈칸은 얇은 디지털 기기들이 개인용 컴퓨터를 '뛰어넘는' 능동관계이므로 surpassing으로 바꿔서 영작한다.

어휘 colony (개미, 꿀벌 등의) 군집, 집단; 식민지 defend 방어하다 sustainable 지속 가능한 surge 급증하다; (재빨리) 밀려들다 surpass 뛰어넘다, 능가하다

Test 1

1 impossible to envision the landscape of a modern city without considering the pervasive presence of concrete
2 if not both of the two main parties can find common ground on the amendment
3 this mechanism does not[doesn't] seem to be fully functional
4 our choices are not[aren't] entirely our own / do not[don't] form independently without the influence of the marketplace

1 ▶ impossible과 without 두 개의 부정어를 사용하여 강한 긍정의 의미를 나타낸다. (이중부정)
2 ▶ not both: 둘 다 ~한 것은 아니다
3 ▶ not ~ fully: 완전히 ~한 것은 아니다
4 ▶ not entirely: 전적으로 ~한 것은 아니다 (부분부정) / not A without B: B없이는 A하지 않는다; B해야만 A한다 (이중부정)

어휘 envision 상상하다, 마음속에 그리다 pervasive 퍼지는, 만연하는; (구석구석) 스며드는 common ground (관심, 이해의) 공통되는 기반, 공통점 amendment (법안 등의) 개정(안) leftover 남은; 남은 음식 lessen 줄이다 functional 작동하는, 기능을 다하는 excess 초과한; 과잉

RANK **52** 동격을 나타내는 구문   p.90

Test 1

1 ○	2 ○
3 × → that	4 × → of

1 만약 여러분 자신이 올바른 회사에서 올바른 일을 선택했는지 아닌지에 대해 의구심을 품고 있는 것을 발견한다면, 여러분의 경력 목표와 가치관을 재평가해야 할 때일지도 모른다.
▶ 문맥상 '~인지 아닌지'의 의미로 doubts에 대한 동격절을 이끄는 접속사 whether는 올바르다.
2 감정에 대한 우리의 흔한 정의는 종종 우리가 육체적으로 또는 말로 나타내는 느낌에 대한 정의이다.
▶ which ~ verbally는 앞의 선행사 feelings를 수식하는 관계대명사절이다.
3 우리가 외로움을 느끼고 있거나 사회적 연결이 더 필요할 때 우리가 좋아하는 프로그램과 등장인물을 보려는 동기가 더 부여된다는 증거가 늘어나고 있다.
▶ 뒤에 절이 이어지고 있고 뒤의 절이 앞의 명사 evidence와 동격을 이루므로 접속사 that으로 고친다.
4 암호, 이중 키 확인, 그리고 생체 인식은 잠재적인 사기꾼으로부터 계정 세부 정보들이 숨겨진 채로 계속 있게 하는 일반적인 방법들이다.
▶ common ways의 동격어구가 동명사구(keeping ~ fraudsters)이므로 전치사 of로 고친다.

어휘 reassess 재평가하다 commonplace 아주 흔한 portray 나타내다; 그리다 verbally 말로 tune in to (TV, 라디오 프로그램 등을) 시청하다, 청취하다 fraudster 사기꾼

Test 2

1 are providing students with opportunities to look into a variety of career paths
2 Musical sounds can be distinguished from natural sounds by the fact that they involve the use of fixed pitches
3 the best way not to be so lazy is to stop thinking
4 an American anthropologist who believed that culture shapes societal structures / rejected the belief that biology is the main driver of human behavior

1 ▶ 주어(Many schools)가 복수이므로 밑줄 친 be를 are로 변형한다. opportunities에 대한 동격어구는 to부정사구 형태로 영작한다.
2 ▶ the fact 뒤에 동격을 나타내는 that절을 이어서 영작한다.
3 ▶ the best way의 동격어구를 to부정사구로 쓰되, 부정의 의미이므로 to 앞에 not을 쓴다. to부정사의 부정형은 to 앞에 not 또는 never를 붙인다.
4 ▶ believed의 목적어인 that절의 주어(culture)가 단수이고, 현재의 일반적인 사실을 나타내므로 밑줄 친 동사를 shapes로 변형한다. the belief 뒤에 동격을 나타내는 that절을 이어서 영작한다.

어휘 provide A with B A에게 B를 제공하다 distinguish A from B A를 B와 구별하다 pitch 음조, 음의 높낮이 consist of ~로 구성되다 fluctuating 변동이 있는, 오르내리는 occasionally 때때로, 가끔 anthropologist 인류학자 driver 동인, 추진 요인

RANK **53** 가주어-진주어(명사절)   p.91

Test 1

1 × → it	2 ○
3 × → that	4 ○, ○

1 미국처럼 고도로 상업화된 환경에서, 많은 경관이 이미 상품으로 취급되는 것은 놀라운 일이 아니다.
▶ 문맥상 that절이 진주어이므로 가주어 it이 주어 자리에 나와야 한다.
2 그 기업이 자금난에서 회복할 수 있을지 없을지가 의심스러웠지만, 정부 대출이 도움이 되었던 것 같다.
▶ whether(~인지 아닌지)가 이끄는 명사절이 진주어로 바르게 쓰였다.
3 오늘날 빠른 속도의 세상에서는 스트레스와 주의 산만함이 다반사인데, 우리가 자기 인식을 배우고 우리 몸이 항상 우리에게 말하고 있는 것을 듣는 것이 필수적이다.
▶ 뒤에 완전한 구조의 절이 이어지고 '~하는 것[점]'으로 해석되므로 접속사 that으로 고쳐 써야 한다.
4 인간은 수 세기 동안 커피를 마셔 오고 있지만, 커피가 어디에서 유래했는지 또는 누가 그것을 처음 발견했는지는 분명하지 않다.
▶ 의문사 where와 who가 이끄는 두 명사절이 접속사 or로 병렬 연결되어 진주어 역할을 한다.

어휘 commercialized 상업화된 commodity 상품, 물품 fast-paced 빨리 진행되는 distraction 주의 산만, 집중을 방해하는 것

1 It is controversial whether or not cutting interest rates will lead to sustained economic growth[whether cutting interest rates will lead to sustained economic growth or not]
2 It is evident that multitasking doesn't guarantee perfection in every task
3 it matters what fossil is found / where the sedimentary layers are positioned / when the surrounding rock was formed
4 It is estimated that the pool could be closed for a week / it is not known exactly how long the repairs will take

1 ▶ 우리말의 주어가 '~일지 아닐지는'이므로 접속사 whether가 이끄는 절을 진주어로 영작한다. or not은 whether 뒤에 바로 올 수도, 절의 맨 뒤에 올 수도 있다.

2 ▶ 접속사 that이 이끄는 절을 진주어로 영작한다.

3 ▶ 주어에 '무슨, 어디에, 언제'가 있으므로 의문사 what, where, when이 이끄는 명사절로 진주어를 영작한다. what이 주어인 명사를 수식하는 의문형용사로 쓰이면 명사절의 어순은 <what+명사+동사>가 된다.

4 ▶ 첫 번째 빈칸은 주어가 '~ 것'이므로 접속사 that이 이끄는 명사절로, 두 번째 빈칸은 '얼마나 오래 걸릴지는'이므로 의문사 how가 이끄는 명사절로 진주어를 영작한다. how가 형용사나 부사와 함께 쓰이면 명사절의 어순은 <how+형용사[부사]+주어+동사>가 된다.

어휘 controversial 논란의 여지가 있는　interest 이자　guarantee 보장하다, 약속하다　result in (결과적으로) ~을 야기하다　archaeologist 고고학자　fossil 화석

RANK
54 감정을 나타내는 분사　p.92

Test 1

1 appealing
2 touched / comforting
3 alarming
4 relieved / refreshing / relaxed

1 해안으로의 주말여행은 특히 이 음울한 날씨에 내 귀에 매력적으로 들린다.
▶ 주말여행이 '매력적인' 것이므로 현재분사로 변형한다.

2 대학 입학을 위한 중요한 시험을 앞두고, 모든 학생이 선생님의 위로를 주는 말에 감동받았다.
▶ 학생들이 '감동을 받은' 것이므로 touch는 과거분사 형태로 변형하고, 선생님의 말이 '위로를 주는' 것이므로 comfort는 현재분사 형태로 변형한다.

3 박테리아는 각각의 박테리아가 두 개의 새로운 세포로 분열되어 두 배가 될 때 놀라운 속도로 증식할 수 있다.
▶ '놀라운' 속도로 증식하는 것이므로 alarm은 현재분사 형태로 변형한다.

4 여러분이 스트레스를 받을 때, 여러분 자신이 안도감을 느끼게 만드는 쉬운 방법들이 있다. 친구들과 함께 기운을 돋우는 점심을 먹거나 좋은 책을 읽는 것 역시 여러분이 감정적으로 편한 기분을 느끼게 할 수 있다.
▶ 여러분 자신이 '안도하게' 되고 '편한' 감정을 느끼는 것이므로 relieve와 relax는 모두 과거분사 형태로 변형한다. 점심이 '기운을 돋우는' 것이므로 refresh는 현재분사 형태로 변형한다.

어휘 dreary 음울한; 따분한　ahead of ~ 앞에　multiply 증식하다, 번식하다; 곱하다

---

1 Some people are disappointed with themselves
2 Aerial acrobats who were thrilling the audience with their stunning moves
3 will be a satisfying experience that makes you delighted with the wonders of nature
4 leaves us frustrated and exhausted / can be more horrifying because of a different exhaustion born from unchanging monotony

1 ▶ 사람들이 '실망을 느끼는' 것이므로 disappoint를 과거분사 형태로 변형하여 영작한다.

2 ▶ 곡예사들이 관객들을 '열광시키고 있던' 능동관계이므로 thrill은 thrilling으로 바꿔서 과거진행시제 were thrilling으로 쓴다. '놀라운' 동작이므로 stun은 현재분사 형태로 변형하여 영작한다.

3 ▶ '만족감을 느끼게 해주는' 경험이므로 satisfy는 현재분사 형태로 변형하고, 여러분이 '기쁨을 느끼는' 것이므로 delight를 과거분사 형태로 변형하여 영작한다.

4 ▶ 우리가 '좌절하고 지치는' 것이므로 frustrate와 exhaust는 모두 과거분사 형태로 변형하고, 규칙성이 '무서움을 주는' 것이므로 horrify는 현재분사 형태로 변형한다. 피로감이 단조로움에서 '생겨나는' 수동관계이므로 bear는 과거분사로 변형하여 born이 이끄는 과거분사구가 a different exhaustion 뒤에서 수식하도록 영작한다.

어휘 aerial 공중의, 대기의　thrill 열광시키다　stunning 깜짝 놀랄; 굉장히 아름다운　regularity 규칙성; 규칙적임　exhaustion 극도의 피로, 기진맥진; 고갈　monotony 단조로움

RANK
55 인칭대명사, 재귀대명사　p.93

Test 1

1 × → them
2 × → mine, × → his
3 ○, × → theirs
4 ○, × → itself

1 육아 도서는 종종 아이들을 훈육하고 자기 통제와 책임에 대해 그들을 교육하기 위해 경계를 설정하는 것에 대해 논한다.
▶ 문맥에서 유추할 수 있는 (to) educate의 의미상의 주어인 '부모'와 목적어가 지칭하는 대상(children)이 서로 일치하지 않으므로 them이 적절하다.

2 Jake가 회의에서 제안한 아이디어는 사실 내 것이었다. 나는 피드백을 기대하며 지난주에 그와 그것을 공유했지만, 그가 모든 사람 앞에서 그것을 자신의 것이라고 주장할 거라고는 예상하지 못했다.
▶ 첫 번째 밑줄 친 부분에는 주어 The idea의 보어로 my idea가 와야 하는데, 한 단어로 고치라는 조건이 있으므로 소유대명사 mine으로 고쳐야 한다. 두 번째 밑줄 친 부분에는 문맥상 his idea가 와야 하므로 소유대명사 his로 고친다.

3 다른 사람들이 나쁘게 행동하는 것을 관찰함으로써, 우리는 우리 행동 중 어떤 것이 그들의 것과 비슷했던 적이 있는지 알아보기 위해 우리 자신을 되돌아볼 수 있다.
▶ 문장의 주어(we)와 목적어가 동일하므로 ourselves는 알맞다. if절에서는 문맥상 our behaviors와 their behaviors를 비교하므로 their는 소유대명사 theirs로 고쳐야 한다.

4 어떤 기생 종들은 그것들이 숙주 군집에 침입할 수 있게 해주는 특정 화학 신호를 채택하며, 그곳에서 그 기생충은 자신을 숙주 종의 구성원으로 위장한다.
▶ 관계대명사 that절의 선행사(specific chemical signals)와 문장의 목

적어가 지칭하는 대상(Certain parasitic species)이 서로 다르므로 them은 적절하다. where가 이끄는 관계부사절에서는 동사 disguises의 목적어가 관계사절의 주어인 the parasite와 동일하므로 it은 재귀대명사 itself로 고쳐야 한다.

어휘 discipline 훈육하다; 훈육, 규율 reflect on ~을 되돌아보다[반성하다] parasitic 기생하는 *cf.* parasite 기생충 invade 침입하다; 침범하다 host (기생 생물의) 숙주; 주최하다 disguise 위장하다; 변장하다

Test 2

1 the tendency that people evaluate themselves above average / overestimate their abilities and qualities
2 We might buy products not to benefit from their usefulness / to associate ourselves with the image
3 the way we present ourselves / can convey more meaning than the contents we present to them
4 try to put myself in their shoes / why their perspective differs from mine

1 ▶ 사람들이 '그들 자신'을 평가하는 것이므로 evaluate의 목적어는 themselves로 변형하여 영작한다.

2 ▶ <not A but B> 구문에서 A와 B에 목적을 나타내는 to부정사구가 오도록 영작한다. 두 번째 빈칸에는 to associate의 의미상의 주어(we)와 목적어가 동일하므로 ourselves로 변형하여 쓴다.

3 ▶ 첫 번째 빈칸에는 주어 the way를 수식하는 관계부사절의 주어(we)와 목적어가 동일하므로 목적어를 ourselves로 쓴다. 두 번째 빈칸에는 <비교급+than~>을 사용해 영작한다. 선행사 the contents 뒤에 수식하는 관계대명사가 생략된 목적격 관계대명사절(we present to them)을 이어서 쓴다.

4 ▶ to put의 의미상의 주어(I)와 목적어가 서로 일치하므로 myself를 쓴다. why가 이끄는 의문사절에서 문맥상 their perspective와 my perspective를 비교하므로 my perspective를 대신하는 소유대명사 mine으로 바꿔 쓴다.

어휘 evaluate 평가하다 convey 전달하다 perspective 관점; 원근법

01 ✕ → express, ✕ → widely
02 ✕ → that, ◯
03 ✕ → touching, ◯
04 ✕ → had spent, ✕ → them, ◯
05 ◯, ✕ → it, ✕ → fulfilled
06-07 ② resembles with → resembles, resemble은 타동사이므로 전치사 없이 목적어를 바로 취한다. / ④ confining → confined, 분사구문의 의미상의 주어 It(= The flying fox)이 수족관에 '갇히는' 수동관계이므로 confined로 고쳐야 한다.
08 no opportunity to proceed with our project without achieving unanimous agreement
09 two species use the same resource and the resource is scarce / must compete as if they were members of the same population
10 tends to accumulate problems / not until some of the later problems are noticeable that more obvious symptoms appear / should approach any minor problem
11 population growth losing its speed / the strongest force to increase demand for more agricultural production / which can lead people to consume more food
12 (A) that environmental protection and job creation are mutually exclusive is not entirely accurate
(B) substituting labor in recycling centers for huge machines used to extract new materials
13 (A) representing (B) reached
14 felt as if more time had passed than it actually had / her body temperature increasing
15 confirms a fact that foods can immediately influence the genetic blueprint
16 that
17 fascinating
18 that serve as the foundational material for the infants to use to learn what effect their behavior can cause

01 '권력 거리'는 불공평한 권력의 분배가 한 문화의 구성원들에게 널리 받아들여지는 정도를 나타내기 위해 사용되는 용어이다.
▶ used to ~ a culture는 the term을 수식하는 과거분사구이다. 문맥상 'v하기 위해 사용되다'라는 의미인 <be used to-v>가 적절하므로 express로 고친다. / wide는 동사 is accepted를 수식하는 부사 widely로 고쳐야 한다. • **Rank 37** 형용사 자리 vs. 부사 자리, **Rank 49** used to / be used to-v / be used to v-ing
어휘 extent 정도; 규모 distribution 분배; 배부, 배급

02 자기 보고 방법은 상당히 유용할 수 있다. 그것은 사람들에게 자기 자신을 내면 관찰할 특별한 기회가 있다는 사실을 이용한다.
▶ 뒤에 절이 이어지고 있고 뒤의 절이 앞의 명사 the fact와 동격을 이루므로 접속사 that으로 고친다. / to observe의 의미상의 주어(people)와 목적어가 동일하므로 themselves는 알맞다. • **Rank 52** 동격을 나타내는 구문, **Rank 55** 인칭대명사, 재귀대명사
어휘 take advantage of ~을 이용하다

03 졸업식에서 그녀의 연설은 아주 감동적이어서 참석한 모든 사람이 그녀의 말에 대단히 고무된 느낌을 받게 하였다.
▶ 그녀의 연설이 '감동을 주는' 것이므로 현재분사 touching으로 고쳐야 한다. / 모든 사람이 '고무되는' 것이므로 과거분사 inspired는 알맞다. • **Rank 54** 감정을 나타내는 분사

04 자녀들이 충분히 자라면, 어떤 부모들은 자신들이 그들(자녀들)의 발달에 중요한 시기 동안 그들과 더 양질의 시간을 보냈기를 바라며, 그들의 발달과 가족 유대에 대한 그것(양질의 시간)의 중요성을 인식한다.

▶ 주절보다 이전의 때의 소망을 나타내므로 가정법 과거완료 형태인 had spent가 적절하다. / that절의 주어(they = some parents)와 목적어가 지칭하는 대상(their children)이 서로 일치하지 않으므로 them으로 고쳐야 한다. / 분사구문의 의미상의 주어 some parents가 '인식하는' 능동관계이므로 recognizing은 알맞다. • **Rank 06** 분사구문, **Rank 48** S+wish/as if 가정법, **Rank 55** 인칭대명사, 재귀대명사

어휘 formative 발달에 중요한

05 19세기 영국 작가인 Samuel Smiles는 쉬운 길은 인간의 본성에 좋지 않다고 주장하며, 모든 소망이 자신의 노력 없이 달성되게 하는 것보다 더 무거운 저주가 인간에게 강요될 수 있을지는 의심스럽다고 썼다.

▶ <A, 명사구> 형태의 동격구문은 알맞게 쓰였다. / 문맥상 that이 이끄는 명사절 안에서는 whether절이 진주어이므로 가주어 it이 주어 자리에 쓰여야 한다. / than 이하에서는 동명사 having의 목적어인 all his wishes가 '달성되는' 것이므로 목적어와 목적격보어는 수동관계이다. 따라서 과거분사 fulfilled로 고쳐야 한다. • **Rank 08** 동사+목적어+보어 II, **Rank 52** 동격을 나타내는 구문, **Rank 53** 가주어-진주어(명사절)

06-07

flying fox는 포유류가 아니라 보르네오와 수마트라에서 발견되는 어류이다. 이 물고기는 빠른 속도로 헤엄치며 모습이 여우와 닮았기 때문에 flying fox라고 불린다. 그것의 몸체는 약간 납작하고 대체로 가늘고 길며, 주둥이는 아래쪽으로 향해 있다. 배 쪽은 흰색이고, 등 쪽은 황록색과 갈색이 섞여 있으며, 눈은 빨간색이다. 충분한 나무뿌리, 돌멩이, 수초가 있더라도, 그것은 수족관에 갇혀 있을 때는 보통 번식하지 않는다. 서로 싸우는 것을 좋아하기 때문에 이 종류의 물고기는 두 마리 이상을 함께 두면 안 된다. 각자가 나무뿌리와 죽은 가지 사이에 만들어진 자신만의 영역을 가지는 것을 선호한다.

▶ ② • **Rank 47** 자동사로 오해하기 쉬운 타동사 / ④ • **Rank 20** 주의해야 할 분사구문

어휘 compressed 압축된, 꽉 눌린; 평평해진   breed 번식하다; 사육하다   confine 가두다

08 ▶ <no ~ without ...: …없이는 ~아니다 (이중부정)>를 사용하여 영작한다. 보어 opportunity 뒤에는 동격을 나타내는 to부정사구를 이어 쓴다. • **Rank 51** 주의해야 할 부정구문, **Rank 52** 동격을 나타내는 구문

어휘 proceed with (계속) 진행하다   unanimous 만장일치의

09 ▶ When이 이끄는 절에서는 우리말의 시제가 현재이므로 be를 현재시제 is로 변형하고, 이어지는 보어 자리에는 형용사가 적절하므로 scarcely를 scarce로 변형하여 쓴다. 두 번째 빈칸에는 as if가 이끄는 가정법을 포함하여 영작한다. 주절의 시제와 동일한 때를 가정하므로 as if가 이끄는 절에는 가정법 과거 형태인 were를 쓴다. • **Rank 37** 형용사 자리 vs. 부사 자리, **Rank 38** 주어+동사+보어(2문형), **Rank 48** S+wish/as if 가정법

어휘 scarce 부족한, 드문

10 ▶ tend는 뒤에 to-v가 오는 동사이므로 to accumulate를 쓴다. and 이하에는 not을 until 앞에 쓰는 것에 유의하며 <not A until B> 구문의 강조구문을 영작한다. 두 번째 문장의 동사 approach 뒤에는 전치사 없이 목적어가 바로 이어지도록 영작한다. • **Rank 11** 동사의 목적어가 되는 to-v, v-ing, **Rank 45** it be ~ that... 강조구문, **Rank 47** 자동사로 오해하기 쉬운 타동사

어휘 accumulate 축적하다, 모으다   sufficient 충분한

11 ▶ <with+명사+v-ing/p.p.> 구문을 사용하여 첫 번째 빈칸을 영작하는데, 인구 증가가 속도를 '잃는' 능동관계이므로 lose는 losing으로 바꾸어 영작한다. 주절의 주어는 최상급을 사용하여 the strongest force로 표현하고, 동격어구 to increase ~ production이 뒤에서 보충 설명하도록 이어 쓴다. 콤마 뒤에는 선행사 rising incomes를 보충 설명하는 which를 사용하여 영작한다. • **Rank 07** 동사+목적어+보어 I, **Rank 28** 콤마(,)+관계대명사_계속적 용법, **Rank 43** 최상급을 나타내는 여러 표현, **Rank 50** with+명사+v-ing/p.p., **Rank 52**

동격을 나타내는 구문

12 ▶ (A) 주어 The notion 뒤에 동격을 나타내는 that절을 이어서 쓴다. that절 안에는 mutual을 형용사 exclusive를 수식하는 부사 mutually로 변형하고, <not entirely: 전적으로 ~한 것은 아니다 (부분부정)>를 포함하여 영작한다. • **Rank 37** 형용사 자리 vs. 부사 자리, **Rank 51** 주의해야 할 부정구문, **Rank 52** 동격을 나타내는 구문

(B) 분사구문의 의미상의 주어 recycling이 '대체하는' 능동관계이므로 현재분사 substituting으로 바꿔 쓴다. 거대한 기계들이 '사용되는' 수동관계이므로, 'v하기 위해 사용되다'라는 의미인 <be used to-v>를 과거분사구 형태로 huge machines 뒤에 쓴다. • **Rank 05** 현재분사 vs. 과거분사_명사 수식, **Rank 06** 분사구문, **Rank 49** used to / be used to-v / be used to v-ing, **Rank 63** 전치사를 동반하는 동사 쓰임 II

어휘 mutually 상호 간에, 공통으로   exclusive 배타적인; 독점적인   substitute A for B A로 B를 대체[대신]하다   extract 추출하다, 얻다

[13-14]

미국의 생리학자 Hudson Hoagland의 아내가 심한 독감으로 아팠다. Hoagland 박사는 자신이 아내의 방을 짧은 시간 동안 떠날 때마다 그녀가 그가 오랫동안 떠나 있었다고 불평하는 것을 알아챌 만큼 호기심이 많았다. 과학적 연구의 흥미로, 그는 자신이 그녀의 체온을 기록하는 동안, 아내가 각 수를 세는 것이 그녀가 1초라고 느끼는 것에 해당하도록 하면서 60까지 세 달라고 요청했다. 그의 아내는 마지못해 받아들였고, 그는 그녀가 체온이 더 높을수록 더 빠르게 수를 셌다는 것을 빠르게 알아챘다. 예를 들어 그녀의 체온이 38도였을 때, 그녀는 45초 만에 60까지 셌다. 몇 번의 시도 후에 그는 그녀의 체온이 39.5도에 이르렀을 때 그녀가 1분을 단 37초 만에 셌다는 것을 발견했다. 박사는 아내가 뇌 안에 열이 오를수록 더 빠르게 작동하는 일종의 '체내 시계'를 가지고 있는 것이 틀림없다고 생각했다.

어휘 represent (~에) 해당하다; 나타내다   reluctantly 마지못해

13 ▶ (A) 각 수를 세는 것이 '해당하는' 능동관계이므로 representing으로 바꿔 쓴다. • **Rank 50** with+명사+v-ing/p.p.

(B) reach는 타동사이므로 전치사 없이 목적어가 바로 이어진다. • **Rank 47** 자동사로 오해하기 쉬운 타동사

14 [요약문] 아내의 시간 지각에 대한 Hoagland 박사의 연구에서, 그의 아내는 자신의 체온이 오르면서 마치 실제보다 더 많은 시간이 지나간 것처럼 느꼈다.

▶ 과거의 일이므로 주절에는 과거시제 felt를 쓰고, 그보다 이전의 때를 가정하므로 as if가 이끄는 절에는 가정법 과거완료 형태인 had passed를 써서 영작한다. 콤마 뒤에는 <with+명사+v-ing> 구문을 완성한다. • **Rank 41** 비교급+than~, **Rank 48** S+wish/as if 가정법, **Rank 50** with+명사+v-ing/p.p.

15 발달하고 있는 유전학 분야는 음식이 유전자 청사진에 직접 영향을 미칠 수 있다는 사실을 입증한다. 이 정보는 유전자가 우리의 통제하에 있는 것이며 우리가 복종해야 하는 무언가가 아니라는 것을 더 잘 이해하는 데 도움이 된다. 일란성 쌍둥이를 생각해 보라. 두 사람은 모두 똑같은 유전자를 부여받는다. 중년에, 쌍둥이 중 한 명은 암에 걸리고, 다른 한 명은 암 없이 건강하게 오래 산다. 특정 유전자가 쌍둥이 중 한 명에게 암에 걸리도록 지시했지만, 나머지 한 명에게서는 똑같은 유전자가 그 질병을 일으키지 않았다. 한 가지 가능성은 쌍둥이 중 건강한 사람이 암유전자, 즉 다른 한 명이 병에 걸리도록 지시했던 그 똑같은 유전자를 차단하는 식사를 했다는 것이다. 여러 해 동안 과학자들은 화학적 독소(예를 들어 담배)와 같은 다른 환경적 요인들이 유전자에 작용하여 암의 원인이 될 수 있다는 것을 인정해 왔다. 하지만 음식과 유전자 발현 사이에 특정한 관계가 있다는 생각은 비교적 새로운 것이다.

▶ 목적어 a fact 뒤에 동격을 나타내는 that절을 이어서 영작한다. • **Rank 52** 동격을 나타내는 구문

어휘 blueprint 청사진   instruct 지시하다; 가르치다   initiate 일으키다, 개시하다   toxin 독소

[16-18]

유아들은 자신의 행동과 그에 따른 외부 변화 사이의 관계를 알아차림으로써,

자아 효능감, 즉 그들이 인지된 변화의 행위자라는 인식을 발전시킨다. 초기 사회적 상호 작용에서, 유아들은 자신의 행동의 결과를 가장 순조롭게 인지한다. 사람들은 유아들이 그들에게 향할 것을 거의 확실하게 하는 지각적 특성이 있다. 그들은 시각적으로 대비되고 달라지는 얼굴(표정)을 갖고 있다. 그들은 소리를 만들고, 촉각을 제공하고, 흥미로운 냄새를 가지고 있다. 게다가, 사람들은 유아들이 매력적이라고 여기는 방식으로 표정을 과장하고 목소리를 조절하면서 유아들과 관계를 맺는다. 그러나 가장 중요한 것은, 이러한 익살스러운 행동이 유아들의 발성, 표정, 몸짓에 대해 즉각 반응한다는 것이다. 사람들은 유아의 행동에 반응하여 자신들의 행동 속도 및 수준을 다양하게 한다. 결과적으로, 초기 사회적 상호 작용은 유아들이 자신의 행동의 영향을 쉽게 알아차릴 수 있는 맥락을 제공한다.

어휘 **resultant** 그에 따른, 그 결과로 생긴 **readily** 순조롭게 **perceptual** 지각(력)의 **assure** 확실하게 하다 **orient** 향하다; 지향하게 하다 **exaggerate** 과장하다 **responsive** 즉각 반응하는 **vocalization** 발성

16 ▶ ⓐ 뒤에 절이 이어지고 있고 뒤의 절이 앞의 명사 a sense와 동격을 이루므로 접속사 that 자리이다. •Rank 52 동격을 나타내는 구문
ⓑ assure의 목적어인 명사절을 이끄는 접속사 that 자리이다. •Rank 23 명사절을 이끄는 접속사 that
ⓒ ways를 수식하는 목적격 관계대명사 which 또는 that 자리인데, 다른 곳에도 공통으로 들어갈 수 있는 단어여야 하므로 that이 적절하다. •Rank 27 목적격 관계대명사 who(m), which, that

17 ▶ 목적격보어 자리이므로 목적어와 목적격보어의 관계를 확인해야 하는데, 목적어는 관계대명사절의 선행사인 ways이다. 방식이 '매력적인' 것이므로 현재분사로 바꿔 쓴다. •Rank 54 감정을 나타내는 분사

18 [요지] 유아가 자신의 행동이 외부 세계에 어떤 영향을 일으킬 수 있는지 배우는 데 사용할 기초 자료의 역할을 하는 것은 바로 유아의 행동에 대한 사람들의 반응이다.
▶ 주어 the responses ~ behavior를 강조하는 문장으로 영작한다. the foundational material을 to use가 뒤에서 수식하는 구조로 쓰고, to use 앞에는 의미상의 주어인 <for+목적격>을 쓴다. 그 뒤에는 목적을 나타내는 부사적 역할의 to learn을 쓰고, to learn의 목적어 자리에 <의문사(what)+명사(effect)+주어(their behavior)+동사(can cause)> 어순의 의문사절을 영작한다. •Rank 13 to부정사의 부사적 역할, Rank 17 의문사가 이끄는 명사절의 어순, Rank 45 it be ~ that... 강조구문, Rank 46 to부정사의 명사 수식
어휘 **foundational** 기초적인, 기본의

• **부분 점수**

문항	배점	채점 기준
01-05	1	×는 올바르게 표시했지만 바르게 고치지 못한 경우
06-07	2	틀린 부분을 바르게 고쳤지만 틀린 이유를 쓰지 못한 경우
	1	틀린 부분을 찾았지만 바르게 고치지 못한 경우
08-12	3	어순은 올바르나 단어를 적절히 변형하지 못한 경우
14	4	어순은 올바르나 단어를 적절히 변형하지 못한 경우

✦ 전치사를 동반하는 동사

형태	의미
prevent A from B	A가 B하지 못하게 하다
distract A from B	A가 B에 집중이 안 되게 하다
distinguish A from B	A를 B와 구별하다
exclude A from B	A를 B에서 제외[배제]하다
separate A from B	A를 B로부터 분리하다
spare A from B	A가 B를 모면하게 하다
assure A of B	A에게 B를 확신시키다
cure A of B	A의 B(병, 상처 등)를 치료하다
inform A of B	A에게 B를 알리다
relieve A of B	A에게서 B를 덜어주다[없애다]
remind A of B	A에게 B를 상기시키다
rid A of B	A에게서 B를 없애다
rob A of B	A에게서 B를 빼앗다
describe A as B	A를 B로 묘사하다
label A as B	A를 B라고 부르다
refer to A as B	A를 B라고 부르다
think of A as B	A를 B로 여기다
blame A for B	A를 B의 이유로 비난하다
charge A for B	B에 대해 A를 청구하다
compensate A for B	A에게 B에 대하여 보상하다
exchange A for B	A를 B로 교환하다
(mis)take A for B	A를 B라고 오인[혼동]하다
thank A for B	A에게 B에 대해 감사하다
congratulate A on B	A에게 B에 대해서 축하하다
spend A on[in] B	A를 B에 쓰다
divide A into B	A를 B로 나누다[분리하다]
put A into B	A를 B로 바꾸다; A를 B로 옮기다
transform A into B	A를 B로 바꾸다

형태	의미
associate A with B	A와 B를 연결 지어 생각하다
charge A with B	A를 B로 기소하다[고발하다]
compare A with[to] B	A를 B와 비교하다[견주다]
confuse A with B (= mix A up with B)	A를 B와 혼동하다
equip A with B	A에 B를 갖추어 주다
fill A with B	A를 B로 (가득) 채우다[메우다]
furnish A with B	A에게 B를 제공[공급]하다
provide A with B (= provide B for A)	A에게 B를 제공하다
replace A with B	A를 B로 대체하다
add A to B	A를 B에 더하다[보태다]
adjust A to B	A를 B에 맞추다
apply A to B	A를 B에 적용하다
attach (A) to B	(A를) B에 붙이다[첨부하다]
attribute A to B	A를 B의 덕분[탓]으로 돌리다
bring A to[into] B	A를 B로 가져[들여]오다
change A to[into] B	A를 B로 바꾸다
connect A to B	A를 B에 연결하다
contribute (A) to B	(A를) B에 바치다; (A를) B에 기부하다
devote A to B	A를 B에 바치다[전념하다]
expose A to B	A를 B에 드러내다; A를 B에 노출시키다
lead A to B	A를 B로 이끌다
owe A to B	A는 B의 덕분이다
prefer A to B	B보다 A를 더 좋아하다
relate A to B	A를 B와 관련[연관]시키다
take A to B	A를 B로 데려가다[이끌다]

Test 1

1 ○
2 × → whose volunteers[the volunteers of which, of which the volunteers]
3 × → whose   **4** ○

1 감염과 싸우는 능력이 암이나 질환에 의해 손상된 환자들은 상처에 염증이 생길 가능성이 더 크다.
  ▶ 선행사(Patients)와 밑줄 뒤의 명사(ability)가 소유 관계이므로 소유격 관계대명사 whose는 알맞게 쓰였다.

2 노인 자살 예방 센터의 책임자이자 설립자는 자원봉사자가 자살을 하고 싶어 할 가능성이 있는 노인들에게 손길을 뻗는 24시간 상담 전화를 개시했다.
  ▶ of which로 소유격을 나타낼 때는 명사 앞에 the를 쓰는 것에 유의한다.

3 인터넷상에는, 어떤 주제에 대한 경험이 겨우 몇 분 만에 측정될 수 있는 사람들의 비전문적인 조언을 막는 규제가 없다.
  ▶ 문맥상 people's experience의 의미이고, 두 절을 연결하는 접속사가 필요하므로 소유격 관계대명사 whose로 고쳐야 한다.

4 현재 유아용 유동식은 미국 농무부가 '사용 기한'을 규제하는 유일한 제품이며, 다른 제품의 경우 '사용 기한'은 식품 안전과 아무 관련이 없다.
  ▶ 두 절을 연결하는 접속사가 필요하고, 문맥상 the only product와 "use-by" date가 소유 관계이므로 소유격 관계대명사 whose를 쓴 것은 적절하다.

어휘 inflammation 염증 wound 상처, 부상 suicide 자살 cf. suicidal 자살을 하고 싶어 하는 hotline 상담 전화; (정부 간의) 직통 전화 reach out to ~에게 손길을 뻗다; ~에게 접근하다[관심을 보이다] regulation 규제; 규정 cf. regulate 규제하다, 통제하다 have nothing to do with ~와 아무 관련이 없다

Test 2

1 the reader is the one whose needs and expectations you must meet
2 elaborate greeting behaviors whose form reflects the strength of the social bond
3 A state of which the citizens[the citizens of which] are free to determine their own affairs / that is beyond its territorial borders
4 feel guilty when their own conduct violates a moral principle that they believe important / disapprove of others whose behavior conflicts with the principle

1 ▶ 선행사 the one과 needs and expectations가 문맥상 소유 관계이다.
2 ▶ 선행사 elaborate greeting behaviors와 form이 문맥상 소유 관계이다.
3 ▶ 주어진 어구에 of, which가 있으므로 첫 번째 빈칸에는 <of which+the+명사> 또는 <the+명사+of which> 형태를 사용하여 주어 A state를 수식하는 소유격 관계대명사절을 영작한다. 두 번째 빈칸에는 선행사 any agency를 수식하는 주격 관계대명사 that이 이끄는 절을 영작한다.
4 ▶ 첫 번째 빈칸에는 선행사 a moral principle을 수식하는 목적격 관계대명사절이 필요하다. 두 번째 빈칸에서는 선행사 others와 behavior가 '다른 사람들의 행동'이라는 소유 관계이므로 whose behavior로 시작하는 관계사절을 영작한다.

어휘 elaborate 정교한; 공을 들인 bond 유대; 접착 affair 일, 사건 interference 간섭, 개입 violate 어기다, 위반하다 disapprove of ~을 못마땅해 하다 conflict 충돌하다, 모순되다

Test 1

1 × → were   **2** × → appears
3 × → guards   **4** ○

1 한때 기적으로 정의되었던 우연의 일치는 종종 그 당시에는 발견되지 않았던 자연의 법칙들로 설명할 수 있는 것으로 밝혀진다.
  ▶ 주격 관계대명사절의 선행사가 복수인 the laws이므로 복수동사 were로 고쳐야 한다.

2 남들에게 도움이 되고자 하는 욕망은 외향적인 사람들보다 내향적인 사람들에게서 더 흔히 나타나는데, 리더가 되는 데 핵심적인 요인이 될 수 있다.
  ▶ 콤마 뒤 관계대명사절의 선행사가 단수인 A desire이므로 단수동사 appears로 고쳐야 한다.

3 만약 당신이 녹색 식품들을 피한다면, 당신은 세포들을 손상으로부터 보호해 주는, 식물에서 발견되는 산화 방지제인 엽록소가 부족할지도 모른다.
  ▶ 주격 관계대명사절의 선행사가 단수인 an antioxidant이므로 단수동사 guards로 고쳐야 한다.

4 호피 종교에서, 종교의식의 중요한 한 부분은 의무가 자신의 부족을 위한 의식 수행에 있는 각 부족의 남성 우두머리이다.
  ▶ whose duties가 관계대명사절 내에서 주어 역할을 하고 duties는 복수이므로 복수동사 are는 알맞다.

어휘 coincidence 우연의 일치; 동시 발생 be of service to ~에게 도움이 되다 introvert 내향적인 사람 extrovert 외향적인 사람

Test 2

1 that is called the hippocampus has been most frequently associated with spatial memory
2 made him an important literary figure whose works have survived
3 among people in the age of social media who gain sudden attention
4 wash and dry your hands when you go to the bathroom / which reminds you that you need to put

1 ▶ The part를 선행사로 하는 주격 관계대명사절을 영작한다. 선행사에 수일치하여 관계대명사절의 동사는 단수동사 is로 변형한다. 선행사가 문장의 주어이므로 문장의 동사 역시 단수동사 has로 쓴다.
2 ▶ 소유격 관계대명사 뒤에 명사 works가 오므로 복수인 명사에 수일치하여 관계대명사절의 동사는 복수동사 have로 쓴다.
3 ▶ people을 선행사로 하는 주격 관계대명사절을 영작한다. 선행사에 수일치하여 관계대명사절의 동사는 복수동사 gain으로 쓴다.
4 ▶ 콤마 뒤에 앞 절 전체가 선행사인 관계대명사절을 영작한다. 선행사가 절이므로 관계대명사절의 동사는 단수동사 reminds로 쓴다.

어휘 be associated with ~와 연관되다 spatial 공간의 patron 후원자; 고객 literary 문학의 figure 인물 addiction 중독 cue 단서, 신호

Test 1

1 ○　　　　　　　　　　2 × → to

1 그녀는 자신과 친구를 위해 블랙커피 두 잔을 주문하고 나서, 카페의 아늑한 구석에 자리를 잡고 친구를 기다렸다.
  ▶ <order+IO+DO>를 3문형으로 전환하면, 간접목적어 앞에 전치사 for를 쓴다.

2 고대 중국에서, 사제들은 시간을 나타내는 매듭이 있는 밧줄을 보여주면서 그것(밧줄)을 밑에서부터 균등하게 불태워 사원의 제자들에게 시간의 개념을 가르쳤다.
  ▶ <teach+IO+DO>를 3문형으로 전환하면, 간접목적어 앞에 전치사 to를 쓴다.

여휘 settle into 자리 잡다　knot 매듭　evenly 균등하게

Test 2

1 got some food and water for
2 send low-frequency rumbles to

1 학교에 가는 길에, 그는 다리가 부러진 고양이를 발견해서 그 고양이에게 음식과 물을 조금 주었다.
  ▶ <get+IO+DO>를 3문형으로 전환하면, 간접목적어 앞에 전치사 for를 쓴다.

2 때때로, 코끼리는 위험을 알리거나 먼 거리에 있는 구성원을 찾기 위해 저주파의 우르렁거리는 소리를 무리에게 보낸다.
  ▶ <send+IO+DO>를 3문형으로 전환하면, 간접목적어 앞에 전치사 to를 쓴다.

여휘 herd 무리, 떼　frequency 주파수; 빈도　signal 신호를 보내다; 신호

Test 3

1 brings a healthy appearance to your skin and hair
2 make a daily schedule for students feeling constrained by time
3 will tell you that the individual who is in the best physical shape often wins in negotiations

1 ▶ bring이 3문형으로 쓰일 때 간접목적어 앞에 to와 for를 모두 쓸 수 있는데, to를 쓰면 '~에게'라는 의미가 강하고, for를 쓰면 '~을 위하여'의 의미가 강하다.

2 ▶ 주어진 어구에 전치사 for가 있으므로 3문형으로 영작한다.

3 ▶ <tell+IO+DO>에서 직접목적어를 접속사 that이 이끄는 명사절로 영작한다.

여휘 ample 충분한; 풍만한　hydrate 수분을 공급하다, 수화시키다　constrained 압박당한; 강요된　shape (물리적인) 상태; 형태　negotiation 협상　stamina 체력, 지구력　see through ~을 끝까지 해내다; ~을 간파하다

Test 1

1 × → shouldn't, ○
2 × → have been abandoned
3 × → have helped
4 ○

1 그것이 사용자들을 신원 도용이나 사기에 노출시켰을 수도 있으므로 그 회사는 적절한 동의 없이 사용자 정보를 수집하지 말았어야 했다.
  ▶ 문맥상 '~하지 말았어야 했는데 (했다)'의 의미이므로 <shouldn't have p.p.>가 적절하다. 과거의 일에 대한 추측을 나타내는 <may have p.p.>는 알맞게 쓰였다.

2 그 오래된 집은 수십 년간 버려져 있었음에 틀림없다. 먼지는 그대로 있었고, 거미줄이 방에 가득했다.
  ▶ 집이 '버려져 있었던' 수동관계이므로 <조동사+have been p.p.>가 적절하다.

3 한 새로운 연구는 황산염과 같은 미세 입자가 태양의 빛과 열을 반사하기 때문에, 20세기 내내 러스트 벨트의 두터운 미립자 안개가 기후 변화로 인한 온도 상승을 늦추는 데 도움이 되었을지도 모른다고 시사한다.
  ▶ 과거(20세기)의 일에 대한 추측이므로 <might have p.p.>가 적절하다.

4 영양실조로부터 그들을 지켰던 고대 수렵채집인의 성공 비결은 그들의 다양한 식단이었을 수도 있다. 쌀이나 밀과 같은 단일 작물에 의존한 전근대 사람들과 달리, 그들은 수십 가지의 다양한 식품을 먹었던 것으로 보인다.
  ▶ 과거의 일에 대한 추측을 나타내므로 <could have p.p.>를 쓴 것은 올바르다.

여휘 consent 동의, 허락　fraud 사기　abandon 버리다; 그만두다　undisturbed (손대지 않고) 그대로 있는; 방해받지 않은　malnutrition 영양실조(증)　reliant 의존하는　foodstuff 식품, 식량

Test 2

1 ought to take a rest / must have been caused by overtraining
2 the suspect cannot have proven his innocence
3 the quality of the outcome that may have been achieved with more patience
4 shouldn't have invested in penny stocks / should have kept the money in my savings account

1 ▶ 두 번째 문장은 무리한 훈련으로 인해 부상이 '생겼던'(수동) 것으로 확신하는 것이므로 <must have been p.p.>의 형태로 영작한다.

2 ▶ cannot[can't] have p.p.: ~했을 리가 없다

3 ▶ 결과가 '이루어졌을지도'(수동) 모른다는 과거의 일에 대한 추측을 나타내므로 <may have been p.p.>의 형태로 영작한다.

4 ▶ shoudn't have p.p.: ~하지 말았어야 했는데 (했다) / should have p.p.: ~했어야 했는데 (하지 않았다)

여휘 overwhelming 압도적인　suspect 용의자; 의심하다　death sentence 사형 선고　compromise 손상시키다, 위태롭게 하다; 타협하다

어휘 stall 노점; 마구간   misleading 오해의 소지가 있는, 오도하는   dynamic 역동적인; 활발한   inhabitant 거주자, 주민   consequently 결과적으로, 따라서

RANK 60 부사구 강조 도치 / 기타 도치
p.105

Test 1

1 × → was   2 ○
3 × → do the icy lands of Antarctica

1 1960년대의 모든 의학적 업적 중, 가장 전설적인 것은 최초의 심장 이식이었
는데, 그것은 1967년에 이뤄졌다.
   ▶ 보어(most legendary)가 문두에 나와 주어와 동사가 도치된 문장인데,
   주어는 the first heart transplant이므로 단수동사 was가 적절하다.

2 브리티시컬럼비아의 해안을 따라 열대우림이 뻗어 있는데, 이는 숲의 초록색
과 반짝거리는 푸른색의 땅으로, 640만 헥타르에 이른다.
   ▶ 방향의 부사구(Along the coast of British Columbia)가 문두에 나와
   주어와 동사가 바르게 도치되었다.

3 선인장에게는, 선인장이 진화해 온 사막 환경은 위협이 되지 않는다. 남극 대
륙의 얼어붙은 땅도 펭귄에게 그렇지 않듯이(위협이 되지 않듯이).
   ▶ <nor+V+S: S도 그렇지 않다> 구문이므로 주어와 동사가 도치되어야 하
   고, 앞 문장의 일반동사구(pose a threat)를 대신하므로 대동사 do를 써야
   한다.

어휘 legendary 전설적인   transplant (생체의 조직 등의) 이식; 이식하다
sparkling 반짝거리는; 거품이 이는   cactus 선인장(복수형 cactuses, cacti)

Test 2

1 On the wall of our dining room was a framed quotation written by my grandfather
2 Hungry and tired were the travelers who arrived at the inn
3 Upon the craggy cliffs stands a lighthouse which guides sailors

1 우리 식당 벽에 할아버지가 쓰신 액자에 담긴 글귀가 걸려 있었다.
   ▶ 밑줄 친 장소의 부사구를 문두에 쓰고 주어와 동사를 도치하여 문장을 완성
   한다.

2 너무나 많은 장애물이 있었던 긴 여정 이후에 여관에 도착한 여행자들은 배고
프고 피곤했다.
   ▶ 밑줄 친 보어를 문두에 쓰고 주어와 동사를 도치하여 문장을 완성한다.

3 험준한 바위투성이가 절벽 위에 거친 바다를 지나가는 선원들을 안내하는 등대
가 서 있다.
   ▶ 밑줄 친 장소의 부사구를 문두에 쓰고 주어와 동사를 도치하여 문장을 완성
   한다. 주어가 a lighthouse이므로 단수동사 stands를 쓴다. 부사구에 쓰인
   복수 the craggy cliffs에 수일치시키지 않도록 주의한다.

어휘 quotation 인용문, 글귀, 문구   inn (시골의) 여관   lighthouse 등대   craggy
험준한 바위투성이의   cliff 절벽

Test 3

1 stretched the little tents and the stalls / bobbed the big red balloon
2 is the belief that nature should remain unchanged / so are the ways its inhabitants live together

1 ▶ 장소의 부사구인 Below him과 above him이 문두에 나왔으므로 각각
   주어와 동사를 도치하여 영작한다.

2 ▶ 첫 번째 문장은 보어(misleading)가 문두에 나왔으므로 주어와 동사를 도
   치하고, 주어인 the belief 뒤에 동격인 that절을 이어서 영작한다. 두 번째

RANK 61 여러 가지 조동사 표현
p.106

Test 1

1 ○   2 × → to shine
3 ○, × → voicing[but voice]   4 ○

1 그는 자신의 행동을 통해 야기한 큰 상처에 대해 아무리 진심으로 사과해도
지나치지 않다.
   ▶ cannot+동사원형+too ...: 아무리 ~해도 지나치지 않다

2 서번트 리더(섬기는 리더)는 관심을 추구하지 않고 오히려 다른 사람들의 업
적에 빛을 비추고 싶어 하는 사람들이며, 그것이 조직의 성공으로 이어질 것
이라고 믿는다.
   ▶ would like to-v: v하고 싶다

3 그녀는 동료들 사이의 과열된 논쟁에 끼어들지 않는 편이 낫다는 것을 알았지
만, 그 주제가 너무 흥미로워서 자신의 의견을 말하지 않을 수 없었다.
   ▶ had better not+동사원형: ~하지 않는 편이 낫다 / cannot help
   v-ing[cannot (help) but+동사원형]: v하지 않을 수 없다

4 TV 광고 배치를 위한 경매에서, 한 극장 체인은 도시의 비싼 자리를 두고 경
쟁하느니 사람들이 실내 활동을 선호할 가능성이 더 큰, 비가 자주 오는 것으
로 알려진 지역에 입찰하는 게 더 낫다고 판단했다.
   ▶ may as well 동사원형 as[than] ...: (…하느니) ~하는 게 더 낫다

어휘 overheated 과열된   auction 경매   placement 배치   reason 판단하다
bid for ~에 입찰하다   slot (방송 등에 들어가는) 자리, 시간; (가느다란) 구멍

Test 2

1 had better go to bed early so we do not miss our train
2 the picture may well lose some of the energy that you wanted to capture
3 those who would like to become experts on everything in their lives simply don't have enough time to do so
4 could not help but feel jealous of the other actor who had been chosen / he would rather not act than

1 ▶ had better+동사원형: ~하는 편이 낫다. 우리말의 '~하도록'은 목적을 나
   타내는 접속사 so (that)을 이용해서 영작한다.

2 ▶ may well+동사원형: 아마 ~일 것 같다

3 ▶ would like to-v: v하고 싶다

4 ▶ cannot (help) but+동사원형: ~하지 않을 수 없다 / would rather+
   동사원형 (than ...): (…하느니) 차라리 ~하고 싶다

어휘 capture (사진이나 글로) 담아내다; 포획하다   expertise 전문 지식   jealous
질투하는   supporting 조연의; 뒷받침하는

RANK 62 전치사를 동반하는 동사 쓰임 I　p.107

Test 1

1 took the familiar silhouette in the distance for his old friend
2 makes it difficult for you to know what really happened from what did not

1 ▶ take A for B: A를 B라고 오인[혼동]하다
2 ▶ know A from B: A를 B와 구별하다. A와 B에 각각 관계대명사 what이 이끄는 명사절을 쓴다.

어휘 silhouette 실루엣, 윤곽　combine 결합하다

Test 2

1 prevent a rival from starting some particular activity
2 can tell a certain class of animals from other animals
3 is scolded for losing the money that he received as payment
4 excessive sitting without any other activity may discourage blood from circulating efficiently

1 ▶ prevent A from B: A가 B하지 못하게 하다[B하는 것을 막다]
2 ▶ tell A from B: A를 B와 구별하다
3 ▶ <scold A for B: A를 B의 이유로 꾸짖다>가 수동태로 바뀌면 <A be scolded for B>의 형태가 된다.
4 ▶ discourage A from B: A가 B하지 못하게 하다[B하는 것을 막다]

어휘 proactively 사전에　embody 포함하다; 구현하다　classification 분류　circulate 순환하다

RANK 63 전치사를 동반하는 동사 쓰임 II　p.108

Test 1

1 restaurants inform customers of the calories in their meals
2 tend to eat much more when we are presented with a variety of foods
3 replace all their social interactions with the imaginary friends they have developed
4 was regarded as a source of power that could be used
5 moments when we realize that we cannot entirely substitute just trying harder for talent
6 have resulted in relieving women of what has traditionally been seen as their responsibility

1 ▶ inform A of B: A에게 B를 알려주다
2 ▶ <present A with B: A에게 B를 제공하다>의 수동형은 <A be presented with B>이다.
3 ▶ replace A with B: A를 B로 대체하다
4 ▶ <regard A as B: A를 B로 여기다>의 수동형은 <A be regarded as B>이다.
5 ▶ 주어진 어구에 전치사 for가 있으므로 <substitute B for A: A를 B로 대체하다>를 이용하여 영작한다. substitute는 전치사 with, for를 모두 쓸 수

있으나 A, B의 위치가 반대가 되므로 주의해야 한다.
6 ▶ have resulted in의 목적어가 되는 동명사구를 <relieve A of B: A에게서 B를 덜어주다>를 이용하여 영작한다. of 뒤에는 what이 이끄는 명사절이 오는데, 책무로 '여겨져 온' 수동관계이므로 <see A as B: A를 B로 여기다>의 수동형인 <A be seen as B>를 이용하여 영작한다.

어휘 make use of ~을 활용하다　imaginary 상상의, 상상에만 존재하는　spiritual 영적인　spell 마법, 주문; 철자를 쓰다　domestic 가정의; 국내의　outsource 외부에 위탁하다

RANK 64 의문사+to부정사　p.109

Test 1

1 When to book　　2 where to invest
3 what to teach / how to teach

1 언제 항공편을 예약할지는 티켓의 가격과 입수 가능성에 크게 영향을 받을 수 있다.
　▶ when to-v: 언제 v할지[v해야 하는지]
2 전문성 개발을 위해 시간을 어디에 투자해야 할지를 결정하기 위해 여러분의 직업상 목표를 고민하십시오.
　▶ where to-v: 어디서[어디에] v할지
3 대부분의 교수들처럼, 나는 무엇을 가르쳐야 하는지는 알았지만, 그것을 어떻게 가르쳐야 하는지는 몰랐다.
　▶ what to-v: 무엇을[무엇에] v할지[v해야 하는지] / how to-v: 어떻게 v할지[v해야 하는지]

어휘 availability 입수 가능성, 이용 가능성　professional 전문적인; 직업의

Test 2

1 was where to find a new position to support her family
2 naturally learn how to be good team players whether they win or lose
3 provided information about when to plant crops and how to record the passage of time
4 can help us to understand which areas of the brain to stimulate

1 ▶ <where to-v>를 문장의 보어 자리에 영작한다. to support her family는 목적을 나타내는 부사적 역할의 to부정사구이다.
2 ▶ <how to-v>를 learn의 목적어 자리에 영작한다. 여기서 whether는 '~이든 아니든'의 의미로 양보의 부사절을 이끈다.
3 ▶ 전치사 about의 목적어로 <when to-v>와 <how to-v>를 and로 병렬 연결하여 영작한다.
4 ▶ help의 목적격보어인 to understand의 목적어로 <which 명사 to-v>를 써서 영작한다.

어휘 astronomy 천문학　trauma 정신적 외상, 트라우마　stimulate 자극하다; 흥미를 불러일으키다

RANK 65 원인·이유의 부사절   p.110

Test 1

1 ○   2 ○
3 × → because[since, as]
4 × → because[since, as], × → that 또는 삭제

1 창의성은 아무리 제약받더라도 어떤 종류의 상황에서든 그것의 길을 찾는다는 점에서 놀랍다.
  ▶이유를 설명하는 절이 이어지므로 접속사 in that(~라는 점에서)을 쓴 것은 알맞다.

2 불행히도, 많은 사람들이 자신의 필요를 우선시할 수 없음으로 인해 목표를 달성하는 일로 고심하고 있다.
  ▶뒤에 명사구가 이어지므로 전치사 due to를 쓴 것은 알맞다.

3 로마의 작가들은 그들의 지적 창작물의 가치가 인정되었기 때문에 작품의 출판으로 돈을 벌 수 있었다.
  ▶뒤에 이유를 설명하는 절이 이어지므로 접속사로 고쳐 써야 한다.

4 기술이 공기를 오염시키는 자동차를 생산했다면, 그것은 공해가 기술자들이 설계에서 고려해야 했던 문제로 인식되지 않았기 때문이다. 더 깨끗한 차가 필요하다고 결정되었으므로, 공해를 덜 일으키는 차가 생산될 것이다.
  ▶첫 번째 밑줄 뒤에 절이 이어지므로 접속사로 고쳐 써야 한다. 두 번째 밑줄 뒤에는 이유를 설명하는 절이 이어지므로 Now (that)((지금) ~이므로)이 적절하다.

어휘 remarkable 놀라운, 주목할 만한 restricted 제약받는, 제한된 struggle with ~로 고심하다 inability 할 수 없음; 무능, 불능 prioritize 우선시하다; 우선순위를 매기다

Test 2

1 As his dog started to bark / he looked around to find out
2 in that a sarcastic speaker typically intends the listener to recognize the sarcastic intent
3 suffer from several problems due to their heavy dependence on natural capital since it tends to exclude other types of capital

1 ▶접속사 As를 이용하여 이유의 부사절을 영작한 뒤, 주절을 이어 쓴다.
2 ▶접속사 in that(~라는 점에서)을 이용하여 이유의 부사절을 영작한다.
3 ▶전치사 due to 뒤에는 명사구가, 접속사 since 뒤에는 절이 오도록 영작한다.

어휘 opposite 반대; 맞은편의 deception 기만, 속임(수) cf. deceptive 기만적인 sarcastic 비꼬는, 빈정대는 intent 의도 capital 자본; 수도 interfere 방해하다; 지장을 주다

RANK 66 양태의 부사절   p.111

Test 1

1 As water takes the shape of its container / can shape individual behaviors
2 people took longer to leave a parking spot / as if the space suddenly became more valuable

3 Just as faster music makes people eat faster / so it can also make them drive faster
4 students will have time to formulate theories and design controlled experiments / just the way scientists and mathematicians do
5 tend to move as little as possible and often appear as though they are lazy

1 ▶첫 번째 빈칸은 '~처럼, ~이듯이, ~대로'라는 의미의 접속사 As가 이끄는 부사절로 영작한다.
2 ▶두 번째 빈칸은 '마치 ~인 것처럼'이라는 의미의 접속사 as if가 이끄는 부사절로 영작한다.
3 ▶'꼭 ~인 것처럼 …하다'라는 의미의 <just as ~, so …> 구문을 이용하여 영작한다.
4 ▶두 번째 빈칸은 '꼭 ~처럼'이라는 의미의 접속사 just the way가 이끄는 부사절로 영작한다.
5 ▶'마치 ~인 것처럼'이라는 의미의 접속사 as though가 이끄는 부사절을 포함하여 영작한다.

어휘 norm 《복수형》 규범; 기준 curriculum 교육 과정 formulate 만들어 내다; 공식화하다 validate 입증하다 conserve 아끼다, 절약하다

서술형 대비 실전 모의고사 6회   p.112

01 × → whose behavior, × → are
02 ○, × → feel, × → finish
03 ○, × → which[that]
04 × → are, × → are, × → their
05 ○, × → because[since, as], × → implausible
06-07 ③ who → whose, 선행사(a captain)와 밑줄 뒤의 명사(ship)가 '선장의 배'로 해석했을 때 자연스러운 소유 관계이고, 두 문장을 연결하는 접속사가 필요하므로 소유격 관계대명사 whose로 고친다. / ⑤ distracts → distract, 선행사 the apps가 복수이므로 관계사절 내의 동사를 복수동사로 고친다.
08 Children raised in extreme social isolation / not because they lack the basic circuitry for empathy / but because they have never learned to pay attention
09 problems of which the solution[the solution of which] is hard to find / how to approach the situation / where to find the necessary resources / when to begin to implement your plan
10 Just as you can't keep driving a car without refilling the gas / can't keep giving love to kids without refueling yourself
11 lead to feelings of being overwhelmed / make it easier for individuals to be discouraged from conforming to social norms because of fear
12 ⓐ purchase ⓑ sending ⓒ Invited
13 provide complimentary items or experiences to a person whom they want to persuade to return the favors that are offered
14 So powerful is this sense of obligation to reciprocate the favor

15 to stop the falcons from eating another endangered species without harming the falcons

16 treat the problem as if you have never seen anything like it

17 (A) to (B) with (C) for

18 locals perceive the environmental consequences of tourism varies / because their perspectives depend on factors / how near they are to the attractions

01 행동이 통제되지 않는 아이들은 그들의 행동에 대한 분명한 제한이 설정되고 시행될 때 개선된다.
▶ 문맥상 선행사 Children과 명사 behavior가 소유 관계이고, 두 절을 잇는 접속사가 필요하므로 whose behavior의 순서가 알맞다. / when이 이끄는 부사절의 주어는 복수(clear limits)이므로 복수동사 are로 고쳐야 한다. • Rank 01 주어·동사의 수일치 I, Rank 56 소유격 관계대명사 whose, of which
어휘 enforce 시행하다

02 저는 쉬고 싶지만, 제가 맡은 일을 소홀히 한 것에 대해 죄책감을 느끼지 않을 수 없어요. 나중에 휴식을 취하기 전에 이 일을 먼저 끝내는 게 더 낫겠어요.
▶ would like to-v: v하고 싶다 / cannot (help) but 동사원형: ~하지 않을 수 없다 / may[might] as well 동사원형 as[than] ...: (…하느니) ~하는 게 더 낫다 • Rank 61 여러 가지 조동사 표현

03 유전자 변형(GM) 식품은 (유기체의) 유전 물질(DNA)이, 예를 들면 다른 유기체의 유전자 도입을 통한 방식과 같이 자연적으로 발생하지 않는 방식으로 변형된 유기체에서 나온 식품이다.
▶ 선행사(organisms)와 밑줄 뒤의 명사(genetic material)가 소유 관계이고, 두 절을 잇는 접속사가 필요하므로 소유격 관계대명사 whose는 알맞게 쓰였다. / a way 뒤의 절이 불완전하므로 선행사 a way를 수식하는 주격 관계대명사 which[that]로 고쳐야 한다. • Rank 25 주격 관계대명사 who, which, that, Rank 56 소유격 관계대명사 whose, of which
어휘 genetically 유전적으로 cf. genetic 유전의 modify 변형하다; 수정하다

04 세계에서 가장 흥미로운 자연 온도 조절 행동 중에는 벌과 개미 같은 사회적 곤충의 행동이 있는데, 이들은 일 년 내내 그것들의 벌집이나 흙더미에서 거의 일정한 온도를 유지할 수 있다.
▶ 장소의 부사구(Among the most ~ world)가 문두에 나와 주어와 동사가 도치되었다. 문장의 주어(those)는 복수이므로 동사를 are로 고쳐야 한다. / 콤마 뒤 관계대명사의 선행사(bees and ants)는 복수이므로 동사를 복수동사(are)로 써야 한다. / 문맥상 bees and ants를 가리키므로 their로 고친다. • Rank 55 인칭대명사, 재귀대명사, Rank 57 관계대명사의 선행사에 수일치, Rank 60 부사구 강조 도치 / 기타 도치
어휘 constant 일정한 hive 벌집 mound 흙더미; 언덕

05 인류학자이자 소설가인 Amitav Ghosh는 기후 변화는 그것이 연상시키는 사이클론, 홍수, 그리고 다른 재앙들이 단순히 일상생활에 관한 이야기에 속하기에는 너무 있을 것 같지 않아 보이기 때문에 현대 소설에서 대부분 빠져 있다고 우리에게 설명해 준다.
▶ explain은 4문형으로 쓰이지 않는 동사이므로 문맥상 '~에게'에 해당하는 대명사 us 앞에 전치사 to가 있는 것은 알맞다. / 뒤에 이유를 나타내는 절이 이어지므로 접속사로 고쳐 써야 한다. / 부사절의 동사 seem의 보어 자리에는 부사가 올 수 없으므로 형용사 implausible로 고쳐 쓴다. • Rank 37 형용사 자리 vs. 부사 자리, Rank 58 3문형 ⇌ 4문형 전환, Rank 65 원인·이유의 부사절
어휘 anthropologist 인류학자 catastrophe 재앙 bring A to mind A를 연상시키다 implausible 있을 것 같지 않은, 믿기 어려운

06-07
여러분이 좋지 못한 선택을 한 적이 있다면, 여러분은 어떻게 그 습관을 깨야

하는지를 배우는 데 관심이 있을지도 모른다. 그렇게 하도록 여러분의 뇌를 속이는 한 가지 좋은 방법은 'Ulysses 계약'에 서명하는 것이다. 이러한 인생 조언의 명칭은 저항할 수 없는 노래로 희생자들을 죽음으로 유혹하던 위험한 여성 부족인 사이렌의 섬을 배로 항해해 지나갔던 선장 Ulysses에 관한 그리스 신화에서 비롯된다. 그렇게 하지 않으면 저항할 수 없다는 것을 알고, Ulysses는 자신을 배의 돛대에 묶으라고 선원들에게 지시했다. 그것은 그에게 효과가 있었고, 여러분은 유혹하는 것들로부터 스스로를 차단함으로써 같은 일을 할 수 있다. 예를 들어, 만약 여러분이 휴대전화를 멀리하고 싶다면, 높은 빈도로 사용되는, 여러분을 산만하게 하는 앱들을 삭제하거나 친구에게 비밀번호를 바꿔 달라고 요청하라!
▶ ③ • Rank 56 소유격 관계대명사 whose, of which / ⑤ Rank 57 관계대명사의 선행사에 수일치
어휘 myth 신화 tribe 부족, 종족 lure 유혹하다 temptation 유혹하는 것; 유혹 frequency 빈도; 주파수

08 ▶ 수식받는 명사 Children이 '길러진' 수동관계이고 분사 뒤에 딸린 어구가 있으므로 명사 뒤에 과거분사구(raised ~ isolation)를 쓴다. 두 번째와 세 번째 빈칸에는 because가 이끄는 두 개의 절을 상관접속사 <not A but B: A가 아니라 B>로 연결하여 영작한다. • Rank 05 현재분사 vs. 과거분사_명사 수식, Rank 10 상관접속사의 병렬구조, Rank 65 원인·이유의 부사절
어휘 circuitry 신경 회로; 전기 회로망 empathy 공감, 감정이입

09 ▶ <of which +the +명사> 또는 <the +명사+of which> 형태로 선행사 problems를 수식하는 소유격 관계대명사절이 포함된 분사구문을 영작하고, 주절에는 should ponder의 목적어로 <how +to-v>, <where to-v>, <when to-v>를 병렬 연결하여 영작한다. • Rank 09 등위접속사의 병렬구조, Rank 11 동사의 목적어가 되는 to-v, v-ing, Rank 20 주의해야 할 분사구문, Rank 56 소유격 관계대명사 whose, of which, Rank 64 의문사+to부정사
어휘 ponder 곰곰이 생각하다, 숙고하다

10 ▶ 첫 번째 빈칸은 양태를 나타내는 <just as ~, so ...: 꼭 ~인 것처럼 …하다> 구문으로 영작한다. keep은 목적어로 v-ing를 취하는 동사이므로 부사절과 주절의 목적어를 각각 driving, giving으로 변형하여 쓰는데, 두 번째 빈칸은 <can't A without B (이중부정)> 구문을 써서 영작한다. <give +IO +DO>를 3문형으로 전환하면 간접목적어 앞에 전치사 to를 쓴다. • Rank 11 동사의 목적어가 되는 to-v, v-ing, Rank 51 주의해야 할 부정구문, Rank 58 3문형 ⇌ 4문형 전환, Rank 66 양태의 부사절
어휘 overextended 무리하게 일한; 도를 지나친

11 ▶ 첫 번째 빈칸은 '압도당하는' 감정을 느끼는 것이므로 전치사 of 뒤에 동명사의 수동형인 being overwhelmed를 쓴다. 두 번째 빈칸은 <동사(make)+가목적어 it +목적격보어(easier)+진목적어(to be ~)>의 어순으로 쓰는데, 의미상의 주어 for individuals가 진목적어 앞에 위치하도록 영작한다. 이때 의미상의 주어인 개개인들이 '못하게 되는' 수동관계이므로 to be discouraged로 변형한다. <discourage A from B: A가 B하지 못하게 하다[B하는 것을 막다]>가 수동태로 바뀌면 <A be discouraged from B>의 형태가 된다. • Rank 32 가목적어-진목적어, Rank 39 to부정사와 동명사의 태, Rank 54 감정을 나타내는 분사, Rank 62 전치사를 동반하는 동사 쓰임 I, Rank 65 원인·이유의 부사절
어휘 excessive 과도한

[12-14]
많은 기업들은 미래의 고객들이 그것을 구매하도록 만들기 위해서 우편으로 공짜 선물이나 샘플을 보내거나 고객들이 신제품을 사용해 보고 테스트해 볼 수 있게 해준다. 자선단체 역시 목표로 한 사람들에게 아마 크리스마스카드나 달력 패키지를 보냄으로써 주고받는 접근법을 사용한다. 패키지를 받는 사람은 의무감을 느끼고 보답으로 무언가 보내지 않을 수 없다. 호의에 보답해야 한다는 이 의무감은 매우 강력하여 우리의 일상생활에 아주 많은 영향을 끼친다. 디너파티에 초대받았을 때, 우리는 파티를 열어준 사람을 우리의 것(디너파티) 중 하나에 초대해야 한다는 압박감을 느낀다. 만약 누군가가 우리에게

선물을 주면, 우리는 동일한 것으로 그것에 보답해야 한다.

어휘 obligated 의무가 있는 *cf.* obligation 의무 in kind 동일한 것으로

12 ▶ ⓐ 사역동사 make의 목적격보어로 원형부정사(v)가 쓰인다. •**Rank 07** 동사+목적어+보어 I

ⓑ cannot help v-ing: v하지 않을 수 없다 •**Rank 61** 여러 가지 조동사 표현

ⓒ 의미상의 주어 we가 '초대받은' 것이므로 과거분사 Invited로 변형하여 분사구문을 완성한다. •**Rank 06** 분사구문

13 그것은 기업이나 단체가 그 사람에게 제공되는 호의를 돌려주도록 설득하고 싶은 사람에게 무료 물품이나 경험을 제공하는 전략이다.

▶ <provide B to A: A에게 B를 제공[공급]하다>를 활용하여 영작한다. A에 해당하는 a person을 수식하는 목적격 관계대명사 whom이 이끄는 절을 영작하는데, 이때 관계대명사는 이어지는 절의 to부정사(to persuade)의 목적어이다. the favors를 선행사로 하는 주격 관계대명사절의 동사는 선행사에 수일치하여 are offered로 쓴다. •**Rank 11** 동사의 목적어가 되는 to-v, v-ing, **Rank 25** 주격 관계대명사 who, which, that, **Rank 27** 목적격 관계대명사 who(m), which, that, **Rank 57** 관계대명사의 선행사에 수일치, **Rank 63** 전치사를 동반하는 동사 쓰임 II

어휘 complimentary 무료의; 칭찬하는

14 ▶ 보어인 So powerful을 문두에 쓰고 주어(this sense ~ favor)와 동사(is)를 도치하여 문장을 완성한다. •**Rank 34** 목적·결과의 부사절, **Rank 60** 부사구 강조 도치 / 기타 도치

15 어떤 사람들은 야생 동물 피해 관리를 과잉 종에 대한 관리로 정의했지만, 이 정의는 너무 (범위가) 좁다. 단지 과잉 종뿐만 아니라 모든 종이 야생 동물 피해를 야기한다. 이것의 흥미로운 사례는 캘리포니아의 멸종 위기에 처한 송골매를 포함하는데, 그것들은 캘리포니아 작은제비갈매기라는 또 다른 멸종 위기종을 먹이로 한다. 분명히 우리는 송골매를 과잉하다고 생각하지 않겠지만, 그것들이 멸종 위기에 처한 종을 먹고 살지 않기를 바란다. 이런 경우의 야생 동물 피해 관리의 목표는 송골매에 해를 끼치지 않으면서 송골매가 또 다른 멸종 위기종을 잡아먹지 못하게 하는 것일 것이다.

▶ <stop A from B: A가 B하지 못하게 하다[B하는 것을 막다]>를 활용하여 문장의 동사 would be의 보어인 to부정사구를 영작한다. •**Rank 62** 전치사를 동반하는 동사 쓰임 I

어휘 overabundant 과잉의 endangered 멸종 위기에 처한

16 대부분의 사람은 자신에게 가장 친숙한 도구와 기술에 크게 의존하면서 새로운 문제를 공략한다. 이런 접근은 전에 해결했던 문제들과 유사한 문제들에 대해서는 꽤 효과 있을 수 있지만, 새로운 문제가 아주 생소할 때는, 자주 실패하고 비참하게 실패한다. 이런 상황에서는, 아무것도 가정하지 않고 마치 그와 같은 것은 예전에 전혀 본 적이 없는 것처럼 그 문제를 다루는 것이 최선이다. 무술에서는, 어떤 것을 새롭게 바라보는 이런 의식이 '초심자의 마음'이라고 알려져 있다. 어떤 기예에 대한 초심자들은 무엇이 중요하고 무엇이 관련이 없는지 알지 못해서 모든 세세한 부분을 받아들이려 애쓴다. 노련한 무술인들은 그들의 경험을 필수적인 것을 무관한 것으로부터 분리하는 여과기로 사용한다.

▶ 가주어 it 뒤의 진주어 to assume ~과 (to) treat ~이 병렬 연결된 문장으로, '마치 ~인 것처럼'이라는 의미의 접속사 as if가 이끄는 부사절을 포함하여 영작한다. •**Rank 09** 등위접속사의 병렬구조, **Rank 14** 가주어-진주어(to부정사), **Rank 66** 양태의 부사절

어휘 miserably 비참하게 novel 새로운; 소설 martial art 무술, 무도

[17-18]

관광 산업이 환경에 미치는 영향은 과학자들에게는 명확하지만, 모든 주민들이 환경 훼손을 관광 산업의 탓으로 돌리지는 않는다. 주민들은 대개 관광 산업이 삶의 질에 미치는 경제적인 영향에 대해 긍정적인 견해를 가지고 있지만, 환경적 영향에 대한 그들의 반응은 혼재한다. 일부 주민들은 관광 산업이 관광객에게 더 많은 휴양지를 제공하고, 도로와 공공시설의 질을 개선하며, 생태계 쇠퇴의 원인이 되지는 않는다고 생각한다. 많은 이들이 교통 문제, 혼잡한 야외 오락 활동, 또는 공원의 평화로움을 방해하는 것의 이유로 관광 산업을 비난하지 않는다. 그 대신에 일부 주민들은 관광객들이 현지의 낚시터, 사냥터 및 기타 휴양지를 붐비게 하거나 교통 혼잡을 초래할지도 모른다는 우려를 표한다. 몇 가지 연구들은 환경 훼손과 관광 산업의 관계에 대해 주민들이 가지는 생각의 차이가 관광 산업의 유형, 주민들이 자연환경이 보호될 필요가 있다고 느끼는 정도, 그리고 주민들이 관광 명소에서 떨어져 사는 거리와 연관이 있음을 시사한다.

어휘 ecological 생태계의; 생태학의 decline 쇠퇴; 감소 disturbance 방해 alternatively 그 대신에

17 ▶ (A) attribute A to B: A를 B의 덕분[탓]으로 돌리다 •**Rank 63** 전치사를 동반하는 동사 쓰임 II

(B) provide A with B: A에게 B를 제공[공급]하다 •**Rank 63** 전치사를 동반하는 동사 쓰임 II

(C) blame A for B: A를 B의 이유로 비난하다 •**Rank 62** 전치사를 동반하는 동사 쓰임 I

18 [요약문] 현지인이 관광 산업의 환경적 결과를 인식하는 방식은 다양한데, 왜냐하면 그들의 관점은 특정 관광 활동, 그것의 환경적 가치, 그리고 그들이 관광지와 얼마나 가까운지와 같은 요인들에 달려 있기 때문이다.

▶ 첫 번째 빈칸에는 문장의 주어이자 선행사 The way를 수식하는 관계부사절을 영작하고 문장의 동사 varies를 쓴다. 두 번째 빈칸에는 이유를 나타내는 부사절을 이어서 쓰고, 마지막 빈칸에는 전치사 like의 목적어로 의문사 how가 이끄는 의문사절을 쓴다. how가 형용사 near와 의미상 강하게 연결되므로 <의문사(how)+형용사(near)+주어(they)+동사(are)>의 어순으로 쓴다. •**Rank 17** 의문사가 이끄는 명사절의 어순, **Rank 30** 관계부사 when, where, why, how, **Rank 65** 원인·이유의 부사절

• 부분 점수

문항	배점	채점 기준
01-05	1	×는 올바르게 표시했지만 바르게 고치지 못한 경우
06-07	2	틀린 부분을 바르게 고쳤지만 틀린 이유를 쓰지 못한 경우
	1	틀린 부분을 찾았지만 바르게 고치지 못한 경우
08-11	3	어순은 올바르나 단어를 적절히 변형하지 못한 경우
13	4	어순은 올바르나 단어를 적절히 변형하지 못한 경우
15	4	어순은 올바르나 단어를 적절히 변형하지 못한 경우

+ 형용사+전치사

형태	의미
be absent from	~에 결석하다
be afraid of	~을 두려워하다
be attached to	~에 애착[애정]을 가지다; ~에 붙어 있다; ~에 소속되다
be aware of	~을 인식하다
be bad[poor] at	~을 못하다
be based on	~에 기초[근거]하다
be busy in	~하느라 바쁘다
be capable of	~할 수 있다
be connected to	~와 연결되다
be consistent with	~와 일치하다
be crowded with	~로 붐비다
be different from	~와 다르다
be familiar with	~에 익숙하다
be famous for	~로 유명하다
be free from	~로부터 자유롭다
be full of	~로 가득 차 있다
be good at	~을 잘하다
be jealous of	~을 시기[질투]하다
be late for	~에 늦다
be necessary for	~에 필요하다
be obliged to	~에 감사하다
be proud of	~을 자랑스러워하다
be ready for	~에 대해 준비가 되다
be related to	~와 연관이 있다
be resistant to	~에 저항하다; ~에 저항력이 있다
be responsible for	~에 책임이 있다
be short of	~이 부족하다
be similar to	~와 유사하다
be suitable for	~에 적합하다
be worthy of	~을 받을 가치가 있다

+ 구전치사

형태	의미
according to	~에 따르면
ahead of	~보다 앞서서; ~의 앞에
along with	~와 함께; ~와 일치하여
apart from	~ 외에는; ~뿐만 아니라
as for	~에 대해서 말하자면
as to	~에 관해서는
aside from	~ 외에도
because of	~ 때문에
due to	~ 때문에
except for	~을 제외하고는, ~이 없으면
in addition to	~에 더하여, ~일 뿐 아니라
in front of	~의 앞에
in spite of	~에도 불구하고
in terms of	~에 관하여; ~의 점에서
instead of	~ 대신에
next to	~ 바로 옆에; ~ 다음의
other than	~ 이외의, ~을 제외하고
owing to	~ 때문에, ~ 덕분에
prior to	~에 앞서, ~보다 먼저
rather than	~보다는, ~ 대신에
regardless of	~에 상관없이
such as	~와 같은
thanks to	~ 덕분에
up to	~까지; ~만큼
when it comes to	~에 관한 한

RANK 67 do 동사의 쓰임 p.119

Test 1

1 × → do　　　　**2** × → exist

1 누군가가 당신이 그러는 것과 같지 않은 방식으로 세상을 본다는 것을 알게 되는 것은 항상 대단히 흥미롭다.
▶ 앞에 나온 일반동사구(sees the world)를 대신하는데, 주어가 you이므로 대동사 do로 고쳐야 한다.

2 구전은 자주 반복되는 경우에도 시간이 지남에 따라 자연스럽게 미묘한 변형을 포함하며, 정말로 존재하는 모든 변형은 이야기 자체의 일부가 된다.
▶ 동사를 강조하는 does 다음에는 동사원형이 와야 한다.

어휘 fascinating 대단히 흥미로운; 매혹적인　incorporate 포함하다; (법인체를) 설립하다　subtle 미묘한　variation 변형, 변화

Test 2

1 appreciate　　　　**2** had

1 자세한 설명은 도움이 되었고, 저희는 당신이 그것을 쓰는 데 들였던 시간에 정말로 감사드립니다.
▶ do는 and 이하 절의 동사 appreciate를 강조한다.

2 조사에 따르면, 각 연령대에서 남성은 가당 음료에서의 평균 킬로칼로리 섭취량이 여성이 그러했던 것보다 더 높았다.
▶ did는 앞에 나온 일반동사구(had average kilocalorie ~ beverages)를 대신하는 대동사이다.

어휘 intake 섭취(량)

Test 3

1 interpret historical narratives with a broader perspective than those in the 20th century once did
2 have autonomy and capability just as the adults do / do have control and can practice asserting it
3 provide warning signs before an eruption while earthquakes do not / volcanoes are more predictable than earthquakes are

1 ▶ 비교 대상인 than 이하의 절은 앞에 쓰인 반복되는 명사(historians)를 대명사 those로 쓰고, 밑줄 친 do가 대신하는 것은 interpret historical narratives인데 문맥상 과거이므로 대동사 did로 바꾸어 영작한다.

2 ▶ 첫 번째 문장에서 the adults 뒤에는 앞서 나온 일반동사구(have autonomy and capability)를 대신하는 대동사 do를 쓰고, 두 번째 문장은 have 앞에 동사를 강조하는 do를 쓴다.

3 ▶ 첫 번째 문장에서 while 뒤에는 앞과 대조적인 내용이 이어지므로 일반동사구(provide warning signs)를 대신하는 대동사 do의 부정형인 do not을 쓴다. 두 번째 문장에서 밑줄 친 be는 be동사구(are predictable)의 대동사로, than 뒤의 주어(earthquakes)가 복수이고 현재시제이므로 are로 변형하여 영작한다.

어휘 contemporary 현대의; 동시대의　narrative 서사, 이야기　perspective 관점, 시각; 원근법　autonomy 자율성; 자치권　capability 능력　assert 주장하다; (권리 등을) 확고히 하다　eruption (화산의) 폭발; 분출　Earth's crust 지각　cf. crust 딱딱한 표면; 빵껍질　predictable 예측할 수 있는

RANK 68 생략구문 p.120

Test 1

1 Are you planning to join us? If you are unable to ✔, please let us know as soon as possible so that we can make other arrangements. / join us
2 At the end of the play, the themes of the story become sharper, the motivations of the characters ✔ more complex, and those subtle moments of humor ✔ more meaningful. / become, become
3 A clay pot is an example of a material artifact, which, although ✔ transformed by human activity, is not all that far removed from its natural state. / a clay pot[it] is
4 Products relying on sight or sound might sell easily online, since visuals and audio can be shared, but those relying on touch, taste, or smell might not ✔, due to the inability to convey these senses online. / sell easily online

1 저희와 함께하실 계획인가요? 만약 저희와 함께하실 수 없으면, 저희가 다른 준비를 할 수 있도록 가능한 한 빨리 저희에게 알려 주시기를 바랍니다.
▶ to 뒤에는 반복되는 어구 join us가 생략되었다.

2 그 연극의 끝부분에서, 이야기의 주제는 더 날카로워지고, 등장인물들의 동기는 더 복잡해지며, 유머의 미묘한 순간들은 더 의미심장해진다.
▶ 세 개의 절이 콤마와 접속사 and로 병렬 연결된 구조로, 반복되는 동사 become이 생략되었다.

3 점토 항아리는 재료 가공품의 한 사례인데, 그것이 비록 인간의 활동에 의해 변형되기는 하지만, 그것의 천연 상태에서 그다지 멀리 떨어진 것은 아니다.
▶ although가 이끄는 부사절의 주어가 주절의 주어와 같으므로 <주어+be동사>인 a clay pot[it] is가 생략되었다.

4 시각 자료와 음성은 공유될 수 있기 때문에 시각이나 청각에 의존하는 제품들은 온라인에서 쉽게 팔릴 수 있지만, 촉각, 미각, 또는 후각에 의존하는 것들은 온라인으로 이러한 감각들을 전달할 수 없음으로 인해 쉽게 팔리지 않을지도 모른다.
▶ 조동사 might not 뒤에 반복되는 동사구 sell easily online이 생략되었다.

어휘 artifact 가공품, 인공물　removed 동떨어진, 거리가 멀어진　inability 할 수 없음; 무능, 불능　convey 전달하다; 실어 나르다

Test 2

1 it was because the river wished to
2 we are to befriend people with few friends
3 but little about where the materials are produced / whether ethically sourced
4 When in doubt about your own abilities / not what you cannot

1 ▶ wished의 목적어인 to-v(to rise)에서 반복되는 rise를 생략하고 to만 남긴 형태로 영작한다.

2 ▶ 반복되는 어구 likely가 생략된 문장으로 영작한다.

3 ▶ but 뒤의 절은 원래 there's little information about ~인데, 앞 절과 반복되는 부분이 생략되어 little about ~이 남았다. 전치사 about의 목적어로 두 개의 명사절이 병렬 연결된다. whether가 이끄는 두 번째 절에는 앞 명사절의 <주어+be동사(the materials are)>가 반복되므로 주어와 동사를 생략한 형태로 영작한다.

4 ▶ 첫 번째 빈칸은 When이 이끄는 부사절의 주어가 주절의 명령문의 생략된 주어와 같으므로 you are를 생략한 형태로 영작한다. 두 번째 빈칸은 focus on의 목적어인 what이 이끄는 명사절에서 반복되는 control이 생략된 형태로 영작한다.

어휘 **befriend** 친구가 되다   **sustainable** 지속 가능한   **ethically** 윤리적으로   **source** 공급하다; 근원   **in doubt** 의심하여; 불확실하여

RANK 69 보어로 쓰이는 to부정사
p.121

Test 1

1 One of the ways / is to break them down into simpler steps
2 would be to get new clients and to ensure that customers continue to feel satisfied about their purchases

1 ▶ <동사+부사> 형태의 이어동사인 break down은 목적어가 대명사이면 동사와 부사 사이에 쓴다.

2 ▶ 주격보어인 to get ~ clients와 to ensure ~ purchases를 and로 병렬 연결한다. ensure의 목적어절에서 continue는 목적어로 to부정사와 동명사를 모두 취할 수 있지만 주어진 어구에 따라 to feel을 쓴다.

어휘 **intricate** 복잡한   **equation** 방정식; 동일시   **break down** ~을 나누다; ~을 부수다   **value** 《수학》값; 가치

Test 2

1 seemed to be irreversible
2 the ancient Maya civilization had declined
3 seem to be used effectively
4 seems to have been overcome

1 기업계의 원격 근무 추세는 되돌릴 수 없는 것 같았다.
▶ 주어진 문장에서 that절과 주절의 시제가 같으므로 seemed 뒤에 to-v를 쓴다.

2 고대 마야 문명은 심한 가뭄과 삼림 벌채의 조합으로 인해 쇠퇴했던 것으로 보였다.
▶ 주어진 문장에서 to have p.p.가 쓰였으므로 that절은 주절의 시제(seemed)보다 앞선 대과거(had declined)로 쓴다.

3 따뜻한 그리고 시원한 색조의 심리적 효과가 다양한 공간에서 특정한 기분과 분위기를 만들어 내기 위해 인테리어 디자인에 효과적으로 활용되는 것 같다.
▶ 주어진 문장에서 that절과 주절의 시제가 같고 심리적 효과가 '활용되는' 수동관계이므로 seem 뒤에 to be p.p.를 쓴다.

4 우주선 설계에서, 내열성 문제는 세라믹 합성물에 의해 극복되었던 것으로 보이는데, 그것은 열응력이 가해져도 구조적으로 완전한 상태를 유지한다.
▶ 주어진 문장에서 that절의 시제(had been overcome)가 주절의 시제(seems)보다 앞서고 내열성 문제가 '극복되는' 수동관계이므로 seems 뒤에 to have been p.p.를 쓴다.

어휘 **remote** 원격의; 먼   **corporate** 기업의; 공동의   **irreversible** (이전 상태로) 되돌릴 수 없는   **drought** 가뭄   **psychological** 심리적인, 정신적인   **atmosphere** 분위기; 대기   **spacecraft** 우주선   **heat resistance** 내열성   **composite** 합성의; 합성물   **integrity** 완전한 상태; 진실성

RANK 70 that절이 목적어인 문장의 수동태
p.122

Test 1

1 is thought that the unexpected surge in website traffic is / is thought to be a result of a viral social media campaign
2 is believed to have been built / is believed that the Great Wall of China was built

1 그들은 웹사이트 트래픽의 예기치 않은 급증이 바이럴 소셜 미디어 캠페인의 결과라고 생각한다. → 웹사이트 트래픽의 예기치 않은 급증은 바이럴 소셜 미디어 캠페인의 결과라고 생각된다.
▶ 주절의 시제(think)와 that절의 시제(is)가 같으므로 to be로 쓴다.

2 사람들은 중국의 만리장성이 유목민의 침략으로부터 보호하기 위해 건설되었다고 여긴다. → 중국의 만리장성은 유목민의 침략으로부터 보호하기 위해 건설되었다고 여겨진다.
▶ 주절의 시제(believe)보다 that절의 시제(was built)가 앞서고, that절의 동사가 수동태이므로 to have been built로 쓴다.

어휘 **surge** 급증; 밀려들다   **invasion** 침략, 침입

Test 2

1 is estimated that humans spend approximately one-third of their lives sleeping
2 are known to have developed a remarkable ability to return to their birthplace
3 is thought to have been stealthily stolen during the extensive museum renovation
4 is said that eye movements are windows into the mind / where people look reveals what environmental information they are attending to

1 ▶ 인간이 '추정되는' 수동의 의미이므로 주절의 동사는 is estimated로 영작한다.

2 ▶ 연어가 '알려져 있는' 수동의 의미이므로 동사는 are known으로 쓴다. 문맥상 동사의 시제보다 to-v의 시제가 앞서므로 to have developed로 영작한다.

3 ▶ 대단히 귀중한 그림이 '생각되는' 수동의 의미이므로 동사는 is thought로 쓴다. 문맥상 동사의 시제보다 to-v의 시제가 앞서고, 그림이 은밀히 '도난당한' 수동의 의미이므로 to have been stealthily stolen으로 영작한다.

4 ▶ 눈의 움직임이 '언급되는' 수동의 의미이므로 주절의 동사는 is said로 쓴다. 주절의 시점과 that절의 시점이 일치하므로 that절의 동사는 are로 쓴다.

어휘 **approximately** 대략   **remarkable** 놀라운   **footage** (특정한 사건을 담은) 화면   **stealthily** 은밀히   **renovation** 보수, 수리; 혁신   **attend to** ~에 주의를 기울이다

Test 1

1 × → while　　**2** × → despite　　**3** ○

1 늑대는 희생양이 지칠 때까지 무리를 지어 먹이를 쫓고 나서, 무리 중 몇 마리가 그것을 동시에 공격하는 동안 기진맥진한 먹잇감을 포위한다.
▶ 뒤에 주어(several pack members)와 동사(attack)가 이어지므로 접속사 while로 고쳐 써야 한다.

2 영화는 종종 우리가 만족스럽게 생각하는 이야기를 전한다. 나쁜 사람들은 벌을 받고, 낭만적인 커플은 진실한 사랑으로 가는 길에서 마주치는 장애물에도 불구하고 서로를 찾는다.
▶ 뒤에 명사구(the obstacles)가 이어지므로 전치사 despite로 고쳐 써야 한다. they encounter ~ true love는 목적격 관계대명사가 생략된 관계사절로 the obstacles를 수식한다.

3 특정 산업에서 생겨난 지역 정체성에 강하게 애착을 느끼는 지역 주민들은 관광 산업을 기반으로 한 새로운 것(정체성)을 지지하여 그들의 정체성을 잃게 되는 것에 반대할 수도 있다.
▶ 문맥상 지역 주민들이 관광 산업에 기반한 새로운 정체성(a new one)을 지지하여 기존의 정체성(their identity)을 잃는 것에 반대할 수도 있다는 내용이므로 in favor of는 적절하다.

어휘 prey 먹이, 사냥감　in packs 무리를 이루어　victim 희생양; 피해자　simultaneously 동시에　punish 처벌하다　obstacle 장애(물)　resident 주민, 거주자　attached 애착을 가진; 부착된　stem from ~에서 생겨나다　resist 반대하다; 저항하다

Test 2

1 Even though there are language differences
2 are constantly aware of their position in the environment / in terms of both space and time
3 are totally different from the lives of people / owing to scientific and technological innovations
4 In contrast to a truth that is merely learned / acquired through our own thinking is like a natural limb

1 ▶ 뒤에 절이 이어지므로 접속사 Even though를 사용하여 부사절을 완성한다.

2 ▶ '~의 측면에서'라는 의미의 구전치사 in terms of 뒤에는 명사구가 온다.

3 ▶ '~ 때문에'라는 의미의 구전치사 owing to 뒤에는 명사구가 온다.

4 ▶ '~와 대조적으로'라는 의미의 구전치사 In contrast to 뒤에는 명사구가 온다. that is ~ learned는 명사 a truth를 수식하는 관계사절이다. 주어 a truth는 과거분사구가 뒤에서 수식한다.

어휘 be aware of ~을 알다[의식하다]　constantly 끊임없이　merely 단순히, 단지　limb 팔다리, 수족; (새의) 날개

Test 1

1 ○　　　　　　　　　　**2** ○
3 × → acquire, ○　　　**4** × → expressing, ○

1 여러분은 더 많은 과일과 채소를 먹어서 수분 섭취량을 늘릴 수 있다.
▶ 뒤에 목적어가 이어지므로 by의 목적어로 동명사 consuming을 쓴 것은 적절하다.

2 온도를 조절하는 것에 더하여, 공기를 조절하는 것도 신선한 농산물의 관리에 있어서 중요하다.
▶ 뒤에 목적어 없이 전명구가 이어지므로 in의 목적어로 명사 management를 쓴 것은 적절하다.

3 간절히 언어를 습득하고 싶다면, 당신의 뇌가 새로운 언어 패턴을 처리하는 것에 적응하도록 돕기 위해 자신을 끊임없는 연습에 노출시키는 것이 중요하다.
▶ 첫 번째 밑줄 친 부분은 '간절히 v하고 싶어하다'의 의미인 <be anxious to-v>이므로 acquiring을 acquire로 고쳐 써야 한다. 두 번째 밑줄 친 부분은 'v하는 것에 적응하다'의 의미인 <adjust to v-ing>이므로 processing은 알맞다.

4 고객들의 의견은 그들의 만족이나 불만족을 표현하는 한 가지 방법이다. 당신의 제품과 서비스의 개선을 위해 이러한 의견에 반응하는 것을 우선시하라.
▶ 첫 번째 밑줄 친 부분은 뒤에 목적어(their satisfaction or dissatisfaction)가 이어지므로 전치사 of의 목적어를 동명사 expressing으로 고쳐 쓴다. 두 번째 밑줄 친 부분은 뒤에 목적어 없이 전명구가 이어지므로 for의 목적어로 명사 enhancement를 쓴 것은 적절하다.

어휘 produce 농산물; 생산하다　expose 노출시키다　linguistic 언어의　prioritize 우선시하다　enhancement 개선; 향상

Test 2

1 When it comes to managing a successful business
2 are accustomed to using it to describe machines that can portray or sense emotions
3 such as weed control without the use of chemicals / fewer people who are willing to do this work
4 which company is committed to bringing about good in the world or adheres to making its products

1 ▶ 'v에 관한 한'의 의미인 <when it comes to v-ing>를 사용한다.

2 ▶ 'v하는 것에 익숙하다'의 의미인 <be accustomed to v-ing>를 사용한다.

3 ▶ 첫 번째 빈칸은 without의 목적어인 명사 the use 뒤에 전명구를 이어 쓴다. 두 번째 빈칸은 '기꺼이 v하다'의 의미인 <be willing to-v>를 사용하여 영작한다.

4 ▶ 'v하는 데 헌신하다'의 의미인 <be committed to v-ing>와 'v하는 것을 고수하다'의 의미인 <adhere to v-ing>를 사용하여 영작한다. 의문사절의 동사인 is와 adheres가 접속사 or로 병렬 연결된다.

어휘 factor 요인; 지수　continuous 지속적인　affective 정서적인　portray 나타내다; 그림으로 그리다　bring about ~을 가져오다[초래하다]　ethical 윤리적인, 도덕적인

Test 1

1 × → (should) conduct   **2** ○
3 × → (should) try   **4** ○

1 윤리위원회는 그 기관이 모든 연구를 윤리 지침을 엄격하게 고수하면서 수행해야 한다고 명령했다.
▶ that절의 내용이 당위성을 나타내므로 that절의 동사는 <(should +)동사원형>이 되어야 한다.

2 입주민들의 신고에 대한 대응으로, 아파트 관리사무소는 입주민 개개인이 반려견의 소음 수준을 최소한으로 유지해야 한다고 요청했다.
▶ that절의 내용이 당위성을 나타내므로 that절의 동사로 동사원형 keep을 쓴 것은 적절하다.

3 인간 문화의 기본 원리인 보답의 규칙은 한 사람은 다른 사람이 제공한 것에 동일한 것으로 보답하려 노력해야 한다고 요구한다.
▶ that절의 내용이 당위성을 나타내므로 tries를 (should) try로 고쳐야 한다.

4 전형적인 설명은 나무는 깊은 뿌리를 가진 반면 풀은 얕은 뿌리를 가지고 있어서, 그것들이 자원에 대해 사실상 경쟁자가 아니기 때문에 사바나에서 풀과 나무의 공존이 가능하다고 제안한다.
▶ that절의 내용이 당위성이 아니라 과학적 사실을 나타내므로 주어(the coexistence)의 수에 맞춰 is를 쓴 것은 적절하다.

어휘 ethics 윤리(학)   adherence 고수; 집착   in kind (보답을) 동일한 것으로; (금전이 아닌) 현물로   classic 전형적인; 고전적인   coexistence 공존   savanna 사바나, 대초원   shallow 얕은; 피상적인

Test 2

1 requested that the newspaper company stop delivering a daily paper
2 suggest that a person's intelligence changes and modifies through life
3 A study recommended that babies should be moved into their own room
4 demands that an individual step into fear and sit with the unknown / only doing the things he can do well

1 ▶ 우리말의 시제가 과거이므로 문장의 동사를 requested로 바꿔 쓰고, that절의 내용이 당위성을 나타내므로 stop은 변형 없이 그대로 쓴다.

2 ▶ that절의 내용이 과학자들이 발견한 일반적 사실을 나타내므로 동사는 주어(a person's intelligence)의 수에 맞추어 changes와 modifies로 변형한다.

3 ▶ 우리말의 시제가 과거이므로 문장의 동사를 recommended로 바꿔 쓰고, that절의 내용이 당위성을 나타내고 아기들이 '옮겨지는' 수동의 의미이므로 that절의 동사는 should be moved를 쓴다.

4 ▶ 동명사구 주어이므로 주절의 동사는 단수동사 demands로 바꿔 쓰고, that절의 내용이 당위성을 나타내므로 step과 sit은 변형 없이 그대로 쓴다. rather than 뒤에는 only doing things가 오고 things를 수식하는 목적격 관계대명사절을 이어서 영작한다.

어휘 modify 수정되다; 수정하다   impact 영향을 주다; 영향; 충격

Test 1

1 × → fell   **2** ○
3 × → aroused   **4** × → winds

1 1964년, 북아메리카에서 기록된 가장 큰 지진이 알래스카를 마구 뒤흔들었을 때, 앵커리지의 한 거리는 수직으로 20피트 떨어졌다.
▶ '떨어지다'라는 의미의 자동사 fall이 적절한데, 과거 사실이므로 과거형 fell로 고쳐야 한다.

2 그는 진실을 말하고 있었을 때와 비교하여 거짓말을 했을 때 태도에 미묘한 변화를 보였다. 그는 머리를 뒤로 젖히고 어색하게 웃곤 했다.
▶ '거짓말하다'라는 의미의 자동사 lie의 과거형 lied는 알맞다.

3 한 연구에서, 리듬감 있는 음악을 들은 참가자들은 더 협력하는 경향이 있었고, 이러한 기꺼이 협력하려는 마음의 긍정적인 증가는 그들이 그 음악을 좋아했는지 아닌지에 상관없이 불러일으켜졌다.
▶ 자동사 arise는 수동태가 불가능하므로 '~을 불러일으키다'라는 의미의 타동사 arouse가 적절하다. 과거분사형 aroused로 고쳐야 한다.

4 만약 그녀가 곧장 가는 길을 이용한다면 그 절반의 시간 안에 헛간에 도착할 수 있겠지만, 그녀는 산비탈을 따라 굽은 오솔길을 따라가는 것을 더 좋아한다.
▶ '굽다, 구부러지다'라는 의미의 자동사 wind가 적절한데, 주격 관계대명사의 선행사가 the trail이고 현재 사실에 대해 말하고 있으므로 winds로 고쳐야 한다.

어휘 rock 마구 뒤흔들다[뒤흔들리다]; (부드럽게) 흔들다, 흔들리다   vertically 수직으로   awkwardly 어색하게   be inclined to-v v하는 경향이 있다   willingness 기꺼이 하려는 마음   barn 헛간, 곳간   trail 오솔길; 흔적

Test 2

1 what she found were illegible scribbled words
2 are illegally felled and burned to create space for cattle ranching
3 hearing in moths arose specifically in response to the threat of being eaten by bats
4 many of the birds sitting and singing songs are in the middle of an intense competition / could ultimately decide if they can raise a family

1 ▶ '~을 찾다'라는 의미의 타동사 find를 써서 영작한다. 과거의 일을 말하므로 과거형 found로 변형한다.

2 ▶ '~을 넘어뜨리다'라는 의미의 타동사 fell을 써서 영작한다. 현재의 일반적인 사실을 말하며 아마존 열대 우림의 상당 부분이 '(베어) 넘어뜨려지는' 수동관계이므로 수동태 are illegally felled로 쓴다.

3 ▶ '발생하다'라는 의미의 자동사 arise를 써서 영작한다. 과거의 사실을 말하므로 과거형 arose로 변형한다.

4 ▶ 첫 번째 빈칸에는 '앉아 있다'라는 의미의 자동사 sit을 sitting으로 바꿔 명사 the birds를 수식하는 현재분사로 쓴다. 두 번째 빈칸에는 could ultimately decide의 목적어인 if가 이끄는 명사절의 동사로 '기르다'라는 의미의 타동사 raise를 쓴다.

어휘 illegible 읽기 어려운   scribble 갈겨쓰다   ranching 목축, 농장 경영   plantation 농장   specifically 특별히; 분명히   in response to ~에 대응하여   intense 치열한, 강렬한   territory 영역; 영토

Test 1

1 × → a few   2 × → little
3 ○   4 ○, × → many

1 검색 엔진에 몇 개의 단어를 입력하는 간단한 행동은 당면한 그 주제와 관련된 링크를 즉각적으로 만들어 낼 것이다.
 ▶ 셀 수 있는 명사 words를 수식하므로 a few로 고쳐야 한다.

2 산불이 너무 빠르게 번져서 거주민들은 소지품을 구해 낼 시간이 없었고, 정상적인 삶으로의 빠른 회복에 대한 낙관론은 거의 없었다.
 ▶ 셀 수 없는 명사 optimism을 수식하므로 little로 고쳐야 한다.

3 민주주의 체제 내에서, 많은 표를 확보하는 정당들은 통치의 방향에 상당한 영향력을 행사한다.
 ▶ 명사의 복수형 votes 앞에 셀 수 있는 명사의 수식어인 a large number of는 적절하다.

4 건강관리에만 초점을 둔 많은 획기적인 제품들이 있지만, 그것들이 노인들에게 널리 이용 가능해지기 전에 극복해야 할 많은 잠재적인 문제들이 여전히 있다.
 ▶ plenty of는 셀 수 있는 명사와 셀 수 없는 명사를 모두 수식할 수 있다. 두 번째 밑줄 친 부분은 셀 수 있는 명사 challenges를 수식하므로 many로 고쳐야 한다.

어휘 instantaneously 즉각적으로; 동시에   belongings 소지품, 소유물 optimism 낙관; 낙관주의   democratic 민주주의의   secure 확보하다, 획득하다 considerable 상당한   governance 통치   innovative 혁신적인   accessible 이용[접근] 가능한

Test 2

1 Many commuters are facing long delays due to much traffic caused by the accident
2 attracted few candidates / those who applied possessed little expertise relevant to the position
3 is a great deal of freedom which comes from just knowing that your happiness is not bound to the need
4 demonstrates how much energy a classical composer can obtain from a few notes and a simple rhythmic tapping

1 ▶ commuter는 셀 수 있는 명사이므로 복수형 commuters로 변형하고, 셀 수 있는 명사를 수식하는 Many를 앞에 쓴다. traffic은 셀 수 없는 명사이므로 변형 없이 그대로 쓰고, 셀 수 없는 명사를 수식하는 much를 앞에 쓴다.

2 ▶ candidate는 셀 수 있는 명사이므로 복수형 candidates로 변형하고 few의 수식을 받는다. expertise는 셀 수 없는 명사이므로 변형하지 않고 little의 수식을 받는다.

3 ▶ freedom은 셀 수 없는 명사이므로 변형하지 않고 a great deal of의 수식을 받도록 영작한다.

4 ▶ energy는 셀 수 없는 명사이므로 변형하지 않고 much의 수식을 받는다. 의문사 how가 이끄는 명사절은 how가 목적어 energy를 수식하는 much와 의미상 강하게 연결되므로 <how+형용사+명사(목적어)+주어+동사>의 어순이 된다. note는 셀 수 있는 명사이므로 복수형 notes로 변형하고 a few의 수식을 받는다.

어휘 commuter 통근자   traffic 교통(량)   candidate 지원자, 후보자   expertise 전문 기술[지식]   bound 얽매인, 묶인   composer 작곡가

Test 1

1 ○   2 × → is
3 × → have   4 × → comes

1 우리 할아버지께서 사셨던 땅은 질 좋고 기름진 땅이었지만, 그것에는 대출금과 세금이 있었다.
 ▶ 주어(bank loans and taxes)가 복수이므로 복수동사 were는 알맞다.

2 교장 선생님은 다음 달에 우리 학교 건물들 근처에서 실시될 것으로 예정된 주요 도로 공사가 있다고 알리셨다.
 ▶ that절의 주어(major road construction)는 단수이므로 단수동사 is가 알맞다.

3 피험자들이 사람들의 얼굴 사진을 보고 나타난 심리 상태를 식별해 보도록 요청받은 심리학 연구들이 있었다.
 ▶ 주어(psychological studies)가 복수이므로 복수동사 have가 알맞다.

4 사람들이 자신의 분노를 부정하고 억누를 때, 그들이 그 분노를 묻어 두었다가, 미래의 어느 시점에 그것을 더 이상 억누를 수 없다는 것을 알게 될지도 모른다는 위험이 따른다.
 ▶ 주어(a danger)가 단수이므로 단수동사 comes가 알맞다.

어휘 loan 대출(금)   take place 일어나다, 발생하다   suppress 억누르다   store up ~을 묻어 두다   contain 억누르다; 억제하다

Test 2

1 There are thousands of metaphors that people use
2 There exist people who believe that the Earth is flat
3 there has been a tendency to assume that any claims can be authenticated
4 may be true that vitamin C does prevent colds / there is little scientific evidence to support that claim

1 ▶ 주어(thousands of metaphors)가 복수이고 현재의 사실을 말하므로, 주어 앞에 복수동사 are를 쓴다.

2 ▶ 주어(people)가 복수이고 현재의 사실을 말하므로, 주어 앞에 복수동사 exist를 쓴다.

3 ▶ 주어(a tendency)가 단수이고 현재까지 계속되어 온 사실을 말하므로, 주어 앞에 has been을 쓴다.

4 ▶ but 앞의 절은 <가주어-진주어(명사절)> 구문을 사용해 영작하고, that절 안에는 prevent 앞에 동사를 강조하는 does를 쓴다. but 뒤의 절은 <there+V+S> 구조를 포함하여 영작하는데, 주어(little scientific evidence)가 단수이고 현재의 사실을 말하므로 주어 앞에 단수동사 is를 쓴다.

어휘 metaphor 은유, 비유   advance 발전   tendency 경향   assume 상정하다, 추정하다

Test 1

1 × → whoever   **2** ○
3 × → whatever, × → whatever

1 사회 프로그램들은 범죄를 저지른 누구든지 사회 복귀를 돕고 사회로의 재통합을 돕는 것을 목표로 한다.
▶ 주어가 없는 불완전한 구조의 절이 이어지므로 복합관계대명사의 자리인데, 사람을 나타내는 대명사가 필요하므로 whoever로 고쳐야 한다.

2 몇몇 행동 심리학자들은 사람들이 남들이 보고 있다는 것을 알 때 그것이 무엇이 되었든 더 잘하는 경향이 있어서, 관찰되는 것이 성과를 향상시킨다고 주장한다.
▶ 주격보어가 없는 불완전한 구조의 절이 이어지므로 복합관계대명사 whatever는 알맞게 쓰였다. better는 복합관계대명사절의 보어인 형용사가 아니라 앞의 to do를 수식하는 부사이다.

3 여러분의 값을 매길 수 없는 순간들을 담아내는 것이라면 무엇이든, 그것이 비싼지 아닌지와 상관없이 여러분의 여행을 상기시켜 주는 소중한 것이 될 것이며, 돈으로 쉽게 살 수 있는 어떤 기념품보다도 훨씬 더 의미 있다는 것을 기억해라.
▶ 첫 번째 밑줄 뒤에 주어가 없는 불완전한 구조의 절이 이어지므로 복합관계대명사의 자리인데, 사물을 나타내는 대명사가 필요하므로 whatever로 고쳐야 한다. 두 번째 밑줄은 뒤의 명사 souvenir를 수식할 수 있는 whatever로 고친다.

어휘 offense 범죄, 위법 행위   reintegration 재통합; 복구   priceless 값을 매길 수 없는, 소중한   souvenir 기념품

Test 2

1 allows more light to be captured from whatever you want to photograph
2 Whoever is in charge of the budget must undertake a thorough evaluation of expenditures
3 choose whichever feels like a good fit for your interests and schedule
4 are advised to be aware of whatever style of writing is fashionable / lose sight of whatever style of writing is comfortable for them

1 ▶ 복합관계대명사 whatever가 이끄는 명사절이 전치사 from의 목적어 역할을 하는 문장을 영작한다. whatever 뒤에는 to photograph의 목적어가 없는 불완전한 구조의 절이 이어진다.

2 ▶ 복합관계대명사 Whoever가 이끄는 명사절이 주어 역할을 하는 문장을 영작한다. Whoever 뒤에는 주어가 없는 불완전한 구조의 절이 이어진다.

3 ▶ 복합관계대명사 whichever가 이끄는 명사절이 choose의 목적어 역할을 하는 문장을 영작한다. whichever 뒤에는 주어가 없는 불완전한 구조의 절이 이어진다.

4 ▶ 복합관계대명사 whatever가 이끄는 명사절이 of의 목적어가 되는 문장을 각각 영작한다. 두 빈칸 모두에서 whatever는 명사 style을 앞에서 수식하도록 쓴다. 첫 번째 빈칸에는 5문형의 수동태가 쓰였다.

어휘 dimly 흐릿하게, 어둑하게   in charge of ~을 담당하는   undertake (책임을 맡아서) 하다, 착수하다   evaluation 평가   expenditure 지출   guarantee 보장하다   finite 한정적인   a variety of 다양한   aspiring 장차 ~이 되려는; 야망이 있는   fashionable 유행하는   lose sight of ~을 잊다; ~을 놓치다   authenticity 진정성   irreplaceable 대체할 수 없는

01 × → occurred, × → travel, ○
02 ○, ○, × → predicting[prediction of]
03 × → (should) go, × → do
04 × → feeding, × → giving[to give], × → amount[deal]
05 whatever, 현재분사 doing의 목적어 역할을 하는 명사절이자 불완전한 절을 이끌므로 복합관계대명사 whatever가 알맞다.
06 Although, 뒤에 주어(the conventional wisdom)와 동사(is)가 있는 절이 이어지므로 접속사 Although가 알맞다.
07 raises, 뒤에 목적어(the prices)가 있으므로 타동사 raises가 알맞다.
08 Our organization was founded on the belief that all animals should be respected
09 has contributed to both fostering and limiting change / to preserving species
10 was thought that there was "one" cure for cancer / is now understood that cancer takes multiple forms and that multiple approaches are needed
11 Whatever seems easier in the moment often reflects a desire / sustainable success necessitates a willingness to invest / those who do reap the greatest rewards
12 is to try to fail faster so that you can move on to creating the next idea
13 (A) listed   (B) specifying   (C) is
14 involve understanding different viewpoints
15 one learn to discern when to take control and when to accept the limits of control[when to accept the limits of control and when to take control]
16 ② determination → determining / ⑤ was → were
17 would deliberately choose to exchange his coins for whichever food met his specific tastes

01 1883년 인도네시아의 화산 폭발이 일어났을 때, 그 재난에 대한 이목을 끄는 소식이 전례 없는 속도로 전 세계에 정말 퍼졌는데 해저 전신 케이블이 이미 설치되어 있었기 때문이다.
▶ 자동사 occur는 수동태로 쓸 수 없다. / 동사를 강조하는 did 뒤에는 동사원형이 와야 한다. / 케이블이 '설치되어 있었던' 수동관계이므로 '설치하다; 놓다'라는 의미의 타동사 lay가 수동태로 알맞게 쓰였다. • **Rank 04** 능동 vs. 수동_단순시제 II, **Rank 16** 진행·완료시제의 능동 vs. 수동, **Rank 67** do 동사의 쓰임, **Rank 74** 혼동하기 쉬운 동사
어휘 explosion 폭발   unprecedented 전례 없는   telegraph 전신, 전보; 전보를 보내다

02 알고리즘은 한때 단순한 예측 문제에 관해서 전문가의 판단보다 못하다고 생각되었지만, 그것이 한 잠재적인 후보자가 장래에 직장에서 잘 수행할지 아닐지를 예측하는 데 있어 놀라운 정확성을 보여줘 왔다는 증거가 있다.
▶ 동사의 시제(were believed)와 같은 때를 나타내므로 to be는 알맞다. / but 이하 절의 주어(evidence)가 단수이므로 단수동사 is는 알맞다. / 전치사 in의 목적어 자리이며 뒤에 목적어인 명사절이 이어지므로 predict는 동명사 predicting으로 고쳐야 한다. 또는 명사 prediction으로 바꾸고 뒤에 전치사 of를 추가하는 것도 가능하다. • **Rank 70** that절이 목적어인 문장의 수동태, **Rank 72** 전치사+동명사, **Rank 76** There+V+S
어휘 candidate 후보자

03 수행에 대한 피드백은 그 프로그램이 '우승하거나, 입상하거나, 또는 보여주는' 수준의 피드백을 넘어서야 한다고 요구하는데 왜냐하면 수행에 대한 정보는 우승하거나 입상하지 않은 참가자뿐만 아니라 우승하거나 입상한 참가자에게도 매우 도움이 되어야 하기 때문이다.

▶ requires의 목적어로 온 that절의 내용이 당위성을 나타내므로 that절의 동사는 go 또는 should go가 되어야 한다. / 앞에 나온 일반동사구(win or place)를 대신하는 대동사를 써야 하는데, 관계사절의 선행사가 복수 those이므로 do로 고쳐야 한다. • **Rank 57** 관계대명사의 선행사에 수일치, **Rank 67** do 동사의 쓰임, **Rank 73** 당위성 동사+that+S'+(should+)동사원형

어휘 place 입상하다

04 여러분의 몸을 먹이는 것에 관한 한, 집에서 식사를 준비하는 것이 더 나은 선택지가 될 수 있는데 여러분이 어느 재료를 선택하는지에 대한 완전한 통제력을 여러분에게 주는 것은 여러분이 많은 조리법에 사용되는 많은 소금을 신중하게 관리할 수 있게 해주기 때문이다.
▶ 'V하는 것에 관한 한'의 의미인 <when it comes to v-ing>가 쓰였으므로 feeding으로 고쳐야 한다. / because가 이끄는 절의 동사 allows가 이미 있고 주어가 필요하므로 give는 주어 역할을 할 수 있는 준동사(giving 또는 to give)가 되어야 한다. / 셀 수 없는 명사 salt를 수식하므로 a great amount[deal] of가 되어야 한다. • **Rank 24** 동사 자리 vs. 준동사 자리, **Rank 72** 전치사+동명사, **Rank 75** 명사와 수식어의 수일치

어휘 ingredient 재료, 성분; 구성 요소

[05-07]
어떤 회사가 신제품을 공개할 때, 경쟁자들은 일반적으로 방어적인 태도를 취하며, 그 내놓은 것(신제품)이 그들의 판매량을 축낼 가능성을 줄이기 위해 그들이 할 수 있는 것은 무엇이든 한다. 대응은 보통 마케팅에 들이는 노력을 늘리는 것을 포함한다. 하지만 많은 경우에, 그런 노력은 틀린 방향으로 이끌어진다. 경쟁사의 출시가 이익에 피해를 줄 것이라는 통념이 종종 옳다고 할지라도, 연구는 회사들이 때때로 경쟁사의 출시 이후 이익의 증가를 본다는 것을 보여준다. 기저에 있는 메커니즘은 단순하다. 한 회사가 신제품을 내놓을 때, 그 회사는 새것을 더 매력적으로 보이게 만들도록 종종 기존 제품들의 가격을 올린다. 하지만, 경쟁사들도 가격으로 인한 소비자 이탈의 위험을 무릅쓰지 않으면서 가격 책정을 조정할 수 있다.

어휘 release (대중들에게) 공개하다, 발표하다 on the defensive 방어적인 태도를 취하는 odds 가능성, 공산 offering (사람들이 사용하도록) 내놓은 것 eat into 축내다 misguide ~을 틀린 방향으로 이끌다 pricing 가격 책정

05 ▶ 뒤에 can do의 목적어가 없는 불완전한 절이 왔다. • **Rank 77** 명사절을 이끄는 복합관계대명사

06 ▶ • **Rank 36** 양보·대조의 부사절, **Rank 71** 전치사의 의미와 쓰임

07 ▶ raise는 '~을 올리다'의 의미로 쓰였다. • **Rank 74** 혼동하기 쉬운 동사

08 ▶ 주절에는 '~을 설립하다'라는 의미의 타동사 found를 쓰는데, 단체가 '설립된' 수동관계이며 과거의 일을 말하므로 was founded로 쓴다. 명사 the belief 뒤에는 동격을 나타내는 that절을 이어서 영작한다. 모든 동물이 '존중받아야' 하는 수동관계이므로 that절의 동사는 should be respected로 쓴다. • **Rank 03** 능동 vs. 수동_단순시제 I, **Rank 52** 동격을 나타내는 구문, **Rank 74** 혼동하기 쉬운 동사

09 ▶ '기여해 온' 것이므로 동사는 현재완료시제 has contributed로 쓴다. 전치사 to의 두 개의 목적어를 상관접속사 <both A and B>로 연결하고, 전치사 to가 이끄는 두 개의 전명구가 and로 병렬 연결되는 구조로 영작한다. 이때 전치사 to의 목적어 자리에는 모두 뒤에 목적어를 취할 수 있는 동명사가 와야 하므로 각각 fostering, limiting, preserving으로 변형한다. • **Rank 09** 등위접속사의 병렬구조, **Rank 10** 상관접속사의 병렬구조, **Rank 21** 주의해야 할 시제 I, **Rank 72** 전치사+동명사

어휘 evolutionary 진화의 foster 촉진하다; 조성하다

10 ▶ 우리말의 '생각되었다'는 수동의 의미이며 과거의 일을 말하므로 주절의 동사는 was thought로 쓴다. 주절의 시제와 that절의 시제가 일치하며, that절의 주어("one") cure)는 단수이므로 that절의 동사는 was로 쓴다. '이해된다'는 수동의 의미이며 현재의 일을 말하므로 but 이하 주절의 동사는 is understood로 쓴다. 그 뒤에는 두 개의 that절이 접속사 and로 병렬 연결

된 구조로 영작한다. • **Rank 03** 능동 vs. 수동_단순시제 I, **Rank 09** 등위접속사의 병렬구조, **Rank 22** 주의해야 할 시제 II, **Rank 70** that절이 목적어인 문장의 수동태, **Rank 76** There+V+S

11 ▶ 복합관계대명사 Whatever가 이끄는 명사절이 첫 번째 절의 주어 역할을 하도록 영작한다. Whatever 뒤에는 주어가 없는 불완전한 구조의 절이 이어진다. 두 번째 빈칸에는 목적어 a willingness 뒤에 동격을 나타내는 to부정사구를 이어서 영작한다. and 이하에는 주격 관계대명사 who가 주어 those를 수식하도록 영작하는데, 관계사절의 동사는 일반동사구(invest for the future)를 대신하는 대동사를 선행사에 수일치하여 do로 쓴다. • **Rank 02** 주어-동사의 수일치 II, **Rank 25** 주격 관계대명사 who, which, that, **Rank 52** 동격을 나타내는 구문, **Rank 57** 관계대명사의 선행사에 수일치, **Rank 67** do 동사의 쓰임, **Rank 77** 명사절을 이끄는 복합관계대명사

어휘 gratification 만족감 necessitate ~을 필요로 하다 reap 거두다, 수확하다

12 창의성에 관한 한 가지 무언의 진실은, 그것이 엉뚱한 재능에 관한 것이라기보다는 생산성에 관한 것이라는 점이다. 효과 있는 몇몇 아이디어를 발견하기 위해, 여러분은 그렇지 않은 많은 것을 시도할 필요가 있다. 그것은 순전히 숫자 게임이다. 천재들이 반드시 다른 창작자들보다 성공률이 더 높은 것은 아니다. 그들은 그저 더 많이 하며, 여러 가지 다양한 것들을 한다. 그들은 더 많은 성공 '그리고' 더 많은 실패를 한다. 창의성에 관한 것은, 처음에는 여러분이 어떤 아이디어가 성공하고 어떤 아이디어가 실패할 것인지를 알 수 없다는 것이다. 그러므로 여러분이 할 수 있는 유일한 것은 여러분이 다음 아이디어를 만들어 내는 것으로 넘어갈 수 있도록 더 빨리 실패하려고 노력하는 것이다.
▶ 주격보어로 to try를 쓰고, to try의 목적어로 to fail을 쓴다. 이어서 so that을 써서 '~하도록'이라는 의미의 목적을 나타내는 부사절을 영작한다. • **Rank 11** 동사의 목적어가 되는 to-v, v-ing, **Rank 34** 목적·결과의 부사절, **Rank 69** 보어로 쓰이는 to부정사, **Rank 72** 전치사+동명사

어휘 at the outset 처음에 move on to (새로운 주제 등으로) 넘어가다, 옮기다

[13-14]
공감이 정확히 무엇을 의미하는지 명시하지 않지만, 공감은 자주 고용주나 직원에게 가장 필요한 기술들 중 하나로 목록에 포함된다. 몇몇 기업은 인지적 공감을 강조하며, 리더가 의사 결정에서 직원과 고객의 관점을 이해할 필요성을 강조한다. 컨설턴트들이 성공적인 회사는 공감을 발전시켜야 한다고 주장할 때, 그것이 의미하는 바는 회사가 시장 조사를 잘 수행해야 한다는 것이다. 어떤 사람들이 공감을 담은 디자인에 대해 말할 때, 그것은 회사가 시각장애인, 청각장애인, 노인 등 다양한 인구의 구체적인 필요를 고려해야 한다는 것을 의미한다. 사업에서 공감이 그러는 것처럼, 접근 가능성을 목적으로 디자인하는 회사들은 다양한 관점을 이해하는 것을 수반한다.

어휘 empathy 공감, 감정 이입 specify 명시하다 take into account ~을 고려하다

13 ▶ (A) 공감이 '목록에 포함되는' 수동관계이므로 수동태로 쓴다. • **Rank 03** 능동 vs. 수동_단순시제 I
(B) 전치사 without의 목적어 자리이며 뒤에 목적어인 명사절이 이어지므로 동명사 specifying으로 바꿔 쓴다. • **Rank 72** 전치사+동명사
(C) 주어가 명사절이므로 단수동사 is가 적절하다. • **Rank 02** 주어-동사의 수일치 II

14 ▶ does는 일반동사구를 대신하는 대동사이다. • **Rank 67** do 동사의 쓰임

15 사람들이 근본적으로 통제할 수 없는 상황을 통제하려 할 때, 그들은 높은 수준의 스트레스를 경험하는 경향이 있다. 따라서 그러한 상황에서 그들이 적극적인 통제를 할 필요가 있다고 제안하는 것은 잘못된 충고이다. 그들이 할 필요가 있는 것은 어떤 일은 그들의 통제 밖에 있음을 받아들이는 것이다. 마찬가지로, 사람들에게 손쉽게 바뀔 수 있는 상황을 받아들이라고 가르치는 것은 잘못된 충고가 될 수 있다. 때때로 원하는 것을 얻는 유일한 방법은 적극적인 통제를 하는 것이다. 연구는 무력함을 느끼는 사람들이 통제하는 데 실패할

때, 그들은 불안과 우울증 같은 부정적인 감정 상태를 경험한다는 것을 보여주었다. 스트레스처럼, 이러한 부정적인 감정들은 면역 반응에 손상을 줄 수 있다. 이것으로부터 우리는 건강이 통제와 직선적으로 관련되어 있지 않다는 것을 알 수 있다.

[주장] 필자는 건강과 행복을 최대한 좋게 만들기 위해 언제 통제해야 하고 언제 통제의 한계를 받아들여야 하는지[언제 통제의 한계를 받아들여야 하고 언제 통제해야 하는지]를 파악하는 것을 배워야 한다고 제안한다.

▶ that절의 내용이 당위성을 나타내며 주어진 어구에 should가 없으므로 that절의 동사는 learn으로 쓴다. learn은 목적어로 to-v를 취하므로 to discern을 이어 쓰고, to discern의 목적어 자리에는 두 개의 <의문사+to부정사>를 and로 병렬 연결하여 쓴다. •Rank 09 등위접속사의 병렬구조, Rank 11 동사의 목적어가 되는 to-v, v-ing, Rank 64 의문사+to부정사, Rank 73 당위성 동사+that+S'+(should+)동사원형

어휘 be inclined to-v v하는 경향이 있다 helpless 무력한 linearly 선으로, 선형적으로 discern 파악하다, 알아차리다 optimize ~을 최대한 좋게 만들다; 낙관하다

[16-17]

예일대학교의 교수인 Keith Chen은 자신이 원숭이 집단에게 돈을 쓰도록 가르치면 무슨 일이 일어날지에 대해 의문을 가졌다. Chen은 실험실에서 수컷 원숭이 일곱 마리와 함께 실험을 시작했다. Chen이 원숭이에게 동전을 하나 줬을 때, 그 원숭이는 그것의 냄새를 맡고 자신이 그것을 먹을 수 없다는 걸 알아낸 후 그것을 내던졌다. Chen이 이를 반복하자, 원숭이는 동전을 그에게로 던지기 시작했다. 그래서 Chen은 원숭이에게 동전을 주고서는 간식을 보여주었다. 원숭이가 동전을 Chen에게 돌려줄 때마다, 원숭이는 간식을 받았다. 몇 달이 걸렸지만, 원숭이들은 결국 동전이 간식을 구매할 수 있다는 것을 배웠다. 일단 원숭이들이 동전의 거래 가치를 배우자, 각 원숭이들 사이에 다른 간식에 대한 강한 선호도가 있다는 것이 드러났다. 원숭이는 의도적으로 자신의 동전을 자신의 특정 취향을 충족시키는 어느 음식으로든 교환하는 것을 선택하곤 했다.

어휘 sniff 냄새를 맡다 determine 알아내다; 결정하다 transactional 거래의 deliberately 의도적으로, 고의로 exchange A for B A를 B로 교환하다

16 ▶ ② 밑줄 뒤에는 명사절을 이끄는 접속사 that이 생략되어 있다. 뒤에 목적어절이 이어지므로 동명사 determining으로 고친다. that절은 일부 경우를 제외하고는 전치사의 목적어로 쓰이지 않는다는 점에 주의한다. •Rank 72 전치사+동명사 / ⑤ 주어(strong preferences)가 복수이므로 복수동사 were로 고쳐야 한다. •Rank 76 There+V+S

17 ▶ 동사 choose를 수식하므로 deliberate는 부사로 변형한다. choose의 목적어로 to exchange를 쓰고, 복합관계대명사 whichever가 이끄는 명사절이 <exchange A for B>에서 전치사 for의 목적어 역할을 하도록 영작한다. whichever는 명사 food를 수식한다. •Rank 11 동사의 목적어가 되는 to-v, v-ing, Rank 37 형용사 자리 vs. 부사 자리, Rank 62 전치사를 동반하는 동사 쓰임 I, Rank 77 명사절을 이끄는 복합관계대명사

• 부분 점수

문항	배점	채점 기준
01-04	1	×는 올바르게 표시했지만 바르게 고치지 못한 경우
05-07	2	올바른 것을 골랐으나 그 이유를 쓰지 못한 경우
08-11	3	어순은 올바르나 단어를 적절히 변형하지 못한 경우
16	1	틀린 부분을 찾았지만 바르게 고치지 못한 경우
17	5	어순은 올바르나 단어를 적절히 변형하지 못한 경우

서술형 대비는 이제,
올씀 서술형 시리즈

···· 서술형 시리즈 1 ····

···· 서술형 시리즈 2 ····

···· 서술형 시리즈 3 ····

ALL씀 기본 문장 PATTERN

- 16개 패턴으로 문장 구조 완전 정복
- 단계별 영작 학습으로 초보자도 쉽게
- 패턴별 꼭 나오는 문법 정리 수록!

ALL씀 그래머 KNOWHOW

- 서술형 감점 없애는 문법 노하우 공개!
- 먼저 쓰고 나서 익히는 능동적인 학습
- 문법 포인트별 빈출 유형으로 실전 감각 Up!

RANK 77 고등 영어 서술형

- 고난도 연습문제로 심화 기출 문항 대비
- 기출 포인트 출제 빈도순 학습
- 답이 보이는 단서·해결 프로세스 제시
- 서술형 대비를 위한 기본 표현 수록

RANK 77 고등 영어 서술형 실전문제 700제

- <RANK 77 고등 영어 서술형>과 동일한 목차 구성으로 병행학습 가능
- 풍부한 문제로 실전 완벽 대비
- 서술형 PLUS 표현 복습 및 암기